Cómo Mejorar Tu Ciclo Menstrual

Tratamiento natural para mejorar las hormonas y la menstruación

Traducción del inglés de
Ariadna Tagliorette

Lara Briden

GREENPEAK
PUBLISHING

AVISO LEGAL

La información contenida en este libro intenta ayudar a las lectoras a tomar decisiones informadas acerca de su salud. No pretende ser sustituto de ningún tratamiento médico indicado por un profesional de la salud. Si tienes un problema médico o necesitas asesoramiento profesional, por favor, consulta a tu médica.

Los nombres y datos de las personas han sido cambiados.

Primera edición (español) Febrero 2019
Segunda edición (inglés) Septiembre 2017
Primera edición (inglés) Enero 2015

Para mayor información visita el sitio web de la autora
http://es.larabriden.com

Lara Briden es una médica naturópata con más de veinte años de experiencia en la salud de la mujer. Dirige una exitosa clínica hormonal en Sydney, Australia, donde trata mujeres con síndrome del ovario poliquístico (SOP), síndrome premenstrual (SPM), endometriosis y muchos otros problemas del período menstrual.

Visita el blog de Lara en es.larabriden.com

Twitter, Instagram y Facebook: @LaraBriden.

a mis pacientes

Contenidos

Introducción

Bienvenida a *Cómo mejorar tu ciclo menstrual*. Esta es la edición en español de un libro que viene directamente de mi corazón.

Cómo mejorar tu ciclo menstrual comenzó en 2015 como un proyecto con mucha pasión de publicación independiente. Fue mi forma de demostrar al mundo lo que funciona para la salud de la mujer. Y se basó en mi experiencia con las miles de mujeres que habían visitado mi clínica en Sydney en busca de ayuda con el síndrome del ovario poliquístico (SOP), la endometriosis y otros problemas del ciclo.

Esperaba que mi libro ayudara a algunas mujeres. No tenía idea de que iba a convertirse en una sensación en Amazon y que ayudaría a decenas de miles de mujeres alrededor del planeta. La primera edición tuvo tanto éxito que decidí revisarla y ampliarla con la participación de la profesora de endocrinología Dra. Jerilynn Prior. Verás algunas de sus citas e ideas a lo largo del libro.

Cómo utilizar este libro

La primera mitad del libro trata de entender tu ciclo menstrual.

¿Cómo debería ser tu periodo? ¿Qué puede fallar? ¿Por qué tenemos la menstruación? En esta sección, también expongo mis argumentos en contra de los métodos anticonceptivos hormonales y evalúo métodos anticonceptivos.

La segunda mitad es la sección de tratamiento. Comienza con un capítulo llamado "Mantenimiento general del periodo", que sienta las bases para los capítulos detallados de tratamiento que conforman el resto del libro.

Comienza por leer el libro de principio a fin porque hay temas importantes dentro de cada capítulo. Por ejemplo, el capítulo 3 explica los signos físicos de la ovulación, lo que será muy útil cuando veamos la ovulación y la progesterona más adelante en el libro. El capítulo 5 describe el metabolismo o la desintoxicación del estrógeno, y capítulo 6 es donde aprenderás por primera vez sobre la resistencia a la insulina. Comprender esos conceptos clave te ayudará a entender casi cualquier problema del periodo menstrual.

Recuadros especiales

A lo largo del libro, verás definiciones, consejos, historias de pacientes y temas especiales.

 definición

Los recuadros de definiciones proporcionan explicaciones simples para palabras técnicas. También se puede encontrar en el Glosario.

Los consejos reúnen información adicional que puede resultarte útil.

Historia de la paciente

Las historias de las pacientes son historias basadas en mis pacientes reales con nombres y algunos datos que han sido cambiados.

Tema especial: Explora con más detalle

Los temas especiales proporcionan información adicional en profundidad.

El capítulo final es el capítulo de "Resolución avanzada de problemas", donde me sumerjo en algunos de los problemas de salud más complicados, como las toxinas ambientales, la salud digestiva y la enfermedad de la tiroides. En el último capítulo también encontrarás la sección crucial "Cómo hablar con tu médica". Proporciona una lista de preguntas y afirmaciones que te permitirán comunicarte con tu médica y os ayudarán a tener una mejor comprensión de tu situación de salud particular.

Al leer, te encontrarás con referencias a diferentes secciones del libro. Eso te permitirá volver y juntar las diferentes partes de tu historia única del periodo menstrual. Por ejemplo, tal vez estás luchando para tener tu periodo después de haber dejado la píldora anticonceptiva. Exploro ese problema en secciones especiales en los capítulos 2, 7 y 11. La tabla de contenidos y el índice te ayudarán a navegar en las secciones correctas.

¿Las recomendaciones se basan en evidencia?

En la medida de lo posible, he proporcionado referencias a estudios científicos. Este conjunto de investigaciones asciende a más de 350 estudios que respaldan muchas de las recomendaciones.

Cuando no he proporcionado una referencia, es porque no había todavía estudios publicados disponibles sobre el tema en el momento de la escritura. Este es el caso con algunas de las hierbas medicinales y también con algunos temas especiales, como *la intolerancia a la histamina*. Por supuesto, espero que las científicas un día prueben estos tratamientos, pero, mientras tanto, quiero que puedas beneficiarte de ellos. Si eso significa estar a la cabeza de la investigación científica, entonces que así sea. Uno de mis primeros maestros de naturopatía lo expresó de esta manera: "Si esperas a que la investigación se ponga al día, entonces podrías estar esperando por mucho tiempo".

Todas las recomendaciones se basan en los resultados que he visto con mis miles de pacientes en los últimos veinte años. Y casi todas las recomendaciones son sencillas y seguras. Sin embargo, recomiendo que hables con tu médica o farmacéutica sobre posibles interacciones con cualquier problema médico existente o con el medicamento, o si estás embarazada o amamantando. Verifica siempre las etiquetas o el embalaje de los suplementos para ver las precauciones e instrucciones de dosificación.

Mi educación y formación

Comencé mi vida profesional como bióloga en la Universidad de Calgary. Allí, estudié zoología, botánica y ecología y trabajé durante los veranos recogiendo datos sobre plantas y animales de la selva canadiense. Incluso publiqué un artículo científico sobre el comportamiento de forrajeo de los murciélagos machos y hembras.

Planeaba seguir una carrera académica en biología cuando un día vi un anuncio en el periódico universitario y mi vida tomó una dirección diferente.

El anuncio era para la Universidad Canadiense de Medicina Naturopática, y me llamó la atención. Recorté ese anuncio y lo pegué en el espejo de mi aparador. ¿Qué es la medicina naturista? Quería saber. Hasta ese momento, la medicina no era algo que había considerado en serio porque no me interesaba trabajar dentro de la medicina convencional.

Cuando comencé a estudiar la medicina naturista, descubrí que su filosofía principal es que el cuerpo a menudo puede curarse a sí mismo. Eso resonó con todo lo que había aprendido sobre el mundo natural en mis estudios de biología. Entendí que el mundo natural era un sistema pragmático y regenerativo. Por supuesto, el cuerpo humano tenía que seguir los mismos principios porque forma parte del mundo natural.

Dejé mis planes de carrera académica y apliqué a la universidad naturista. Una vez que me aceptaron, conduje mi viejo Volkswagen 3 000 kilómetros a través de Canadá en dirección a Toronto y me embarqué en cuatro años más de estudio.

Los primeros dos años de la universidad naturopática son similares a los programas médicos convencionales. Los dos últimos años proporcionan cientos de horas de formación en medicina nutricional y hierbas, así como en formación clínica en una clínica ambulatoria. Los graduados de universidades naturistas acreditadas deben completar un examen de licencia postdoctoral (NPLEX).

Me gradué como médica naturópata en 1997 y rápidamente establecí la práctica general en el pequeño pueblo rural donde crecí —Pincher Creek, Alberta. La década de 1990 fue un momento interesante para ser naturópata. Incluso cosas básicas como los probióticos eran extrañas para los otros médicos. "¿Bacterias buenas?", dijo un médico. "¡Qué ridículo!"

También fue un momento particularmente interesante (y un poco aterrador) para la salud de la mujer. Las mujeres se enfrentaron a altas dosis de píldoras anticonceptivas, a terapias convencionales de "reemplazo" hormonal y a histerectomías de rutina. Simplemente tenía que encontrar mejores soluciones para esas mujeres.

Mientras trabajaba con mis pacientes, descubrí que los tratamientos naturales brindan incluso mejores resultados de los que me habían enseñado a esperar. Descubrí que para la mayoría de las mujeres, la medicina natural es una alternativa viable a la cirugía y a las hormonas sintéticas.

Una de las afecciones que traté en esos primeros años fue el síndrome del ovario poliquístico (SOP). En aquel entonces, el tratamiento convencional era un procedimiento quirúrgico llamado perforación ovárica. Mi enfoque era totalmente diferente. Me habían enseñado que el SOP estaba relacionado con un problema subyacente relacionado con el azúcar en la sangre y la insulina, por lo que comencé a prescribir una dieta y suplementos para bajar la insulina. Una "solución alimentaria" para el SOP fue recibida con escepticismo por los médicos locales, pero perseveré y vi grandes resultados. Evidentemente, ahora sabemos que el azúcar en la sangre y la insulina son factores importantes en el SOP, como veremos en el capítulo 7.

Más de dos décadas después, he tenido la oportunidad de tratar muchos tipos de problemas del periodo menstrual. Tengo un consultorio naturista con muchas pacientes en Sydney, donde trato a mujeres con SOP, endometriosis, resistencia a la insulina, enfermedad de tiroides y muchos otros problemas.

Y a mis miles de pacientes a lo largo de los años, ¡solo quiero darles las gracias!

Les dedico a ustedes este libro.

Lara Briden

PRIMERA PARTE

→

Entendiendo tu periodo menstrual

Nada en la vida debe ser temido,
solamente comprendido.
Ahora es el momento de comprender más,
para temer menos.

~ Marie Curie ~

Capítulo 1

LA REVOLUCIÓN MENSTRUAL

E N LA SALUD DE LA MENSTRUACIÓN está ocurriendo algo grande. Si estás leyendo este libro, ya eres parte del movimiento.

El periodo está saliendo a la luz. Ya no es algo que hay que padecer, ocultar o regular con anticonceptivos hormonales. Como veremos en los próximos capítulos, la píldora ha dejado de ser útil. Hay mejores opciones para la anticoncepción y alternativas mucho más óptimas para los problemas del ciclo menstrual.

Cada vez más mujeres le dicen *no* a la píldora y *sí* a un ciclo mensual natural.

Las *apps* para el periodo son parte del cambio y la mayoría de mis pacientes las usan. Yo misma uso una también. Cuando le pregunté a mi hijastra adolescente si utilizaba una app para el periodo me contestó: por supuesto —como si le hubiera preguntado algo estúpido.

Las *apps* para el periodo son aplicaciones que permiten hacer un seguimiento de datos acerca de tu ciclo mensual. Puedes controlar la fecha de inicio del periodo, realizar un seguimiento de signos y síntomas tales como el sangrado irregular, la sensibilidad en las mamas o tu estado de ánimo. ¡Incluso puedes recibir una alerta cuando tu regla esté por venir! Claro que podrías hacer lo mismo con el anticuado sistema de papel y bolígrafo, pero una *app* para el periodo es, de alguna manera, más fácil y *más amigable*, ya que tu teléfono está en tu bolso y a menudo en tu mano.

Estas *apps* hacen que los ciclos menstruales parezcan menos amenazantes ya que los incorporan a nuestra vida cotidiana. Hacen que parezcan *normales*, cosa que por supuesto son y siempre lo han sido.

¿Qué está pasando con *tu* menstruación? ¿Viene todos los meses? ¿Ha venido alguna vez? ¿Es intensa, dolorosa o difícil? ¿Has dejado la píldora hace poco o estás pensando en dejarla?

Sin importar tu edad o tu situación, esta es la oportunidad para que conozcas tu ciclo menstrual. No hay mejor momento para hacerlo.

Tu periodo quiere decirte algo

El ciclo menstrual no es solo un ciclo; es una expresión del estado de salud subyacente. Cuando estés sana, tu menstruación llegará de forma regular, suave y sin síntomas. Cuando no estés sana, tu ciclo contará otra historia.

Te invito a pensar en el periodo como tu boletín mensual. Cada mes, te puede ayudar a saber lo que está pasando con tu salud general, y esa información es increíblemente valiosa. ¿Qué mejor manera de saber qué necesitas hacer y qué necesitas cambiar?

El Colegio de Obstetras y Ginecólogos de Estados Unidos (ACOG) está de acuerdo. En diciembre de 2015, junto con la Academia de Pediatría de Estados Unidos, emitieron un documento revolucionario llamado "menstruación en niñas y adolescentes: utilizando el ciclo menstrual como un signo vital". [1]

En él, explican:

"La identificación de patrones menstruales anormales en la adolescencia puede mejorar el diagnóstico precoz de posibles problemas de salud en la edad adulta. Es importante que los médicos tengan una comprensión de los patrones menstruales en las adolescentes, la capacidad de diferenciar entre una menstruación normal y anormal, así como la habilidad para saber cómo evaluar a la paciente adolescente. Incluyendo un estudio del ciclo menstrual como un signo vital adicional los médicos reafirman su importancia en la evaluación del estado de salud general para pacientes y profesionales de salud."

Casi lloro cuando leí esa declaración. ¡Por fin!

La ACOG aclara que los médicos deben preguntar siempre a las pacientes sobre su menstruación y aconsejarles a las jóvenes a realizar un seguimiento de sus ciclos. Así, podrán demostrarles que la menstruación es un reflejo importante de su estado de salud general.

Evidentemente, la ACOG tiene razón. La menstruación es un reflejo de la salud general, o lo que ellos llaman un *signo vital*.

A lo largo de mis veinte años de trabajar con pacientes he confiado en la información que nos da la menstruación como una herramienta que me ha ayudado a evaluar la salud y determinar el plan de tratamiento correcto. Por eso siempre pregunto a mis pacientes acerca de sus periodos, incluso cuando vienen a verme por otro motivo.

Considera el caso de mi paciente Meagan.

Meagan: ¿Cómo es tu periodo?

Meagan tenía 26 años cuando vino a verme por un problema de psoriasis, un trastorno inmunológico que causa la aparición de parches de piel seca y escamosa. Esta condición le afectaba a los codos y el cuero cabelludo y parecía empeorar con el estrés. Según Meagan lo había heredado de su padre.

Le hice algunas preguntas más: ¿Cuándo había comenzado? (Cuando tenía 13 años) ¿Tenía alergias? (No.) ¿Tenía problemas digestivos? (No).

Entonces le pregunté: —¿Cómo es tu periodo?

—¿Qué quiere decir?

—¿Viene todos los meses? ¿Tienes algún dolor o sangrado irregular entre ciclos?

Meagan comentó que su periodo estaba bien porque tomaba la píldora.

—Eso no es un periodo —dije—, quiero decir, ¿cómo era tu ciclo antes de tomar la píldora?

Meagan no tuvo su período hasta que cumplió 16 años, y en ese momento era escasa e irregular. Su médica le había hecho algunos análisis de sangre y le había dicho que todo era normal. Fue entonces cuando le recomendó tomar la píldora.

—Tuvo que haber un motivo que te provocara irregularidad menstrual —expliqué—; y podría ser el mismo problema que te produce psoriasis.

Solicité unos análisis de sangre adicionales y todo era normal a excepción de una deficiencia de hierro al límite, que también había aparecido en algunas de las pruebas anteriores de Meagan.

Se abría un nuevo panorama. Meagan tenía un conjunto de síntomas que sugerían una posible sensibilidad al trigo: 1) psoriasis, 2) deficiencia de hierro y 3) ciclos irregulares. Expliqué a Meagan que la psoriasis podría ser, en parte, una reacción inflamatoria al trigo o gluten.[2] Y que la misma reacción inflamatoria al gluten también podría contribuir a la deficiencia de hierro y a la irregularidad en la menstruación. [3]

Afortunadamente, las pruebas de Meagan dieron negativo en

el diagnóstico de la enfermedad celíaca, que es la forma clínica más severa de sensibilidad al gluten. Pero percibí que ella probablemente tenía una forma más leve de sensibilidad al gluten — una que estaba afectando a su piel y a sus ciclos. Así que le pedí que evitara el gluten durante seis meses.

A un mes de comenzar el tratamiento, Meagan dejó la píldora para ver si su nueva dieta la ayudaba a tener periodos regulares. Le advertí que podría llevar algún tiempo.

Durante los dos primeros meses, no sucedieron muchos cambios. La psoriasis de Meagan permaneció casi igual y no tuvo el periodo.

—Recuperarse de los efectos del gluten puede llevar varios meses —, le advertí.

Finalmente, después de tres meses, su piel empezó a mejorar. Después de seis, tuvo la menstruación y finalmente pasó a tener periodos regulares.

El tratamiento adecuado para la salud general de Meagan fue también el tratamiento adecuado para su menstruación. Siempre es así: mejora tu salud y mejorarás tu periodo.

Por qué los anticonceptivos hormonales no son la respuesta

Es posible que a tu médica no le importe mucho tu boletín mensual. Puede que no tenga en cuenta la sutiles causas que subyacen a los problemas de tu ciclo menstrual porque la solución es siempre la misma: tomar la píldora.

La píldora es un anticonceptivo oral combinado y es uno de los tipos de anticonceptivos hormonales que inhiben la ovulación.

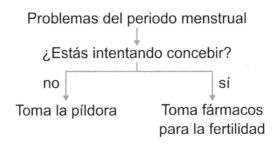

anticonceptivos hormonales

Anticonceptivo hormonal es el término general para todos los comprimidos, parches e inyecciones de esteroides que inhiben la función ovárica. La píldora combinada (estrógeno más progestina) es el método más conocido.

¿Por qué a tu médica le gusta tanto la píldora? Porque es una solución práctica y multifuncional. ¿Menstruación ausente? Toma la píldora. ¿Dolor menstrual? Toma la píldora. ¿Síndrome del ovario poliquístico o endometriosis? Toma la píldora.

Después, cuando desees quedarte embarazada, puedes tomar un medicamento para la fertilidad. La prescripción médica convencional para los problemas del periodo tiende a parecerse a esto:

Problemas del periodo menstrual

¿Estás intentando concebir?

no — Toma la píldora

sí — Toma fármacos para la fertilidad

imagen 1 - prescripción convencional para problemas del periodo menstrual

La píldora puede ser una solución fácil y predecible, no lo niego. Elimina los aceites de la piel, por lo que limpia las espinillas. Reemplaza las hormonas, así que borra los síntomas molestos de la menstruación — pero solamente mientras la sigas tomando. Dejar de tomar la píldora puede ser complicado, como veremos en el próximo capítulo.

Por último, la píldora te obliga a tener un sangrado mensual, lo cual es tranquilizador para ti y tu médico. Pero hay un problema: *el sangrado provocado por la píldora no es una verdadera menstruación.*

Un verdadero ciclo menstrual es el broche de oro de una serie de sucesos hormonales entre los que se incluyen la ovulación y la producción de progesterona, como trataré a continuación. Un periodo real sucede aproximadamente cada 28 días porque ese es el tiempo que tardan tus ovarios para completar el proceso. Significa, por tanto, que tus ovarios están sanos y funcionan de manera óptima.

El sangrado provocado por la píldora, sin embargo, no procede de la ovulación. Es, en realidad, una hemorragia por deprivación causada por los fármacos que estimulan el revestimiento uterino pero *inhiben los ovarios*. De este modo, el sangrado de la píldora se basa en la administración de la dosis de una droga.

Espera un minuto. ¿Acabo de decir que los anticonceptivos hormonales trabajan inhibiendo el funcionamiento de tus ovarios y desactivando tus hormonas? Sí. Cuando tomas la píldora no tienes hormonas sexuales producidas por tu cuerpo. En cambio, recibes esteroides como una especie de "reemplazo hormonal" que es similar al que se da a las mujeres durante la menopausia.

El reemplazo hormonal no sería mala idea si los esteroides fueran tan buenos como tus propias hormonas, pero no lo son. Los esteroides en anticonceptivos hormonales *no son iguales* a tus propios estrógenos y progesterona y, como veremos en el siguiente capítulo, pueden suponer un gran problema para tu salud.

 La píldora no regula las hormonas, sino que las desactiva por completo.

Este libro es tu oportunidad para dejar la "medicina de la píldora" y tomar otras medidas diferentes.

Una recuperación natural del ciclo menstrual se diferencia del método de la píldora en que es suave y sin efectos secundarios. También es un enfoque naturalmente distinto porque trabaja a favor de tus ovarios, sin reprimirlos. La reparación del periodo de forma natural hace honor a tu periodo como un signo vital, tal y como dice la ACOG.

Lo mejor de reprogramar la menstruación naturalmente es que cuando funciona, funciona de forma definitiva. Tu periodo permanecerá sano, siempre y cuando te mantengas sana. De esta manera, supone una solución mucho más eficiente y duradera que la píldora.

Sé una detective

Entonces, ¿por dónde empezar? ¿Cuál es el tratamiento correcto para tu salud y tus ciclos menstruales? ¿Es tan sencillo como evitar el gluten, como en el caso de Meagan? ¿O es algo completamente diferente?

Para encontrar el mejor tratamiento, primero debes aprender a interpretar las pistas que te da tu menstruación. Este libro es tu guía para hacerlo paso a paso. En primer lugar, veremos cómo debería ser tu ciclo. Luego, veremos algunas de las cosas que pueden ir mal y por qué. Mientras avanzamos, te sugiero que te hagas preguntas y comiences a pensar en algunas posibles respuestas. Por ejemplo:

¿Tu periodo viene por lo menos cada 35 días? Si la respuesta es no, puede ser que tengas el síndrome del ovario poliquístico (SOP), el cual trataremos en el capítulo 7, o podría deberse a un problema de tiroides. El SOP y la enfermedad de la tiroides son solo dos de las muchas causas de irregularidad menstrual.

¿Tu periodo es doloroso? Si es así, entonces podrías tener endometriosis, de la cual hablaremos en el capítulo 9, o puede que tengas que empezar a pensar en que algunos alimentos inflamatorios están causando el dolor o en tomar un suplemento de zinc..

¿Experimentas dolor mamario premenstrual? El dolor de mamas es tan común que probablemente no lo consideres un signo en absoluto. Si es leve puede ser un signo normal de la ovulación, pero un dolor mamario más severo puede significar que no tienes suficiente yodo en tu dieta.

Estas preguntas son bastante obvias. Pero la pregunta más

importante de todas es:

¿Ovulas?

Cuando se trata de la salud menstrual todo tiene que ver con la ovulación.

La ovulación significa la liberación de un óvulo de tu ovario. Probablemente creas que la ovulación es esencial para concebir un bebé, pero ¿por qué es tan importante para la salud del ciclo menstrual? La ovulación es importante porque supone tu avance a través de todas las fases del ciclo hasta llegar al flujo menstrual o periodo.

La ovulación es también cómo tu cuerpo produce la progesterona, que es una hormona extraordinaria.

---

progesterona

La progesterona es un tipo de hormona esteroide producida por el ovario. Es esencial para el embarazo pero tiene muchas otras funciones beneficiosas.

La progesterona es una hormona esteroide reproductiva producida, después de la ovulación, por una glándula temporal en el ovario. Es beneficiosa para el estado de ánimo, el metabolismo y los huesos. También es altamente beneficiosa para tu ciclo menstrual. De hecho, se podría decir que cuando hablamos de salud menstrual nos referimos a la progesterona.

Veremos más sobre progesterona en los próximos capítulos, pero basta con decir en este punto que seguramente desees tener más progesterona de la que tienes ahora.

Tema especial: ¿Cómo sabes si ovulas y produces progesterona?

Entre los signos de una *posible* ovulación se incluyen la aparición de moco cervical fértil y una regularidad del ciclo menstrual. La evidencia de una ovulación *definitiva* incluye un aumento en la temperatura basal del cuerpo y un aumento en los niveles de progesterona, el cual puede medirse en un análisis de sangre durante la fase lútea media. Un periodo en sí mismo no es evidencia de ovulación porque es posible que el ciclo sea anovulatorio. Para obtener más información, consulta la sección "Signos físicos de la ovulación" en el capítulo 3 y "Análisis de progesterona" en el capítulo 5.

ciclo anovulatorio

Un ciclo anovulatorio es un ciclo menstrual en el que la ovulación no ocurre y tampoco se produce progesterona.

En cierta medida, puedes interpretar las pistas del periodo tú misma. Al fin y al cabo, tú conoces tu propio cuerpo mejor que nadie. Sin embargo, en algún momento, es posible que debas consultar con tu médica o profesional de la salud. Me gustaría que la conversación con tu médica sea lo más productiva posible — y que no dé como resultado otra receta de la píldora. Con este fin, he incluido una sección denominada "Cómo hablar con tu médica". Es posible que tu médica te ayude mucho más de lo que esperes. Solo tienes que saber qué preguntar.

Un último punto: no pospongas la reparación natural del periodo. Cuanto más lo dejes, más arraigados serán tus problemas menstruales.

Los patrones que siguen tus hormonas pueden verse como "ríos hormonales" en tu cuerpo. En esta analogía, tus hormonas fluyen por los cauces que establecieron tus hormonas anteriores.

Los ejemplos más representativos de esos "ríos hormonales" son tus primeras menstruaciones durante la adolescencia y las últimas en la etapa previa a la menopausia. Echemos un vistazo a estos dos momentos de cambio hormonal y adaptación.

El comienzo de la menstruación

Cuando tuviste tus primeros ciclos, el estrógeno era algo nuevo para los receptores hormonales y para tu cuerpo.

receptor hormonal

Un receptor hormonal es como una base de conexión para hormonas tales como el estrógeno o la progesterona. Existen en cada tipo de célula y transmiten mensajes hormonales al interior de esta.

A una edad temprana, tu cuerpo reacciona fuertemente a los estrógenos porque tus receptores todavía son muy sensibles. En la analogía del río hormonal, el estrógeno todavía no ha tenido oportunidad de trazar su propio "río". A esa misma edad, es probable que todavía no estés ovulando o produciendo la progesterona que necesitas para contrarrestar el estrógeno. Tendrás, como resultado, las intensas menstruaciones de los primeros años de la adolescencia.

Con el tiempo, reaccionas con menos fuerza al estrógeno porque tus receptores hormonales se vuelven menos sensibles. Idealmente empiezas a ovular y a producir progesterona. Como resultado natural, tendrás periodos más leves.

Las hormonas necesitan tiempo para crear sus propios "ríos". Es por eso que establecer un ciclo menstrual sano precisa tiempo. Según la Dra. Jerilynn Prior C., una endocrinóloga canadiense con experiencia en el estudio de hormonas reproductivas, puede llevar hasta doce años desarrollar un ciclo menstrual maduro con un nivel óptimo de progesterona y una ovulación regular sana.[4]

Doce años para madurar tu ciclo menstrual.

Entonces, ¿qué sucede si tomas anticonceptivos hormonales desde la adolescencia y detienes ese proceso de maduración? Necesitarás cierto tiempo para que las cosas funcionen bien otra vez y puede que no tengas ciclos menstruales regulares inmediatamente después de dejar los anticonceptivos. Eso es lo que le sucedió a mi paciente Christine.

Christine: Un año para tener el periodo

Christine nunca había pensado mucho en su menstruación hasta que dejó de tenerla a los 29 años cuando dejó la píldora. O mejor dicho, se dio cuenta de que había dejado de tenerla. De hecho, no había tenido una regla real desde antes de empezar con la píldora a los 14 años.

Por aquel entonces sus periodos eran irregulares, lo cual es muy común a los 14. Sin embargo, su médico no lo vio de la misma manera. Le recetó la píldora para "regular" los ciclos menstruales de Christine y le dijo también que le dejaría muy bien la piel, lo cual sucedió.

Christine llevaba quince años tomando la píldora cuando decidió dejarla por un tiempo. Aún no estaba lista para tener un bebé, pero pensó que podría intentarlo en unos años y quería saber cómo era su fertilidad. Entonces dejó la píldora, pero, para su asombro, no tuvo ningún signo de menstruación.

Pasaron unos meses, y entonces su médico le detectó "ovarios poliquísticos" en una ecografía pélvica. Le dijo que podría tener un trastorno llamado SOP, cosa que a Christine le intimidó un poco. Trató de mantener la calma y buscar respuestas en Internet y allí encontró algunas de las publicaciones del blog que yo había escrito sobre esa alteración hormonal.

—Me sentí tan aliviada por la forma en la que hablas sobre el SOP —, me dijo Christine cuando vino a su primera cita, — hablas como si fuera reversible en algunos casos.

—El SOP puede ser reversible —, le dije —; y además, ni

siquiera sabemos si tienes esa condición.

Solicité unos análisis de sangre para Christine y, afortunadamente, todos eran normales. Le dije que probablemente no tenía el SOP pero que no sabríamos nada con certeza hasta que pasara más tiempo sin tomar la píldora. Como veremos en el capítulo 7, el SOP es una afección hormonal compleja que no puede ser diagnosticada por ecografía pélvica. Es bastante común tener ovarios poliquísticos después de haber estado tomando la píldora. Ese mes, Christine no había ovulado. Sin embargo, eso no significaba que nunca volvería a ovular.

Para cuando empecé a trabajar con Christine, habían pasado cinco meses desde que ella había dejado la píldora y pensé que podrían pasar algunos más hasta que tuviera un periodo menstrual. Le expliqué que estaba en una fase de amenorrea pospíldora o "menstruación ausente", la cual puede darse en mujeres que comienzan a tomar la píldora a una edad muy temprana.

Pensé que Christine solo necesitaba tiempo y que estaría bien a largo plazo. Afortunadamente, no quiso tener un bebé inmediatamente y evitó que le presionaran a empezar un tratamiento de fertilidad, algo que probablemente no era necesario.

Sugerí a Christine que tomara el medicamento herbario Vitex agnus-castus (sauzgatillo o árbol casto), que estimula la comunicación entre la pituitaria y los ovarios. Christine tomó un comprimido *Vitex* al día durante tres meses y finalmente tuvo el periodo.

---

amenorrea

Amenorrea significa simplemente no menstruar o no tener el periodo menstrual.

---

síndrome del ovario poliquístico (SOP)

Afección hormonal común caracterizada por un exceso de hormonas masculinas en las mujeres y que veremos en el capítulo 7.

Prepararse para el fin de la menstruación

Tus ríos hormonales determinan tu proceso de madurez hasta conseguir un patrón menstrual ovulatorio regular. Sin embargo, también determinan cómo realizas la transición gradual hacia el fin de tus menstruaciones o menopausia.

Si estás en tus veinte o treinta años, puede que no estés pensando mucho en el final de tu menstruación, pero, aunque no lo creas, llega antes de lo que piensas. La edad normal de la menopausia es entre los 45 y los 55, y la edad normal de la perimenopausia es hasta doce años antes, es decir, ¡tan sólo a los 35!

---

perimenopausia

Perimenopausia significa "alrededor de la menopausia" y se refiere a los cambios hormonales (como aumento de estrógeno y disminución de progesterona) que se producen durante los dos a los doce años anteriores a la menopausia. A la etapa final de la perimenopausia se la conoce como la transición hacia la menopausia.

---

menopausia

La menopausia es el cese de la menstruación. Es la fase de la vida que comienza un año después de tu último periodo.[5]

Durante la perimenopausia, los ciclos todavía podrían ser normales, pero podrías comenzar a experimentar síntomas tales como sofocos, menstruaciones intensas e insomnio. Para obtener más información, te invito a leer el capítulo 10, que trata sobre el fin de los periodos y el momento desafiante de la perimenopausia. Probablemente quieras leer el capítulo 10, incluso si crees que aún no te concierne. Es un avance útil de lo que está por venir y te dará herramientas para hacerle frente.

De ahora en adelante

¿Cómo están *tus* ríos hormonales? ¿Tu estrógeno y tu progesterona fluyen bien? ¿O tus hormonas no están donde te gustaría que estuvieran?

Tus hormonas de ahora determinarán tus hormonas del futuro.

Si estás tomando anticonceptivos hormonales, este es el momento de dejarlos. Simplemente no puedes avanzar en tu salud menstrual hasta que no lo hagas. La píldora distorsiona tus ríos hormonales y enmascara tu boletín mensual.

Y, como veremos en el siguiente capítulo, la píldora tiene más efectos secundarios de los que eres consciente.

Capítulo 2

Dejar los anticonceptivos hormonales

Estamos en un momento confuso en la salud de la mujer. Concebimos como normal o bueno suministrar un medicamento que desactiva las hormonas de millones de mujeres y niñas de forma habitual.

¿Qué estamos haciendo? ¿Por qué tenemos que desactivar todo el sistema hormonal de la mujer solo para prevenir el embarazo? La fertilidad es una expresión de salud, no una enfermedad que deba ser tratada con un medicamento.

¿Qué pasaría si hoy en día se introdujeran por primera vez los anticonceptivos hormonales? Lo más probable es que muchas mujeres, médicas y científicas estarían horrorizadas. Pero eso supondría ver las cosas desde una perspectiva más moderna que tenga en cuenta a las mujeres y a sus hormonas. Sin embargo, la píldora está lejos de ser algo nuevo. En realidad, es un antiguo método que surgió en la década de 1950, cuando la gente tenía otra concepción de las cosas. Por ejemplo, existía la creencia de que el pesticida sintético DDT era bueno y algo normal. También se pensaba que fumar estaba bien y era algo normal. Y, por supuesto, pensaban que la anticoncepción debía ser ilegal.

La invención de la píldora ayudó a poner fin a algunas de esas concepciones arcaicas y le dio a la mujer el derecho legal a la anticoncepción, lo cual es algo que todos debemos celebrar.

Actualmente, en el 2018, hemos sido testigos de muchos otros progresos: teléfonos inteligentes, coches autónomos. Sin embargo, ¿por qué todavía usamos un método anticonceptivo tan anticuado?

Si lo piensas, cincuenta años de anticonceptivos hormonales demuestran una alarmante falta de imaginación.

No es el único método anticonceptivo

No es inusual para mí tener una conversación como esta con una paciente:

Yo: —¿Qué anticonceptivo utilizas?

Paciente: —No uso anticonceptivos. Uso preservativos.

En otras palabras, para mi paciente, "anticonceptivo" es sinónimo de la píldora u otros anticonceptivos hormonales. Ella cree que si no está utilizando anticoncepción hormonal, no está utilizando nada. Y, curiosamente, su médica, que debería tener un mayor conocimiento al respecto, puede que piense lo mismo.

La razón por la que escribo este libro es para decirte que tienes otras opciones de anticoncepción. En el siguiente capítulo, daremos un nuevo enfoque a los preservativos, diafragmas, dispositivos intrauterinos (DIU) y métodos de observación de la fertilidad. Al contrario de lo que te hayan podido decir, estos métodos son una opción fiable y perfectamente razonable, incluso si eres una mujer joven que aún no ha tenido hijos.

El sangrado provocado por la píldora no es un periodo menstrual

¿Qué pasa si tomas la píldora por un motivo que no es la anticoncepción? Por ejemplo, ¿qué pasa si la tomas para controlar síntomas o para "regular" tu menstruación? Si es tu caso, no eres la única. De todas las mujeres que toman la píldora, una de cada tres la toma para regular su periodo.

Sin duda, los anticonceptivos hormonales pueden reprimir los síntomas, pero hablemos claro: no te permiten menstruar.

Como vimos en el primer capítulo, el sangrado de la pastilla anticonceptiva no es un periodo. No puede igualarse, bajo ningún sentido, al ciclo de tus propias hormonas.

El sangrado provocado por la píldora es un sangrado inducido por fármacos y programado caprichosamente en un patrón de 28 días con el fin de simular un proceso natural de tu cuerpo. El sangrado ocasional de la píldora es necesario para prevenir el sangrado intermenstrual, pero no tiene que ser mensual. Puede tener lugar cada 56 días, cada 83 o cada cuantos días quieras.

No hay ninguna razón médica para sangrar mensualmente tomando anticonceptivos hormonales. Entonces, ¿por qué hacerlo? Todo comenzó en la década de 1950, cuando se inventó la píldora. Surgió como un anticonceptivo, pero como los anticonceptivos todavía no eran legales, la píldora fue prescrita aparentemente para "paliar trastornos femeninos" y "regular la menstruación".[6] "Regular" era un singular eufemismo para referirse a tener la regla y "no estar embarazada" (guiño-guiño).

En otras palabras, el "regular la menstruación" comenzó como una tapadera. Hasta ahí bien, salvo que han pasado seis décadas y el legado de la historia persiste. Muchas médicas siguen recetando anticonceptivos para "normalizar" el periodo y "regular" las hormonas, como si los esteroides de la píldora fueran de alguna manera iguales o mejores que tus propias hormonas. En realidad, nada podría estar más lejos de la verdad.

Los esteroides de la píldora *no* son mejores que tus hormonas. Ni siquiera son verdaderas hormonas.

Los fármacos de la píldora no son hormonas

Tus hormonas ováricas son el estradiol y la progesterona. Tienen muchos beneficios, no sólo para la reproducción, sino también para el estado de ánimo, los huesos, la tiroides, los músculos y el metabolismo. Son *hormonas humanas* esenciales para la fisiología.

En contraste, los fármacos esteroides en anticonceptivos hormonales son el etinilestradiol, drospirenona y levonorgestrel, entre otros. Técnicamente, estas drogas se consideran hormonas si definimos, en términos generales, a la hormona como un mensajero químico. Pero *no son* hormonas humanas y no forman parte de la fisiología humana natural. Se las describe mejor como *pseudo-hormonas*.

 No hay progesterona en los anticonceptivos hormonales.

Uno de los esteroides más comunes es el levonorgestrel, que se utiliza en muchos anticonceptivos orales e implantes, también en el DIU de Mirena® y la píldora del día después.

El levonorgestrel es una progestina, lo que significa que es *algo similar* a la progesterona. Por ejemplo, el levonorgestrel es parecido a la progesterona en tanto que reprime la ovulación y reduce el grosor del revestimiento uterino. Es por ello que se utiliza en anticonceptivos.

Al mismo tiempo, el levonorgestrel no es del todo igual a la progesterona. Si miras al levonorgestrel y la progesterona uno junto al otro puedes ver que son, de hecho, moléculas diferentes.

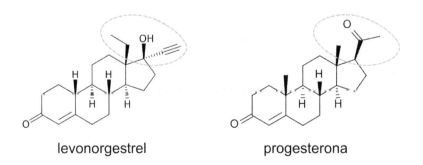

levonorgestrel   progesterona

imagen 2 - levonorgestrel no es igual a la progesterona

Si las moléculas son diferentes, sus efectos en el organismo son diferentes.

La progesterona, por ejemplo, mejora la salud mental y la cognición.[7] Como progestina, el levonorgestrel está relacionado con la depresión y la ansiedad.[8]

Otro ejemplo es el cabello. La progesterona es muy buena para la salud del pelo y promueve su crecimiento. Su contraparte, el levonorgestrel, provoca la caída del cabello porque es similar a la hormona masculina de la testosterona.

El levonorgestrel se parece más a la testosterona que a la progesterona.

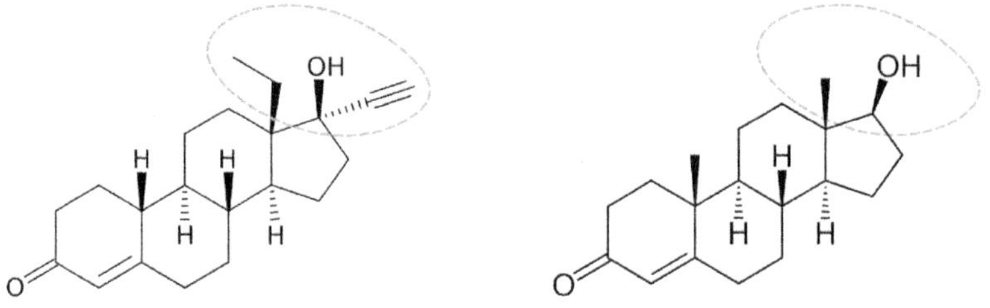

levonorgestrel   testosterona

imagen 3 - levonorgestrel es casi igual a la testosterona

progestina

Progestina es un término general para referirse a los fármacos que son similares a la progesterona. Las drogas de las progestinas son el levonorgestrel y la drospirenona, que tienen algunos de los mismos efectos que la progesterona y también muchos efectos contrarios. Los términos progestina y progesterona no pueden usarse indistintamente.

Más adelante, en este capítulo, veremos muchos de los efectos secundarios de las progestinas. Por ahora, permíteme aclarar que su mayor efecto secundario es quitarte tu propia y beneficiosa progesterona mediante la supresión de la ovulación, que es, evidentemente, su propósito. Desafortunadamente, sin ovulación no puedes producir progesterona.

Tema especial: Hablando claro

Algunas de mis pacientes se resisten a dejar la píldora y siempre opto por no presionarlas. Sin embargo, insisto en una cosa: en que no usemos la palabra "periodo" cuando nos referimos al sangrado provocado por la píldora anticonceptiva. En su lugar, hablaremos de "sangrado por deprivación" o "sangrado provocado por la píldora".

La píldora no es igual a un embarazo

Uno de los argumentos que se postula en defensa de los anticonceptivos hormonales es que producen un estado similar al embarazo y que, por lo tanto, los efectos secundarios son mejores que un embarazo — como si la píldora o el embarazo fueran las dos únicas opciones. Además, este argumento manifiesta que la píldora es "natural" porque imita el estado de constante embarazo de nuestras antepasadas.

Este argumento no tiene ninguna sostenibilidad.

Por un lado, las drogas pseudo-hormonales de los anticonceptivos hormonales *no son* las hormonas del embarazo. Las drogas tales como la drospirenona, el etinilestradiol y el levonorgestrel no causan los mismos efectos que las hormonas del embarazo hCG, el estradiol y la progesterona.

En lo que respecta al estado constante de embarazo de nuestras antepasadas, es algo más complicado que eso. Sí, tu bisabuela puede haber tenido pocos periodos menstruales en comparación con los que has tenido tú. Si tuvo muchos hijos, solamente tuvo 40 periodos en su vida en comparación con tus 400, lo cual te sitúa en un mayor riesgo de padecer fibromas y quistes ováricos. *Los anticonceptivos hormonales también pueden provocar los mismos riesgos*, al igual que lo hace la invasión de toxinas ambientales que influyen en la alteración de las hormonas.

De cualquier manera, tu salud va a diferir de la de tu bisabuela. Y si los 400 periodos son la compensación por vivir en el mundo moderno, entonces te invito a que los recibas con los brazos abiertos. Lo mejor de todo es que, con el apoyo adecuado, puedes ser feliz y estar sana con todos esos ciclos.

Tema especial: Los anticonceptivos hormonales no preservan la fertilidad

Tu médica puede haberte dicho que los anticonceptivos hormonales pueden preservar la fertilidad y retrasar la menopausia. Sin embargo, no es cierto. Tu médica se refiere a la concepción obsoleta de que los ovarios se quedan sin óvulos— un mito que vamos a desmontar en el capítulo 10. Simplemente, la píldora *no puede* retrasar la menopausia. En todo caso, puede hacer que la menopausia se adelante.[9]

¿Existe entonces un buen momento para tomar anticonceptivos hormonales?

Nunca diría que la mujer jamás deba tomar anticonceptivos hormonales.

En cambio, mi objetivo principal es aclarar lo que son realmente. En concreto, desactivan las hormonas naturales y funcionan como un reemplazo hormonal sintético.

Sabiendo esto, existen dos casos en los que podrías considerar tomar anticonceptivos hormonales.

1. Entiendes la realidad fisiológica de lo que es la píldora. Eres consciente de las otras opciones, y aún así decides, como mujer adulta, que la anticoncepción hormonal es el mejor método anticonceptivo para ti. Evidentemente, eso está bien. Pero en ese caso, no necesitas este libro. Este es

un libro sobre la menstruación y debes recordar que el sangrado provocado por la píldora no es un periodo.

2. Sufres síntomas debilitantes de una afección grave como la endometriosis o la adenomiosis. Veremos algunos tratamientos naturales para estas condiciones en el capítulo 9 y espero que te sean útiles. Otra opción sería recurrir a algún tipo de anticonceptivo hormonal, preferentemente el DIU de Mirena®, del cual hablamos más abajo.

Tipos de anticoncepción hormonal

Píldora combinada (estrógeno más progestina)

La píldora clásica es una combinación de dos hormonas sintéticas: el etinilestradiol y una progestina como el levonorgestrel. Todas las píldoras combinadas son iguales, solo varían las marcas según la cantidad y ritmo del estrógeno, así como del tipo de progestina. Las compañías farmacéuticas les ponen nombres cursis de chica como Brenda® y Yaz® para hacerlas parecer más benignas y adecuadas. (Puede que tomes Yaz® pero ¿estarías igual de contenta tomando una droga llamada drospirenona?) Los nombres de marcas son diferentes en cada país.

Las lectoras siempre me preguntan sobre la píldora Zoely® y Qlaira®, las cuales usan el estrógeno natural estradiol en lugar del etinilestradiol sintético habitual. Sí, el estradiol es mejor y estas píldoras producen menor cantidad de riesgos y efectos secundarios en comparación con otras pastillas anticonceptivas. Sin embargo, también desactivan las hormonas e inhiben la ovulación como los otros tipos de anticonceptivos hormonales. También utilizan una progestina en lugar de progesterona natural. Francamente, no creo que sean una opción mucho mejor.

NuvaRing® (estrógeno más progestina)

NuvaRing® es similar a la píldora combinada ya que libera etinilestradiol y una progestina llamada etonogestrel. Como la píldora y la mayoría de los métodos anticonceptivos hormonales, funciona por inhibición de la ovulación.

Cuando lanzaron NuvaRing® al mercado en 2001, lo promocionaron como un método más sencillo (porque se coloca una vez al mes en lugar de tomar una pastilla diaria) y más seguro (la dosis es más baja). Sin embargo, la información de seguridad de este producto era sorprendente dado que ya había aparecido un riesgo de coágulo sanguíneo preocupante en los primeros ensayos clínicos. El riesgo de coágulo sanguíneo de NuvaRing® es mayor que el de la píldora porque el etinilestradiol va directamente a la sangre sin pasar por el hígado. El alto riesgo de coágulo de NuvaRing® fue encubierto por el fabricante durante el proceso de aprobación de la Administración de Alimentos y Medicamentos de Estados Unidos (FDA, por sus siglas en inglés), por lo que posteriormente fue objeto de varios procesos judiciales.

El parche anticonceptivo (estrógeno más progestina)

Los parches Xulane® y Evra® también son similares a las píldoras combinadas ya que contienen etinilestradiol y una progestina llamada norelgestromina. Al igual que la píldora y la mayoría de los métodos anticonceptivos hormonales funcionan por inhibición de la ovulación. Al igual que NuvaRing®, implican un mayor riesgo de coágulos sanguíneos en comparación con la píldora.[10]

Minipíldora o píldora de progestina sola

La palabra "mini" significa que la píldora contiene una droga sola (una progestina) en lugar de dos (el etinilestradiol más una progestina). Además, la dosis de progestina es más baja que la de la píldora combinada porque la función principal de la minipíldora no es la inhibición de la ovulación. En su lugar, la píldora de progestina sola reduce el grosor del revestimiento uterino y altera el moco cervical. También inhibe la ovulación involuntaria en la mayoría de los ciclos.[11]

Aún así, la minipíldora tiene igualmente muchos de los mismos efectos secundarios de la píldora combinada porque las progestinas causan efectos secundarios. De hecho, la primera píldora que se probó en 1956 fue solo de progestina.[12] Tenía tantos efectos secundarios que le agregaron estrógeno para hacerla más tolerable.

Implantes (progestina sola)

Los implantes o varillas son otro tipo de anticonceptivos de progestina sola. Contienen la progestina levonorgestrel (Jadelle® o Norplant-2®) o etonogestrel (Nexplanon® o Implanon®). Al igual que la minipíldora, los implantes reducen el grosor del revestimiento uterino, alteran el flujo cervical y, al igual que la minipíldora, inhiben la ovulación involuntariamente en la mayoría de los ciclos. Además, los implantes también pueden causar aumento de peso y sangrado irregular.

Tema especial: ¿Por qué se dan sangrados irregulares cuando se usan implantes e inyecciones?

Se sabe que los métodos anticonceptivos de progestina sola causan "menstruación irregular", término, en mi opinión, incorrecto. El sangrado provocado por la progestina no es una menstruación real. En cambio, es un ciclo anovulatorio o "sangrado ligero" que se produce cuando el revestimiento del útero ha estado expuesto al estrógeno y no a la progesterona. Los ciclos anovulatorios también son un rasgo de problemas menstruales como el SOP, del cual trataremos en los capítulos 4, 5 y 7.

Los sangrados ligeros que se producen con los anticonceptivos de progestina sola son diferentes de los sangrados provocados por la píldora combinada, los cuales funcionan por deprivación programada del estrógeno y la progestina sintéticos.

Inyección (progestina sola)

La inyección Depo-Provera® ofrece una alta dosis de la progestina de acetato de medroxiprogesterona que suprime totalmente el estrógeno y la progesterona. La deficiencia hormonal tan intensa inducida por Depo-Provera® puede causar una serie de efectos secundarios alarmantes, incluyendo un aumento de peso aparentemente imparable[13] y una pérdida ósea temporal.[14] También se le asocia un mayor riesgo de cáncer de mama.[15]

Dispositivos intrauterinos (DIU) o sistema intrauterino (SIU) Mirena® y Skyla® (progestina sola)

Mirena® y Skyla® son dispositivos intrauterinos (DIU) o sistemas intrauterinos (SIU) que liberan una pequeña cantidad de progestina levonorgestrel en el útero. Como otros métodos de progestina solamente, los DIU reducen el grosor del revestimiento uterino y alteran el líquido cervical. Como otros métodos sólo de progestina, también inhiben la ovulación aunque no tan a menudo. El DIU hormonal inhibe la ovulación en el 85% de los ciclos durante el primer año de uso, y sólo 15% después del primer año.[16]

Como Mirena® no inhibe por completo la ovulación lo considero el menos dañino de todos los anticonceptivos hormonales. No obstante, sigue siendo la droga progestina levonorgestrel. El DIU hormonal se ha relacionado con la depresión[17] y puede reducir tu capacidad para lidiar con el estrés.[18]

Afortunadamente, Mirena® tiene la ventaja de reducir el flujo menstrual en un 90%, pudiendo tratar así problemas graves del periodo como la menorragia, la adenomiosis y la endometriosis (capítulo 9).

También hay un tipo de DIU no hormonal, que veremos en el próximo capítulo.

Tema especial: ¿El periodo es necesario?

Mirena® detiene la menstruación en algunas mujeres, lo que evidentemente plantea la siguiente pregunta: "¿Acaso es necesario el periodo?"

No, no necesitas un sangrado menstrual *per se* ni tampoco un sangrado provocado por la píldora, lo que ni siquiera es un periodo. Sin embargo, necesitas hormonas ováricas y la única forma de producirlas es mediante un ciclo menstrual.

Mirena® es único en tanto que suprime el sangrado, pero permite la ovulación y las hormonas. Así, si tu objetivo es la "supresión menstrual", Mirena® es la única opción razonable.

Con la mayoría de los anticonceptivos hormonales tienes sangrado pero no tienes el ciclo. Con un DIU Mirena® tienes el ciclo pero no sangras.

Riesgos y efectos secundarios de los anticonceptivos hormonales

Cáncer

Los anticonceptivos hormonales aumentan ligeramente el riesgo de cáncer de mama. Esto sucede con todos los métodos actuales como la píldora de baja dosis, los implantes y el DIU hormonal.

Hace tiempo que las científicas saben que las clásicas píldoras con altas dosis de estrógeno aumentan el riesgo de cáncer de mama, pero esperaban que las píldoras de baja dosis y los dispositivos de progestina sola fueran más seguros. Por desgracia, un estudio en 2017 reveló que los métodos actuales conllevan el mismo riesgo de cáncer que las antiguas píldoras con altas dosis de estrógeno.[19]

Viendo el lado positivo, la píldora reduce el riesgo de cánceres colorrectales, ováricos y uterinos (endometriales).

La protección contra el cáncer de útero es importante si tienes SOP y, por tanto, estás en mayor riesgo de contraer cáncer uterino. Afortunadamente, hay otras opciones mejores para prevenir el cáncer uterino. Entre ellas, se incluyen: 1) revertir el SOP con tratamiento natural y 2) tomar progesterona natural para proteger el revestimiento uterino. Véase el capítulo 7 para más información.

Coágulos de sangre

Se sabe casi desde el principio que todos los anticonceptivos hormonales conllevan un riesgo de coágulo de sangre. Barbara Seaman escribió sobre ello en 1969 en su libro *The Doctor's Case Against the Pill*. (*El caso de la médica contra la píldora*). [20] Cinco décadas después, las cosas no han cambiado mucho. Constantemente se minimiza el riesgo de coágulo de sangre y, repetidamente, la solución ha sido encontrar una nueva y mejor versión de la píldora.

Nos hacen creer que cada nueva generación de la píldora es mejor y más segura, pero es el mismo caso que el "bajo en alquitrán" en la industria del tabaco; los términos "de baja dosis" y "nueva generación" son sólo marketing.

"Nueva generación" simplemente hace referencia a la década en que se inventó esa progestina en particular. Y, curiosamente, algunas progestinas modernas como la drospirenona conllevan un mayor riesgo mortal por coágulo de sangre que cualquier progestina creada hasta este momento.

El riesgo total de tener un coágulo de sangre con cualquier anticonceptivo hormonal es pequeño. Incluso NuvaRing®, que conlleva el mayor riesgo, tiene un total de solo 9,7 casos de coágulos por cada 10 000 mujeres al año[21], comparado con el 2,1 en mujeres que no toman anticonceptivos hormonales. El riesgo de coágulo aumenta si fumas, cosa que no deberías hacer si tomas anticonceptivos hormonales.

Es probable que la píldora no provoque cáncer ni coágulo de sangre. Sin embargo, es más probable que traiga uno o más de los siguientes efectos secundarios "menores" como depresión, pérdida del deseo sexual, pérdida del cabello y aumento de peso.

Los supuestos efectos secundarios menores son tan comunes que, en lugar de ser la excepción, son la norma. La forma en la que han sido minimizados e ignorados durante las últimas tres generaciones es quizás el fracaso más grande de los anticonceptivos hormonales.

Depresión

Cualquier persona que tenga trato con mujeres sabe que los anticonceptivos hormonales afectan al estado de ánimo. El hecho de que se haya mantenido "sin demostrar" durante cincuenta años se debe a que nadie se tomó la molestia de investigarlo.

Todo eso cambió en octubre de 2016 cuando la prestigiosa revista médica de psiquiatría JAMA publicó un estudio llamado "Relación entre anticonceptivos hormonales y depresión".[22] En este estudio, los investigadores de la Universidad de Copenhague realizaron un seguimiento a un millón de mujeres mayores de trece años y encontraron que las niñas y mujeres que tomaban anticonceptivos hormonales eran considerablemente más propensas a ser diagnosticadas con depresión. El riesgo fue mayor para las adolescentes que utilizaban métodos de progestina sola como un implante o un DIU Mirena®.

El profesor investigador Øjvind Lidegaard señaló que dichos resultados podrían ser una *subestimación,* dado que solamente examinó a usuarias de anticonceptivos que pasaron a ser diagnosticadas y tomaban antidepresivos. En realidad, muchas mujeres que experimentan cambios de humor cuando toman anticonceptivos simplemente dejan de tomarlos y no informan a su médico.

"Todas las mujeres, los médicos y los consejeros de anticoncepción deben darse cuenta de que tenemos ese potencial efecto secundario en el uso de anticonceptivos hormonales".[23]

Profesor Øjvind Lidegaard

Un estudio siguiente del mismo grupo de investigadores encontró que las mujeres que toman anticonceptivos hormonales presentaban un triple riesgo de suicidio.[24]

¿Cómo afectan los anticonceptivos al estado de ánimo? Por un lado, hacen que tu sistema nervioso sea más sensible al estrés.[25] [26] Por otro, modifican la estructura de tu cerebro. En 2015, la neuróloga Nicole Peterson de la Universidad de California en Los Ángeles (UCLA) encontró que, en comparación con mujeres que tienen ciclos naturales, las que toman anticonceptivos hormonales muestran alteraciones en el cerebro. Dice:

"El cambio en la corteza orbitofrontal lateral puede estar relacionado a los cambios emocionales que algunas mujeres experimentan al utilizar píldoras anticonceptivas".[27]

Neuróloga Nicole Peterson

La anticoncepción podría ser la responsable de tu depresión. Si esta es la primera vez que consideras esta posibilidad debes saber que tampoco eres la única. La profesora Jayashri Kulkarni de la Universidad de Monash en Melbourne, Australia, lo explica de la siguiente manera:

"El inicio de la depresión puede ocurrir después de un día de tomar (la píldora) o tras un año de su utilización. A menudo, las mujeres tienden a culparse a sí mismas por sentirse deprimidas y se olvidan de tener en cuenta el efecto de la hormona que se están tomando a diario".[28]

Profesora Jayashri Kulkarni

Eso le pasó a mi paciente Lizzy.

Lizzy: Desenmascarando la depresión

Conocí a Lizzy cuando ella tenía 21 años. Hasta ese momento, había estado tomando antidepresivos durante cinco años desde que tenía 16. Había intentado dejarlos pero se sentía muy mal, así que tuvo que volver a tomarlos. Lizzy me dijo que no tenía ninguna esperanza de poder dejar los antidepresivos, pero esa no era la razón por la que había venido a verme.

Vino a mi consulta por una infección crónica por levaduras. Las hormonas son a menudo una causa responsable de las infecciones vaginales por levaduras, así que le pregunté por sus periodos. —Están bien —, me dijo. No mencionó la píldora y no la había anotado en la sección de medicamentos del formulario de admisión.

Tuve que preguntarle directamente, —¿Tomas anticonceptivos hormonales?

—Oh, sí —, respondió —, comencé a tomar Yasmin para la piel cuando tenía quince años.

Yo: —¿Justo antes de que tuvieras depresión?

Lizzy: —Sí, supongo que seis meses antes.

Le pregunté a Lizzy si alguna vez había considerado descansar de la píldora para ver si mejoraba su estado de ánimo. Nunca se le había ocurrido ni se lo había sugerido su médica. No tuvo problemas en dejar de tomarla por un tiempo y así lo hizo al día siguiente. También le receté un probiótico para mejorar las infecciones.

Me volví a encontrar con Lizzy tres meses después y habían sucedido dos cosas. Primero, sus infecciones habían mejorado gradualmente. Pero también, para su sorpresa, su estado de ánimo había mejorado muchísimo después de dejar de tomar Yasmin.

—Me sentí diferente casi de inmediato —, me dijo —, como si una niebla se hubiera disipado.

Lizzy aún toma antidepresivos pero espera poder dejarlos finalmente con la ayuda de su médica.

Pérdida de la libido o el apetito sexual

Los anticonceptivos hormonales pueden afectar a tu vida sexual porque desactivan la testosterona que necesitas para la libido. También pueden causar sequedad vaginal y ponerte en riesgo de sufrir una afección llamada vaginismo, que hace que el sexo pueda ser doloroso.

Según una encuesta, las mujeres que toman anticonceptivos hormonales declaran tener menor frecuencia en sus relaciones sexuales, menor excitación sexual, menos placer, menos orgasmos y menor lubricación vaginal.[29] Por desgracia, puede llevar meses o incluso años para que la libido vuelva a la normalidad después de dejar de utilizar la píldora.[30]

A menudo, pregunto a mis pacientes sobre su libido. Muchas dicen notar una disminución cuando toman la píldora y un aumento cuando la dejan. Muchas otras mujeres no pueden recordar cómo era su libido antes de comenzar con la píldora porque eran demasiado jóvenes en ese momento.

Porque realmente, ¿a quién se le ocurre preguntarle a una adolescente si ha sufrido una disminución de la libido? ¿Acaso podría saberlo?

Si tu libido ha tenido una disminución desde que empezaste a tomar la píldora a los quince años, evidentemente, pensarás que es lo normal o, lo que es peor, pensarás que es algún problema tuyo en lugar de algún problema con el medicamento que has estado tomando.

Tienes derecho a tener una libido incluso si no piensas en tener sexo próximamente. ¿Por qué? Porque tu libido no sólo tiene una función sexual. También es una parte importante de tu vitalidad y tus ganas de vivir.

Puedes tener una libido alta o baja y eso está bien. La libido de cada persona es diferente y lo que importa es que sea la normal para ti y no un efecto secundario de la medicación.

Tema especial: Por qué los hombres no toman anticonceptivos hormonales

Existen tecnologías para la anticoncepción hormonal masculina, pero los medicamentos no han salido todavía al mercado. Los creadores de estas tecnologías parecen creer que los hombres nunca aceptarían desactivar sus hormonas y sufrir como resultado depresión y baja libido. Y, francamente, ¿por qué deberían aceptarlo? ¿Y por qué deberían hacerlo las mujeres?

Pérdida del cabello

Algunas progestinas como el levonorgestrel causan pérdida del cabello debido a que tienen un *alto índice de andrógeno*, lo cual significa que son similares a la testosterona.

La Asociación Estadounidense contra la Pérdida del Cabello (AHLA, por sus siglas en inglés) advierte sobre el riesgo de caída del cabello debido a los anticonceptivos hormonales. En 2010 afirmó:

"Es imperativo que todas las mujeres, en especial las que tienen antecedentes de pérdida de cabello en sus familias, conozcan los efectos potencialmente devastadores de las píldoras anticonceptivas sobre el crecimiento capilar normal."[31]

¿Has estado tomando algún tipo de anticonceptivo con testosterona? Lee los componentes.

Las progestinas con un *índice de andrógeno alto* son etonogestrel, levonorgestrel, norgestrel y acetato de medroxiprogesterona. Causan pérdida de cabello por reducción (o miniaturización) de los folículos pilosos, que es un proceso lento. Podrías estar tomando anticonceptivos durante muchos meses, o incluso años, antes de que empieces a notar pérdida de cabello. Las progestinas con un índice alto de andrógenos también pueden causar acné.

Las progestinas con un *índice de andrógeno bajo* incluyen drospirenona, norgestimato y ciproterona. No causan caída capilar cuando las tomas, pero pueden hacerlo cuando las dejas porque provocan un efecto rebote en el aumento de andrógenos y la sensibilidad al andrógeno.

Una vez que los folículos pilosos se han miniaturizado mientras tomas anticonceptivos hormonales es probable que te diagnostiquen alopecia "androgénica" o "androgenética" (patrón femenino de pérdida de cabello), cosa que no es fácil de revertir. Encontrarás más información sobre alopecia androgenética y cómo tratarla en la Tratamiento para el patrón femenino de pérdida de cabello en el capítulo 7.

 **andrógenos**

Un andrógeno es una hormona masculina que provoca la aparición de caracteres masculinos.

 alopecia

Alopecia significa simplemente caída del cabello.

Aumento de peso

Los anticonceptivos hormonales pueden causar aumento de peso ya que interfieren con una hormona llamada insulina. Aprenderemos más acerca de la insulina en los capítulos 7 y 11. La píldora también causa antojos de azúcar e impide el aumento de masa muscular que se espera conseguir al realizar ejercicio. [32] Por último, el estrógeno sintético de la píldora hace que se depositen grasas en las caderas y los muslos superiores y puede empeorar la celulitis.

Pero espera, todavía hay más

Hemos visto que los anticonceptivos hormonales pueden causar depresión, pérdida del apetito sexual, pérdida de pelo y aumento de peso. Y esto es sólo la punta del iceberg.

Los anticonceptivos hormonales también pueden provocar presión arterial alta, deficiencia de nutrientes y una reducción de la función tiroidea. También alteran tu flora intestinal y vaginal, lo cual puede producir problemas digestivos, infecciones por hongos y resultados en pruebas PAP anormales. Por último, los estudios han demostrado que los anticonceptivos hormonales pueden impedir la correcta formación de huesos sanos.[33][34]

Como si todos esos efectos secundarios no fueran suficientes, también podrías tener problemas al dejar los anticonceptivos hormonales.

Dejar la píldora

Es probable que te sientas mejor cuando dejas los anticonceptivos hormonales. Mejor humor, más energía y ciclos regulares. Es la experiencia que más se da comúnmente.

Sin embargo, puedes desarrollar problemas como acné pospíldora, síndrome premenstrual (SPM) o amenorrea (ausencia de la menstruación).

Acné pospíldora

Las drogas esteroides en anticonceptivos hormonales funcionan muy bien para revertir el acné. Tanto el etinilestradiol (estrógeno sintético) como las progestinas drospirenona, norgestimato y ciproterona suprimen fuertemente el sebo (aceite de la piel). De hecho, la ciproterona suprime el sebo a "niveles infantiles",[35] lo cual es un poco preocupante si lo piensas. Se supone que los adultos tienen más sebo que los niños, por lo que esto supone una situación anormal.

En respuesta a los fármacos, tu piel tiene que regular el sebo y esa creciente regulación continuará incluso una vez que dejes la píldora. El resultado puede ser más sebo del que jamás hayas tenido.

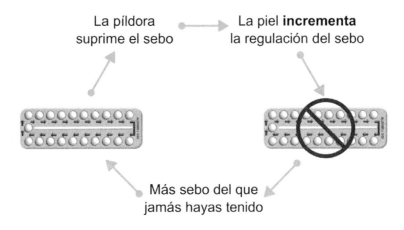

imagen 4 - adicción a la píldora y retiro

Al mismo tiempo, al dejar la píldora se activan los ovarios y estos producen una mayor cantidad de andrógenos por un tiempo, dado que vuelven a entrar en acción.

Por lo tanto, el acné pospíldora es el resultado de un doble efecto rebote, por un lado, del sebo, ya que retiras un fármaco supresor del mismo, y por otro, de un mayor número de andrógenos producidos por la reactivación de tus ovarios.

Por suerte, tus ovarios también comienzan a producir estrógenos y progesterona, ambos *beneficiosos para la piel*.

El acné pospíldora suele tener picos de intensidad después de seis meses, justo cuando puedes estar a punto de tirar la toalla. Después de ese periodo de tiempo tu piel debería empezar a mejorar.

Si eres propensa a tener acné o si sufriste acné la última vez que intentaste dejar la píldora, te sugiero que inicies un tratamiento natural al menos un mes *antes* de dejar la píldora. Eso debería reducir la severidad del acné pospíldora. Puedes ver las secciones "Tratamiento de acné" y "Tratamiento antiandrógeno" en el capítulo 7.

SPM pospíldora

Si eres como muchas de mis pacientes podrías experimentar por primera vez los síntomas del SPM cuando dejes la píldora.

Esto se debe a que estás teniendo ciclos reales por primera vez en lo que podrían ser años. Tus "ciclos" durante la píldora se asociaban a una dosis equitativamente proporcional de hormonas sintéticas para que no notaras mucho el cambio diariamente. Los ciclos reales, por el contrario, están asociados con los altibajos naturales de las hormonas que requieren un proceso de adaptación.

Esto podría llevar a preguntarte: "Si un periodo real puede causar SPM, entonces ¿por qué querría tener un periodo real?" Mi respuesta es: "por las hormonas".

Tus propias hormonas estradiol y progesterona son tan beneficiosas que vale la pena soportar un poco los efectos del SPM. Y por fortuna, el SPM no tiene por qué afectar demasiado a tu vida porque responde increíblemente bien a los tratamientos que discutiremos en el capítulo 8.

Amenorrea pospíldora y SOP

Si no te llega el periodo después de dejar la píldora la pregunta más importante es, *¿cómo eran tus reglas antes de tomarla?*

Si tus periodos eran irregulares se debe a que algo más estaba pasando en ese momento y, al dejar la píldora, simplemente se ha manifestado. Con la ayuda de este libro puedes empezar de cero y averiguar qué es ese algo y solucionarlo.

Si, por el contrario, los periodos eran regulares antes de los anticonceptivos entonces tienes un tipo de amenorrea (síndrome pospíldora) o el SOP pospíldora, los cuales analizaremos en el capítulo 7.

Lo mejor de romper con los anticonceptivos hormonales

Si lo miras desde esta perspectiva, dejar la píldora representa hacer el primer examen de tu boletín mensual, lo cual es algo bueno. Es la primera vez que tu cuerpo tiene la oportunidad de mostrarte lo que es capaz de hacer. Tener el periodo de inmediato o no te da pistas importantes sobre tu estado de salud. Con la ayuda de este libro obtendrás algunas ideas sobre cuál es el siguiente paso a seguir.

De alguna manera, este libro es tu guía para dejar los anticonceptivos hormonales. También he incluido una sección especial en el capítulo 11 llamada "Cómo dejar los anticonceptivos hormonales".

Más adelante, es posible que necesites un método anticonceptivo alternativo no hormonal, lo cual abordaremos en el siguiente capítulo.

Capítulo 3

➤————————➤

MEJORES MÉTODOS ANTICONCEPTIVOS: TODAS LAS OPCIONES

Este libro, además de ser una guía para tener una menstruación sana, también lo es para mejorar la fertilidad. Cuanto más sanos sean tus periodos mejor será tu fertilidad. En el momento en el que empieces a recibir buenas calificaciones en tu boletín del mes, tu cuerpo activará el modo "hacer bebés". Si un bebé no es lo que buscas ahora, lee este capítulo antes de continuar.

Si ante la idea de utilizar métodos anticonceptivos naturales te sientes insegura no eres la única. Los métodos más naturales no son tan prácticos como la píldora. Todos ellos requieren algún compromiso o esfuerzo por tu parte y la de tu pareja. Ojalá fuera posible ofrecer un método anticonceptivo sano, no tóxico, simple y que no requiera ningún tipo de constancia o sacrificio, pero no es posible. Hasta ahora, no existe un método anticonceptivo ideal. No hay medicina herbaria, suplementos nutricionales u hormonas naturales que puedas tomar para evitar el embarazo. Los suplementos naturales solo pueden hacerte *más* fértil, pero no menos.

Los métodos anticonceptivos hormonales perjudican tu organismo porque así es como funcionan. Para evitar el embarazo, tienen que combatir lo que tu cuerpo está tratando de hacer, que es quedar embarazada. En otras palabras, cuando estás sana tu cuerpo quiere ser fértil. Por lo tanto, hay solo dos maneras de evitar el embarazo: dañar tu cuerpo o conocerlo bien.

Eres una mujer moderna e inteligente. Te lo aseguro: puedes tomar ventaja a tu cuerpo. Evitar el embarazo no supone tanto misterio o dificultad como nos han hecho creer.

Puede que tengas la suerte de ser una mujer sana, fértil y sexualmente activa. Puedes disfrutar del privilegio de vivir en un momento en el que la anticoncepción es legal y está a tu disposición. Si además tu compañero se muestra abierto, cariñoso y está dispuesto a poner de su parte para evitar un embarazo no deseado, sentíos afortunados y aceptad la tarea como pareja de intentar prevenirlo.

En este capítulo, describiré tres tipos de métodos anticonceptivos. Los métodos de tipo 1 son más naturales pero requieren cierta responsabilidad de ambas partes. Los métodos de tipo 2 son un poco tóxicos o potencialmente dañinos, pero son fáciles de usar y no requieren ninguna responsabilidad por parte de tu compañero. Los métodos de tipo 3 son los tipos de anticonceptivos hormonales, contra los que argumenté en el capítulo 2.

Las ventajas de los métodos tipo 1 y 2 es que no suprimen la ovulación, por lo que te permiten producir progesterona, que es la hormona más importante para la reestructuración del periodo, como veremos en el siguiente capítulo.

Aviso: este capítulo es un breve estudio de los métodos de anticoncepción sin hormonas. No es un manual de instrucciones. Una vez que hayas elegido un método, te recomiendo que busques instrucciones detalladas sobre su uso adecuado. Lee la sección "Recursos" para obtener más información y considera hablar con un profesional de la salud.

Métodos anticonceptivos de tipo 1

Los métodos anticonceptivos de tipo 1 no contienen hormonas, no son tóxicos y no conllevan riesgos para la salud. Tampoco suprimen la ovulación y sí permiten producir progesterona.

Método de observación de la fertilidad (MOF)

Hay algo que quizás no aprendiste en la clase de educación sexual: un hombre es fértil todos los días, pero como mujer eres fértil solamente seis días por ciclo menstrual.

Para evitar el embarazo, puedes determinar *en qué días* eres fértil y abstenerte de tener relaciones sexuales vaginales o utilizar un método de barrera. Por ejemplo, el *método de observación de la fertilidad* (MOF) puede ser sorprendentemente fácil de hacer. Los métodos modernos de observación de la fertilidad tales como el *método sintotérmico* son métodos científicos porque analizan hasta tres signos concretos de fertilidad: temperatura corporal al despertar, flujo cervical y cambios en el cuello uterino. Son diferentes del *método del ritmo*, un antiguo tipo de MOF que se basa únicamente en las fechas registradas en un calendario.

Si tu médica no considera el MOF es porque piensa que no tienes la suficiente capacidad de hacerlo correctamente (¡créeme que la tienes!), o porque confunde el método sintotérmico moderno de MOF con el viejo método del ritmo. Son muchas las médicas que cometen este error. Un estudio australiano reciente encontró que la mayoría de las médicas clínicas "tienen déficits significativos de conocimientos sobre interpretación fisiológica de la fertilidad".[36] Hazle un favor a tu médica y muéstrale la declaración de 2015 sobre el MOF del Colegio de Obstetras y Ginecólogos de Estados Unidos (ACOG)[37] o bien considera buscar otra médica.

En síntesis, tus días fértiles abarcan los 5 días antes de la ovulación (porque ese el tiempo que sobrevive un esperma) y un día después de la ovulación (porque ese es el tiempo que sobrevive el óvulo). Después de la ovulación, tienes un lapso breve de 24 horas para ovular una vez más y tal vez concebir mellizos. Tu óvulo(s) sobrevive(n) durante otras 24 horas, y luego no puedes ovular nuevamente durante el resto de ese ciclo. Después entrarías en la etapa "segura" durante el resto del ciclo.

Cuando se usa correctamente, el MOF puede ser tan eficaz como la píldora. Un estudio sobre mujeres que conocían el MOF descubrió que este método tiene una tasa de fallo de uso perfecto de tan solo 0,6%[38], muy cerca del 0,3% de la píldora.

📖 índice de fallo del método anticonceptivo

El índice de fallo del método anticonceptivo representa el porcentaje de parejas que experimentan embarazos accidentales en un año de utilización. Se expresa mediante el *uso perfecto* y el *uso típico*.

El *uso perfecto* representa el índice de fallos para las mujeres que han hecho una perfecta utilización del método. Para la mayoría de los métodos que no sean el DIU, el uso perfecto no es tan bueno como el uso típico, que permite el error humano. Con la píldora, quedar embarazada después de olvidarse de tomar un comprimido sería un fracaso de uso típico. Con el MOF, quedar embarazada después de calcular mal tu ciclo y tener relaciones sexuales sin protección en un día "inseguro" sería un fallo de uso típico. Un estudio encontró que el índice de fracaso de uso típico para el método sintotérmico del MOF es del 1,8%,[39] que es todavía mejor que el índice de fracaso de uso típico de la píldora, de un 9%.[40]

¿Cómo funciona el MOF? En primer lugar, debes realizar un seguimiento de los signos físicos de la ovulación, es decir, de la temperatura.

Signos físicos de la ovulación

Temperatura

La temperatura en el momento de despertar, también llamada temperatura basal del cuerpo (TBC), es el signo fundamental del MOF. Esta se mide bajo la lengua, por la mañana al despertar y antes de levantarte de la cama. Para ello necesitarás un termómetro de buena calidad (preferiblemente un termómetro de temperatura corporal basal) que mida la temperatura por lo menos hasta una posición decimal (97,7 °F).

¿Cómo puede tu temperatura darte información sobre la ovulación? La temperatura puede registrar la progesterona, que, como recordarán, es la hormona ovárica que produces *después* de la ovulación. La progesterona tiene muchos efectos en tu organismo, pero uno muy práctico es el de elevar la temperatura de tu cuerpo. Por ejemplo, antes de la ovulación, la temperatura al despertar está entre 97,0 °F (36,1 °C) y 97,7 °F (36,5 °C). Después de la ovulación, la progesterona aumenta la temperatura en ese momento en unos 0,5 °F (0,3 °C) y la mantiene a ese nivel hasta tu periodo. Unos pocos días seguidos de un aumento mínimo pero significativo en la temperatura son suficientes para saber que has ovulado y que no puedes quedar embarazada durante el resto de ese ciclo.

Tu temperatura sube *después* de la ovulación, lo cual hace fácil identificar tus días posovulatorios infértiles o seguros. Identificarlos *antes* de la ovulación es un poco más difícil, pero no imposible. Con la práctica adecuada, también puedes predecir tus días seguros antes de la ovulación interpretando el moco cervical (véase abajo). Otra opción más alternativa es predecir tus días seguros (previos y posteriores a la ovulación) con un algoritmo informático desde un dispositivo con certificado médico como Daysy Fertility Monitor®.

Con Daysy®, no necesitas conocer bien el MOF. Simplemente debes tomarte la temperatura y un algoritmo informático hace el resto. Este dispositivo calcula tus días seguros (infértiles) y no seguros (fértiles) basándose en su base de datos de 5 millones de ciclos. También va incorporando características propias de tu ciclo a medida que lo vas usando. Me gusta Daysy® porque se somete a controles independientes de calidad cada año y asegura un índice de fallo de solo el 0,7%.[41] Daysy® no utiliza información sobre el flujo cervical, ya que dicho dato no aumenta la eficacia de su algoritmo.

Naturalmente, hay muchas otras *apps* para el periodo y el MOF que son estupendas. Algunas, tales como Kindara® pueden ayudarte con los cálculos del MOF, pero necesitas tener conocimientos previos en dicho método. Otras como Clue® no se pueden utilizar para prevenir el embarazo aunque siguen siendo una buena manera de realizar un seguimiento de tu ciclo.

Soy una gran fan de las *apps* para periodos en general, pero a menos que estés capacitada en el MOF y/o estés midiendo tu temperatura y comprobando tu flujo cervical, no deberías utilizar una *app* para el periodo como método de prevención del embarazo.

 Para evitar un embarazo necesitas el dispositivo Daysy® o conocer bien el MOF. No puedes confiar en el "lapso fértil" de cualquier *app* para el periodo.

Flujo cervical o moco fértil

En el *método sintotérmico* del MOF haces un seguimiento de tu flujo cervical, ya que es el signo de ovulación que tiene lugar *antes* de la ovulación. El flujo cervical, también llamado moco cervical o moco fértil, es un tipo único de flujo vaginal que se asemeja en apariencia y textura a una clara de huevo cruda. Tiene un color claro, es elástico y resbaloso. Lo verás en el papel higiénico después de limpiarte o lo sentirás en la abertura vaginal.

Por lo general, verás algún tipo de moco fértil durante los días previos a la ovulación. La función del flujo cervical es transportar espermatozoides rápidamente a través del útero hasta el óvulo. Si estás tratando de prevenir un embarazo, el moco fértil es un signo determinante que indica que podrías estar en un día fértil.

Tema especial: Cuidado al interpretar tu flujo cervical

El flujo cervical es más evidente en los días anteriores a la ovulación, pero lo verás en cualquier momento que tengas el estrógeno más elevado que la progesterona. Por ejemplo, puedes apreciarlo al principio de tu ciclo si tienes exceso de estrógeno, o también *después de la ovulación* si no produces suficiente progesterona. Por lo tanto, es posible que veas moco fértil más de una vez en tu ciclo, sin olvidar que no puedes ovular más de una vez.

Posición del cuello uterino

La suavidad y posición del cuello uterino son los signos físicos definitivos de la ovulación. Recuerda que el cuello uterino es la parte inferior de tu útero, donde se encuentra la abertura, y por donde sale la sangre menstrual. Normalmente, el cuello uterino está en una posición baja (alrededor de un dedo de longitud dentro de tu vagina) y tiene una textura sorprendentemente dura, como una rosquilla lisa o la punta de tu nariz. En los días antes de la ovulación, el cuello uterino estará más alto y más suave.

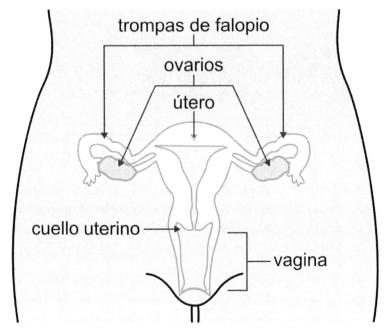

imagen 5 - anatomía reproductiva femenina

Test de ovulación con tiras reactivas

Otro signo de la ovulación es el aumento de la hormona luteinizante, conocida como *HL alta*, que se puede detectar con un test de tira reactiva a la orina. Comienza con el testeo al menos en el octavo día del ciclo y cuando veas un resultado positivo de HL significa, por lo general, que vas a ovular en las próximas 36 a 40 horas.

HL (hormona luteinizante)

La hormona luteinizante es la hormona pituitaria que da la orden al ovario de liberar un óvulo.

Medir un aumento de HL puede ser útil cuando estás tratando de quedar embarazada, pero no se suele utilizar como parte del MOF por varios motivos. En primer lugar, el estudio de HL puede obviar hasta un 20% de los picos de aumento de esta hormona.[42] También, para cuando se detecta un aumento de HL, es demasiado tarde para abstenerse de relaciones sexuales sin protección, porque ya habrás tenido varios días fértiles. Además, si tienes el SOP, las lecturas de HL pueden no tener ningún tipo de correlación con la ovulación. Al contrario, pueden dar lugar a que detectes lo que parece ser un pico de HL en casi todos los días de tu ciclo.

Otros signos de ovulación

Otros signos físicos de la ovulación incluyen una leve punzada o dolor (*mittelschmerz*), sangrado ligero o irregular, distensión abdominal, retención de líquidos y sensibilidad en las mamas. Puede que experimentes estos síntomas o puede que no, pero no son signos fiables en la utilización del MOF.

Realizar un seguimiento de tu boletín mensual

Lo mejor del MOF es que te da más pistas sobre tu periodo. Por ejemplo, puedes comprobar si ovulas y *cuándo* ovulas. Y una vez que ovulas, puedes saber casi hasta el día preciso en que llegará tu periodo, incluso si tienes ciclos irregulares.

Saber si ovulas y cuándo lo haces es esencial para conocer tus periodos menstruales y tu estado de salud.

En el caso de que sí ovules, ya tienes un excelente resultado en tu boletín menstrual del mes. También supone tener una nueva conciencia corporal llamada *alfabetización del cuerpo* (un bonito término acuñado por mi colega y defensora de la salud reproductiva Laura Wershler).

Si *no* ovulas, tu cuerpo te está advirtiendo de que algo va mal. No ovular puede deberse al hecho de que estés estresada o que no te alimentes lo suficiente. También cabe la posibilidad de que sufras una afección subyacente como el SOP o la enfermedad de la tiroides y que necesites ver a tu médica. Con suerte, tu médica se mostrará receptiva ante esta información y te ayudará más que el médico de mi paciente Sylvia.

Sylvia: ¿Por qué te interesa saber si ovulas o no?

Sylvia había estado intentando utilizar el dispositivo Daysy® del MOF, pero no obtenía ningún *día verde* o *día seguro*. Sabía que eso significaba que no estaba ovulando, por lo que le mostró los gráficos a su médico clínico. Desafortunadamente, él no le dio mucha importancia.

Médico: —¿Quieres tener otro bebé?

Sylvia: —No.

Médico: —¿Entonces por qué quieres saber si ovulas o no?

Sylvia también tenía ciclos irregulares, pero su médico tenía una solución simple para eso. —Deberías estar contenta de tener menos periodos —dijo—; si estás preocupada, siempre puedes tomar la píldora.

Solicité análisis de sangre de Sylvia y descubrí que tenía altos niveles de hormonas masculinas y, por tanto, cumplía algunos requisitos para el diagnóstico del SOP. Tenía poca cantidad de vello facial, algo típico de esa condición, pero sus síntomas principales eran la ausencia de ovulación y los ciclos irregulares.

—Menos mal que estuve realizando un seguimiento de mi ciclo —me dijo—si no, nunca lo habría sabido.

Sylvia comenzó un tratamiento natural para el SOP y, después de tres meses, ovuló y por fin pudo ver los días seguros en su dispositivo del MOF Daysy®.

Las historias como la de Sylvia son comunes pero, afortunadamente, no son la norma. La mayoría de las médicas brindarán más ayuda cuando se les presente la información y preguntas correctas. Por favor, consulta la sección "Cómo hablar con tu médica" en el capítulo 11.

En resumen, el MOF es una manera excelente de prevenir el

embarazo. Yo diría que es la mejor. Es eficaz y adecuada para cada edad y situación, incluso si no tienes ciclos regulares. La única desventaja del MOF es que, en tus días fértiles, tendrás que abstenerte del coito vaginal o utilizar un método de barrera. Si es algo que no estás dispuesta a hacer, por favor considera un DIU de cobre, del cual trataremos a continuación.

Un último recordatorio: a excepción del monitor de fertilidad Daysy®, todos los tipos de MOF requieren cierta práctica y conocimiento. Puedes leer el libro *Taking Charge of Your Fertility* (*Hazte cargo de tu fertilidad*) de Toni Weschler, o buscar familiarizarte con el método mediante una de las varias organizaciones e instructores en línea enumerados en la sección de "Recursos".

Preservativos masculinos

En todo el mundo, los preservativos masculinos son la forma más popular de anticoncepción, y es fácil entender por qué. Los preservativos son simples, baratos y no presentan un riesgo para la salud del hombre o la mujer. Todo lo que tienes que hacer es poner un preservativo en el pene de tu pareja antes del coito. El preservativo retiene el esperma eyaculado y evita que entre en tu cuerpo.

Los preservativos son un método de barrera. Son el mejor método de este tipo porque 1) reducen el riesgo de infecciones por transmisión sexual y 2) pueden ser utilizados sin espermicidas tóxicos.

Tema especial: Evita los preservativos con espermicida

Los preservativos con espermicidas no tienen ninguna ventaja sobre los preservativos con lubricante normal. No son más efectivos que los preservativos normales en la prevención del embarazo o las enfermedades de transmisión sexual. De hecho, el espermicida puede hacerte más susceptible a las infecciones, especialmente infecciones en la vejiga. Si sufres infecciones frecuentes en la vejiga debes leer el embalaje del preservativo para ver si el problema es el espermicida.

Usar preservativos no debe suponer una pérdida del placer. Hay marcas nuevas y más cómodas de preservativos como Hex™ (supuestamente irrompible, según las opiniones de los usuarios) y *myONE Perfect Fit*®, que proporcionan 60 tamaños diferentes. ¡Encontrar el tamaño correcto del preservativo es tan importante como encontrar el tamaño correcto de zapatos!

El preservativo masculino tiene una tasa de fallo del *uso perfecto* del 2% y un índice de fallo del *uso típico* de aproximadamente el 18%.[43]

Preservativos femeninos

El preservativo femenino es un tubo o funda de látex con un anillo flexible en cada extremo. Uno de los anillos se inserta en la vagina y se queda allí durante el coito. El anillo externo permanece fuera de la vulva.

La ventaja principal del preservativo femenino es que tú tienes el control. Se puede colocar horas antes del sexo, lo cual significa que no habrá distracciones durante los momentos previos al coito. Debido a que el anillo externo del preservativo femenino cubre toda la vulva, ofrece mejor protección contra enfermedades de transmisión sexual que el preservativo masculino. El anillo externo puede también mejorar tu placer sexual porque hace fricción con el clítoris.

El preservativo femenino tiene un índice de fallo de *uso perfecto* del 5% y un índice de fallo de *uso típico* del 28%.[44]

Diafragma sin espermicida

Un diafragma es un disco de látex o de silicona suave que se sella a la pared vaginal y evita que los espermatozoides entren en el útero. Puedes insertarlo hasta dos horas antes del sexo, pero debes dejarlo durante seis horas después. A diferencia del preservativo femenino, tu pareja no lo sentirá.

El antiguo prototipo del diafragma de látex debía ser colocado por una médica. También tenía que utilizarse con un gel espermicida, lo que lo colocaría en la categoría de tipo 2 de anticoncepción y podría causar algunos daños (expuestos más abajo).

El nuevo diafragma de silicona Caya® se usa con un gel no tóxico, tiene tamaño único y no necesita ser colocado por una médica. Puedes comprar Caya® directamente online, en la farmacia o en tu clínica de planificación familiar habitual.

Un diafragma tiene un índice de fallo de *uso perfecto* del 6% y un índice de fallo de *uso típico* del 12%.[45] Sin embargo, no protege contra enfermedades de transmisión sexual.

Capuchón cervical sin espermicida

El capuchón cervical es similar al diafragma pero más pequeño. Tiene la forma de un gorro de marinero pequeño y cubre el cuello uterino. Puedes dejar el capuchón cervical en su sitio hasta dos días y usarlo con un gel no tóxico.

El capuchón cervical Femcap® viene en tres tamaños diferentes y está disponible en algunos países sin receta médica. En Estados Unidos, debe ser colocado y recetado por una médica.

Femcap® tiene una tasa de fallo de *uso típico* del 8%.[46] No protege contra las infecciones de transmisión sexual.

Para consultar enlaces de Femcap® y el diafragma Caya® consulta la sección de "Recursos".

Método del retiro o eyaculación externa

En este método, tu pareja retira el pene y eyacula fuera de la vagina. La marcha atrás o retiro ha sido conocida por más de 2.500 años y sigue siendo ampliamente utilizada hoy en día. También conocido como *coito interrumpido*, es controvertido porque se considera menos eficaz que otros métodos. El índice de fallo de *uso típico* es del 28%, pero cuando se usa correctamente tiene una tasa de fallo de *uso perfecto* de solo el 4%, que es comparable con algunos de los métodos de barrera.

El éxito de este método depende de la habilidad y el compromiso de tu pareja, así que no lo recomiendo para parejas nuevas, jóvenes o inexpertas. Tampoco ofrece protección contra las infecciones de transmisión sexual.

CONSEJO **No puedes confiar en el método del retiro** si tienes relaciones sexuales dos veces seguidas, ya que el esperma queda en el pene después de la eyaculación y puede filtrarse en la vagina durante la segunda relación sexual. Si quieres tener relaciones sexuales por segunda vez, tu pareja debe orinar para eliminar los espermatozoides y limpiarse el pene, o bien debéis usar un método de barrera.

Métodos anticonceptivos de tipo 2

Los métodos anticonceptivos del tipo 2 son métodos menos preferibles porque conllevan alguna toxicidad o riesgo para la salud. Sin embargo, son mejores que los métodos de tipo 3 porque no suprimen la ovulación, permitiendo la producción de progesterona.

Los métodos de tipo 2 no son ideales, pero son igualmente una elección razonable.

Dispositivo intrauterino de cobre (DIU)

El DIU es un dispositivo de plástico y cobre. Se parece un poco a un arete y se introduce en el útero. Su inserción es un procedimiento simple que se realiza en la consulta de tu médica. Su colocación puede resultar un poco incómoda pero es bastante rápida. No implica cirugía y no suele requerir sedación o anestesia general.

Una mujer describió la colocación del DIU de la siguiente manera:[47]

"Es como una prueba PAP pero un poco más extraña y más incómoda".

Para quitar el DIU, tu médica debe encontrar el cordón y tirar de él para que salga a través del cuello uterino. La extracción es simple y es algo que puedes pedirle a tu médica en cualquier momento. Una vez una paciente me contó que quería probar el DIU pero no quería tener que "convencer a su médica para extraérselo" en algún momento. Como nota aclarativa, no debería ser necesario tal convencimiento. Es tu cuerpo. Tu médica te lo quitará cuando tú quieras, si es que quieres quitártelo.

Lo mejor del DIU de cobre es que no modifica tus hormonas; no impide la ovulación. En cambio, el DIU previene el embarazo de dos maneras:

- Los iones de cobre afectan la movilidad del esperma.
- La mera presencia física de cualquier cuerpo en el útero cambia el revestimiento uterino de modo que un óvulo fecundado no pueda implantarse y desarrollarse.

El DIU de cobre es muy eficaz, con un índice de fallo del 0,6%, y es simple. Una vez colocado, puede permanecer en el útero durante diez años o más. Cuando tu médica finalmente te retira el DIU, recuperas por completo la fertilidad dentro de un ciclo menstrual.[48]

Tema especial: El pasado oscuro del Dalkon Shield

Como muchas mujeres, puede que no tengas mucha confianza en la seguridad del DIU de cobre. Puede ser por la mala popularidad de este dispositivo tras un suceso trágico hace más de 40 años. En ese entonces, un DIU mal diseñado llamado Dalkon Shield provocó 18 muertes y miles de complicaciones pélvicas entre sus 2,8 millones de usuarias. El problema era el cordón multifilamento de ese DIU en particular, que permitía el crecimiento de bacterias. Los DIU modernos tienen un cordón diferente y no tienen riesgo significativo de infección.[49]

Muchas mujeres adoran el DIU de cobre y actualmente cuenta con el mayor índice de satisfacción de las usuarias de entre todos los métodos.[50] También puede usarse como anticoncepción de emergencia si se inserta dentro de los cinco días después del acto sexual.

Los DIU modernos son potencialmente adecuados para mujeres de cualquier edad, incluyendo adolescentes y mujeres que aún no han tenido hijos. En 2014, la Academia Estadounidense de Pediatría indicó que los DIU son una opción anticonceptiva de primera línea para las adolescentes y derrocó la opinión anterior de que los DIU no se deben utilizar hasta después del primer parto.

Existen, sin embargo, varias desventajas del DIU de cobre.

Dolor

Es probable que experimentes algo de dolor durante su inserción e incluso unos días después. También puedes notar que tus periodos son más dolorosos durante los primeros doce meses tras la colocación. Después de este tiempo deberían volver a la normalidad.[51]

Periodos intensos

Un DIU de cobre aumentará el volumen de flujo menstrual en un 20 a un 50%. Por ejemplo, si tu flujo es normalmente de 50 mL por mes, entonces aumentará a entre 60 y 75 mL. Luego puede disminuir al final del primer año.[52] Se puede lidiar con los periodos más intensos mediante tratamientos que se verán en la sección "Periodos intensos" del capítulo 9.

Expulsión

El DIU puede salirse, y si no te das cuenta de ello podrías quedar embarazada. Los signos de la expulsión incluyen dolor, sangrado irregular y ausencia o alargamiento del cordón. El riesgo de expulsión es mayor durante los primeros tres meses después de su colocación.

Los DIU nuevos sin marco como GyneFix® y Ballerine® son más fáciles de colocar y tienen un menor riesgo de expulsión.[53]

Infección

Si tienes una infección preexistente con gonorrea o clamidia corres el riesgo de contraer una enfermedad inflamatoria pélvica (EIP) durante las tres semanas después de la inserción del DIU. [54] Tu médica debe revisar si padeces esas infecciones comunes antes de colocar el DIU.

Vaginosis bacteriana

El DIU de cobre altera el microbioma vaginal y duplica el riesgo de vaginosis bacteriana (VB),[55] que causa flujo vaginal con un olor similar al del pescado.

Toxicidad del cobre

Algunas mujeres presentan cuadros de ansiedad después de la inserción del DIU y la atribuyen a la posible toxicidad del cobre. Como en tantos aspectos de la salud de la mujer, existe muy poca investigación; pero un estudio *sí ha encontrado* niveles mayores de cobre en sangre en usuarias del DIU.[56] En teoría, ese cobre elevado podría afectar el estado de ánimo y otros aspectos de la salud.

Tienes más probabilidades de sufrir algunos de esos síntomas por el cobre si tienes deficiencia de zinc, por lo que recomiendo realizarse pruebas de deficiencia de zinc antes de colocar un DIU. Ten en cuenta que también puedes obtener una buena cantidad de cobre de tu dieta, incluyendo el chocolate negro, que contiene aproximadamente 1 mg por cada onza.

 La píldora también puede causar exceso de cobre porque el estrógeno sintético provoca que el cuerpo lo retenga.

Dispositivo intrauterino hormonal (DIU Mirena®) o sistemas intrauterinos (SIU)

Mirena® y Skyla® son DIU hormonales o sistemas intrauterinos (SIU) que liberan la progestina levonorgestrel en el útero. Como tal, podrían incluirse en la sección de anticonceptivos hormonales de tipo 3, pero los he incluido a continuación para compararlos.

Con el DIU hormonal, el levonorgestrel actúa localmente en el útero para prevenir el embarazo de tres maneras:

- Espesa el moco cervical
- Inhibe la supervivencia de los espermatozoides
- Previene el desarrollo del revestimiento uterino.

Las usuarias de Mirena® tienen un nivel de levonorgestrel en sangre que es aproximadamente una décima parte de los niveles de quienes toman la píldora.

El DIU hormonal no pretende suprimir la ovulación, razón por la cual considero que es el menos dañino de todos los métodos anticonceptivos hormonales. Lamentablemente, como vimos en el capítulo anterior, reprimen la ovulación al menos una parte del tiempo.

Puedes dejar el dispositivo Mirena® colocado durante cinco años hasta que se acabe la progestina. Después de ese tiempo debe reemplazarse.

Mirena® hará que tu periodo sea muy ligero, casi inexistente. Es por ello que se usa para tratar los periodos intensos.

Espermicida

El espermicida (o mata esperma) previene el embarazo al eliminar los espermatozoides.

Históricamente, las personas han probado muchas sustancias para matar el esperma. La lista incluye estiércol de cocodrilo, lana empapada en acacia, zumo de limón y, en la década de 1940, Lysol (que causa ardor e inflamación). Ninguna de esas sustancias eran muy eficaces, pero el espermicida moderno nonoxinol-9 no es mucho mejor. Cuando se utiliza solo como una espuma o gel, el nonoxinol-9 tiene un índice de fallo de alrededor del 20%.[57] Para mejorar su eficacia, el espermicida se utiliza normalmente con una esponja o un diafragma, del que hemos hablado anteriormente en la sección "Métodos anticonceptivos de tipo 1".

Nonoxinol-9 es un surfactante que se encuentra en productos de limpieza. No cabe duda de que es tóxico. ¡Ese es su trabajo! Una exposición regular al nonoxinol-9 puede causar picazón, ardor y una mayor sensibilidad a infecciones vaginales y enfermedades de transmisión sexual.

Ligadura de trompas femenina

La ligadura de trompas o "atadura de trompas" es la obstrucción permanente de las trompas de Falopio para que los óvulos no puedan pasar al útero. La ligadura requiere una cirugía laparoscópica bajo anestesia general. El cirujano corta la cavidad pélvica y luego secciona, sujeta, cauteriza o quita las trompas de Falopio. La recomendación actual es eliminar las trompas por completo para reducir el riesgo a largo plazo de cáncer de ovario. [58]

Existe también un método no quirúrgico de ligadura de trompas llamado Essure® que consiste en la inserción de espirales de fibra a través del útero en una de las trompas. Existen problemas serios de seguridad sobre Essure, por lo que no lo recomiendo.

La ligadura de trompas es un método altamente eficaz y a largo plazo. Se puede intentar revertir la ligadura de trompas, pero no suele ser un proceso exitoso, por lo que el método es adecuado solo si estás 100% segura de que no quieres tener más hijos.

La ligadura de trompas conlleva los riesgos de una cirugía y anestesia general. Oficialmente, no interfiere con la ovulación o el equilibrio hormonal, pero las mujeres con antecedentes de ligadura de trompas son más propensas a sufrir periodos irregulares e intensos.[59]

Vasectomía

La vasectomía es el equivalente masculino a la ligadura de trompas. Implica el corte, recorte o cauterización de los conductos deferentes, los cuales transportan los espermatozoides de los testículos al pene. A diferencia de la ligadura de trompas de la mujer, la vasectomía no es una cirugía. Se realiza en un consultorio médico con anestesia local.

La vasectomía es un método anticonceptivo altamente eficaz a largo plazo. Se puede intentar revertir y, según la Clínica Mayo, con un éxito del 40 al 90% de los casos.

Hasta un 10% de los hombres sometidos a vasectomía pueden desarrollar el síndrome de dolor posvasectomía.[60]

Vasalgel

La organización no gubernamental Fundación Parsemus está desarrollando un nuevo método de anticoncepción masculina reversible. Se llama Vasalgel y consiste en una inyección única de gel en los conductos deferentes. El gel bloquea los espermatozoides de forma similar a la vasectomía, pero se puede eliminar con una segunda inyección cuando el hombre desee recuperar su fertilidad.

Vasalgel se encuentra actualmente en ensayos clínicos y se prevé su pronta disponibilidad.[61]

Métodos anticonceptivos de tipo 3

La anticoncepción hormonal incluye todas las píldoras, implantes, parches, inyecciones y anillos vaginales. Utilizan fármacos esteroides para reprimir la ovulación. Como vimos en el capítulo 1, la ovulación es el evento clave en un ciclo menstrual sano. Por esta razón, las drogas que inhiben la ovulación son todas igualmente inadecuadas para la salud del periodo.

Capítulo 4

¿CÓMO DEBERÍA SER TU PERIODO?

LOS SANGRADOS MENSTRUALES se llaman "periodos" porque llegan *periódicamente* siguiendo un patrón mensual regular.

¿Por qué de forma mensual? El tiempo de un ciclo sano está determinado por tres procesos importantes que tienen lugar en los ovarios. En primer lugar, tus folículos ováricos inician una carrera final hacia la ovulación. Esta etapa, llamada fase folicular, dura aproximadamente dos semanas, aunque puede ser más corta o mucho más larga. Después se produce la ovulación, que tarda aproximadamente un día. Y por último, tiene lugar la fase lútea, que dura cerca de 14 días.

El tiempo de un ciclo menstrual sano es la suma de estas tres fases principales:

- la fase folicular, que puede durar entre 7 y 21 días;
- la ovulación, que dura un día;
- la fase lútea, que dura de 10 a 16 días.

Si eres adulta, todo esto se traduce a un periodo sano de entre 21 y 35 días. El promedio son 28 días, pero no es la norma.

Si eres adolescente, tu ciclo será más largo ya que puedes tener una fase folicular de hasta 32 días. Tu fase lútea es la misma, de 10 a 16 días, lo cual da como resultado un ciclo menstrual sano de entre 21 y 45 días.

Para determinar la duración de tu ciclo menstrual, comienza a contar desde el primer día de sangrado intenso. Llámalo "día 1" y anótalo como el primer día de tu periodo en la *app* menstrual. Los días de sangrado ligero antes del día intenso no forman parte de este ciclo, puesto que son los últimos días del ciclo anterior.

> **CONSEJO** **En una mujer adulta es normal** tener un ciclo de entre 21 y 35 días.

Veamos ahora las tres fases con más detalle.

Fase folicular y estrógeno

Un periodo sano comienza con folículos sanos. La fase folicular comienza cuando unos pocos folículos (generalmente de seis a ocho) entran en los días finales de su camino hacia la ovulación. Es importante entender que la vida útil total de cada folículo es mucho más que sólo las dos o tres semanas de la fase folicular. En realidad, tus folículos comenzaron el viaje hacia la ovulación meses antes.

> *folículo*
>
> Un folículo ovárico es una especie de bolsa que contiene un óvulo inmaduro (ovocito). Es la parte del ovario que produce estrógeno, progesterona y testosterona.

Los folículos tardan 100 días en madurar desde su estado latente hasta la ovulación. Si tus folículos no estuvieran sanos en algún momento de este proceso de maduración, podría generarse un problema en el periodo *meses más tarde*. Verlo de esta manera ayuda a entender por qué la salud del periodo es un proyecto a largo plazo. Así, tus problemas menstruales podrían ser el resultado de algo que se estaba generando en tu salud hace meses.

Cuando tus folículos llegan a la etapa final de su desarrollo, la fase folicular, la cosa empieza a ponerse realmente interesante. Es ahí cuando la hormona hipofisaria FSH (hormona folículoestimulante) te empuja hacia la ovulación y estimula los folículos para producir estrógeno.

📖 *FSH*

FSH u hormona folículoestimulante es una hormona pituitaria que estimula los folículos ováricos para que crezcan.

📖 *glándula pituitaria*

La glándula pituitaria es una glándula endocrina pequeña adherida a la base del cerebro.

La FSH es como una fuerza que estimula tus folículos. Cuando eres joven, tienes un nivel más bajo de FSH, por lo que tu fase folicular tiende a ser más larga. Cuando eres mayor (a los cuarenta años), tienes más FSH, por lo que tu fase folicular tiende a ser más corta.

Estradiol, la reina de los estrógenos

Tus folículos en desarrollo liberan un estrógeno importante llamado *estradiol*, el cual no es tu único estrógeno. También tienes estrona, proveniente del tejido adiposo, y un número de metabolitos de estrógeno producidos por las bacterias intestinales. Sin embargo, el estradiol es el estrógeno producido por los folículos en desarrollo y es tu mejor estrógeno.

El estradiol es la hormona feliz u "hormona del yang". Estimula la libido y el estado de ánimo porque aumenta los neurotransmisores serotonina (que promueven sentimientos de bienestar y felicidad) y dopamina (relacionada con la motivación y el placer).

El estradiol tiene muchos otros beneficios para los huesos, los músculos, el cerebro, el corazón, el sueño, la piel y el metabolismo. Por ejemplo, el estradiol aumenta tu sensibilidad a la insulina[62] y, por lo tanto, ayuda a prevenir una posible afección prediabética llamada *resistencia a la insulina*, la cual analizaremos en el capítulo 6 y en la sección del SOP resistente a la insulina del capítulo 7.

Uno de los trabajos principales del estradiol es estimular el revestimiento uterino para que crezca, engrose y se prepare para un bebé. Es muy simple: cuanto más estradiol tengas, más grueso será el revestimiento del útero y más intenso será tu periodo.

El estradiol también estimula un tipo específico de flujo vaginal que se llama *moco fértil*.

Tema especial: Flujo vaginal o flujo cervical

Es normal ver algo blanco en tu ropa interior. Es una combinación de células de la pared vaginal, bacterias sanas y — lo más importante — flujo o moco producido por el cuello uterino. Además de su papel en la fertilidad, el flujo vaginal mantiene la vagina húmeda, sana y libre de infecciones.

El flujo vaginal sano es blanco o amarillo claro y tiene un suave olor salado. Si tu flujo vaginal tiene mal olor o causa molestia o picazón, podrías tener una infección y deberías ver a tu médica.

Si tu flujo vaginal es un una masa de flujo resbaladiza y copiosa, entonces es normal y sano y se llama *moco fértil*.

Moco fértil

El fluido cervical o moco fértil es un tipo de secreción cremosa y posteriormente húmeda y resbalosa que puedes tener cuando tienes un montón de estrógeno. En su punto álgido, el moco fértil se asemeja en apariencia y textura a una clara de huevo crudo y puede ser abundante. Notarás el moco fértil en tu ropa interior o en el papel higiénico después de limpiarte, y puede ser desconcertante cuando lo veas por primera vez.

El estrógeno estimula el moco fértil y por eso aparece normalmente cuando el estradiol está elevado, justo antes de la ovulación. Su propósito principal es ayudar al esperma a sobrevivir y a dirigirlo a donde va. El moco fértil contiene microscópicas "escaleras mecánicas para espermatozoides" que apresuran la llegada del esperma al útero. Si el esperma tuviera que avanzar sin ayuda, le llevaría horas llegar al óvulo que está en espera. Dentro del moco fértil, el esperma es propulsado hasta las trompas de Falopio en pocos minutos. Los métodos anticonceptivos con progestina sola, como el DIU Mirena, funcionan principalmente previniendo la formación de moco fértil.

Como ya comentamos en el capítulo anterior, el moco fértil es una parte importante del método anticonceptivo de observación de la fertilidad (MOF), pero debes tener mucho cuidado. El moco fértil *generalmente* se produce durante los días previos a la ovulación, pero en realidad puede ocurrir *en cualquier momento* en el que se de un aumento de estrógeno. Por ejemplo, si la fase folicular es particularmente larga y demorada, como puede ocurrir durante momentos de estrés, el estrógeno puede aumentar y disminuir y se pueden dar varios episodios de moco fértil antes de que finalmente ovules. También puede que veas moco fértil sin siquiera ovular en absoluto. Ver el Aparición anormal de moco fértil en el capítulo 5.

La ovulación

Mientras continúa la carrera folicular, con el tiempo, uno (o raramente, dos) de tus folículos alcanzan la línea de meta. El folículo dominante y ganador se hincha y —activado por la hormona luteinizante (HL), finalmente se rompe para liberar su óvulo.

La liberación del óvulo es la ovulación. Las etapas finales de la hinchazón pueden tomar unas horas, pero el acontecimiento en sí se produce en pocos minutos. Cuando el óvulo rompe y sale del ovario, puedes notar *mittelschmerz*, es decir, una punzada o un dolor suave en uno o ambos lados de la pelvis baja.

La ovulación es un evento de todo o nada. No se puede ovular *un poco*. Se ovula o no. Una vez que has ovulado, no se puede volver atrás. Tu óvulo ha sido liberado y ya no se puede devolver. Es como la liberación de las palomas en una boda. Estás comprometida. Después de la ovulación, quedarás embarazada *o* tendrás tu periodo aproximadamente dos semanas más tarde. No hay una tercera opción. No es posible ovular y luego no estar embarazada o no tener el periodo.

 El día promedio de la ovulación es el día 14, pero no te preocupes si no sucede ese día. Si tienes un ciclo más largo, entonces tendrás la ovulación más adelante. Para estimar cuando *podría* ser tu próxima ovulación, cuenta hacia atrás aproximadamente dos semanas desde el primer día previsto de tu próximo periodo.

Después de la liberación del óvulo, éste es enviado hacia una de las trompas de Falopio, donde puede ser fertilizado si hay espermatozoides. Los otros folículos que perdieron la carrera hacia la ovulación son reabsorbidos por el ovario.

La ovulación es un evento trascendental incluso si no estás tratando de quedar embarazada. ¿Por qué? Porque la ovulación es la manera de producir progesterona.

Fase lútea y subida de progesterona

Después de la ovulación, las cosas comienzan a ponerse interesantes. En este momento, el folículo vacío se reestructura en una glándula que segrega progesterona llamada *cuerpo lúteo*.

> 📘 *cuerpo lúteo*
>
> El cuerpo lúteo es una glándula endocrina temporal que se forma con el folículo ovárico vacío después de la ovulación.

> 📘 *fase lútea*
>
> La fase lútea de un ciclo menstrual comprende los 10 a 16 días que hay entre la ovulación y el sangrado y está determinada por la vida útil del cuerpo lúteo.

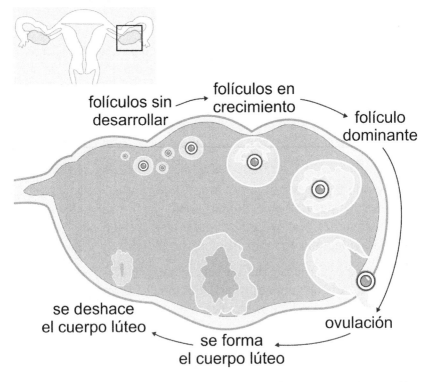

imagen 6 - el viaje del folículo hasta el cuerpo lúteo

El cuerpo lúteo se forma rápidamente y supone un logro increíble. El tejido crece casi de la nada a una estructura completamente vascularizada de 4 centímetros en menos de un día. La investigadora Dra. Sarah Robertson de la Universidad de Adelaide en Australia dice lo siguiente sobre el proceso:

"No existe otro lugar del cuerpo en el que se tenga que desarrollar un tejido desde cero en tan poco tiempo y obtener un suministro de sangre tan rápido".[63][64]

Dr. Sarah Robertson

El cuerpo lúteo es un tejido dinámico y vital. También es importante recordar que es la etapa final del viaje de 100 días del folículo hacia la ovulación. La salud del cuerpo lúteo se ve afectada por todo lo que afecta a los folículos durante esos 100 días.

Por ejemplo, el cuerpo lúteo se puede ver afectado por inflamación, enfermedad de la tiroides o un problema con la insulina, aspectos que exploraremos en los próximos capítulos. También puede verse afectado por una deficiencia de nutrientes como el magnesio, vitaminas B, vitamina D, yodo, zinc y selenio.

El folículo necesita buena salud y nutrición durante los 100 días y aún así debe sobrarle empuje y vitalidad suficientes para formar una glándula de cuerpo lúteo de 4 centímetros en un sólo día. Es un triatlón ovárico, y por eso el estado general de salud y nutrición son tan importantes para la salud menstrual.

Progesterona, la hormona calmante

¿La recompensa por pasar la línea de meta de la ovulación y producir un cuerpo lúteo? La progesterona, que es la hormona clave para la salud del periodo.

La progesterona es producida por el cuerpo lúteo, y es una hormona sorprendentemente beneficiosa. El trabajo más importante de la progesterona es sostener y nutrir el embarazo. De ahí obtiene su nombre: hormona pro-gestación, abreviado progesterona.

Pero la progesterona no sólo te ayuda con un embarazo. Hace mucho más.

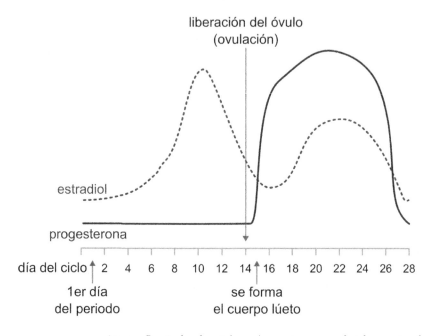

imagen 7 - niveles de estrógeno/progesterona en el ciclo menstrual

La progesterona compensa el estrógeno. Es el yin del yang del estrógeno. Por ejemplo, la progesterona reduce el grosor del revestimiento uterino mientras que el estrógeno lo aumenta. La progesterona previene el cáncer de mama,[65] mientras que el estrógeno lo promueve. La progesterona estimula la hormona tiroidea mientras que el estrógeno la suprime. El efecto estimulante de la progesterona en la tiroides[66] consiste en el aumento de la temperatura de tu cuerpo en la fase lútea.

 Al reducir el grosor del revestimiento uterino, la progesterona puede aliviar tu periodo.

La progesterona tiene muchas otras ventajas (yo las llamo superpoderes):

- reduce la inflamación[67]
- desarrolla los músculos[68]
- promueve el sueño[69][70]
- protege contra enfermedades del corazón[71]
- calma el sistema nervioso y facilita lidiar con el estrés[72]

La progesterona calma el sistema nervioso porque se convierte en un *neuroesteroide* llamado alopregnanolona (ALLO).

---

alopregnanolona (ALLO)

Alopregnanolona es un neuroesteroide calmante que actúa como el GABA en el cerebro.

ácido gamma-aminobutírico (GABA)

El GABA es un neurotransmisor que promueve la relajación y mejora el sueño.

Una de las peores cosas sobre los anticonceptivos hormonales es que te roban los efectos calmantes y mejoradores del estado de ánimo de la progesterona y la alopregnanolona. Recuerda, las drogas progestinas en anticonceptivos hormonales son progestinas, *no* progesterona. Las progestinas *no* se convierten en alopregnanolona calmante, lo cual podría explicar por qué causan ansiedad y alteran la forma del cerebro.[73]

La progesterona tiene muchas otras ventajas que analizaremos a lo largo del libro. Cuando se trata de periodos sanos, se trata sobre todo de la progesterona.

Ciclos anovulatorios

A veces, ninguno de los folículos alcanza la meta de la ovulación. No ovulas, por lo que no formas un cuerpo lúteo y *no* produces progesterona. Pero igualmente tienes el sangrado. ¿Por qué? Porque los folículos producen estrógeno igualmente mientras crecen e intentan llegar a la ovulación. Y recuerda, el estrógeno estimula el moco fértil y aumenta el grosor del revestimiento uterino, el cual se desprende finalmente.

Los ciclos anovulatorios no son verdaderos ciclos menstruales con todos sus procesos de ovulación, cuerpo lúteo y fase lútea. En cambio, son como una fase folicular continua y larga entremezclada con sangrado.

Con un ciclo anovulatorio tienes *estrógeno sin oposición*, lo que significa que tienes estrógeno pero no progesterona.

Los ciclos anovulatorios son comunes con el SOP (capítulo 7) y perimenopausia (capítulo 10), pero pueden ocurrir de vez en cuando en condiciones normales.[74]

Por último, los sangrados anovulatorios son el tipo de sangrado que tienes con los métodos anticonceptivos hormonales de implante e inyección porque suprimen la ovulación. Sin embargo, permiten el estrógeno. Son diferentes de los sangrados provocados por la píldora, que son sangrados por deprivación de las drogas sintéticas estrógeno y progestina.

 ¿Tomas la píldora? Entonces no tienes fase folicular, ovulación, cuerpo lúteo, fase lútea ni progesterona.

Vida útil del cuerpo lúteo

Si quedas embarazada, tu cuerpo lúteo sobrevivirá tres meses hasta que la placenta asuma la tarea de producir progesterona. Si no quedas embarazada, tu cuerpo lúteo tiene la vida corta de una mariposa. Sobrevivirá sólo diez a dieciséis días, tiempo que define tu fase lútea. Es por eso que (a menos que estés embarazada), tu fase lútea nunca puede durar más de dieciséis días.

El cuerpo lúteo y la progesterona son como esos grandes amigos que te visitan pero rara vez se quedan. Disfrutas de su compañía durante unas dos valiosas semanas y luego se van.

Sobre el final de la fase lútea, el cuerpo lúteo se encoge y la progesterona baja. Esto estimula la contracción del útero y hace que se desprenda el revestimiento uterino.

El gran final: tu periodo

Si tuviste un cuerpo lúteo sano y produjiste suficiente progesterona, el revestimiento del útero debería estar en buena forma. Por ejemplo, debería estar bien formado y no demasiado grueso o inflamado y bastante fácil de desprenderse.

Con suficiente progesterona, tu periodo llegará suavemente, sin sangrado irregular o dolor premenstrual.

Aquí se explican algunos aspectos que deben entenderse sobre el sangrado en sí mismo.

El flujo menstrual no es sangre.

El flujo menstrual contiene sangre, pero también moco cervical, secreciones vaginales y los pedacitos del revestimiento del útero (tejido endometrial). Curiosamente, dos tercios del revestimiento endometrial no se desprenden, sino que son reabsorbidos por el cuerpo.

Tu flujo menstrual debe ser sobre todo líquido, sin grandes coágulos

Mientras que el revestimiento uterino se rompe y se desprende, el cuerpo libera anticoagulantes naturales para reducir su grosor y ayudar a que fluya con mayor facilidad. Si tienes mucho flujo, se pueden formar algunos coágulos debido a que los anticoagulantes no tienen tiempo para hacer su trabajo. Los coágulos menstruales son normales, pero deben ser pocos y bastante pequeños: aproximadamente del tamaño de una moneda pequeña (1,8 cm).

Tu flujo menstrual puede variar de color rojo a marrón

La sangre se oscurece cuando está expuesta al aire, por lo que tu periodo será de un rojo claro a rojo más intenso cuando fluya rápido y más oscuro cuando fluya despacio o sólo se den manchas más leves. Tu flujo menstrual también puede verse casi marrón cuando ha estado en un tiempo en la compresa.

Deberías perder unos 50 mL

Deberías perder un total de aproximadamente 50 mL (o tres cucharadas) de flujo menstrual en los días de tu periodo. Menos de 25 mL es flujo escaso. Más de 80 mL es flujo abundante. Evidentemente, a menos que utilices una copa menstrual, puede que nunca hayas medido el volumen real de tu flujo menstrual. Para hacer una estimación, puedes contar la cantidad de productos menstruales que hayas usado. Una compresa o un tampón regular empapado tiene 5 mL o una cucharadita aproximadamente. Un tampón súper contiene 10 mL. Entonces, 50 mL equivale a diez tampones regulares o cinco tampones súper completamente llenos, usados a lo largo de los días del periodo. Si el producto menstrual no se llena, simplemente ajusta la cuenta. Por ejemplo, un tampón regular lleno hasta la mitad equivale a alrededor de 2,5 mL.

En términos simples, no deberías necesitar cambiar la compresa o el tampón con más frecuencia que una vez cada dos horas durante el día. Tu flujo debería disminuir mientras duermes, por lo que no deberías tener que levantarte por la noche para cambiarte la compresa.

Tu periodo debe durar de dos a siete días

La mayoría de las mujeres tienen flujo menstrual de tres a cinco días, incluyendo un día o dos de manchas ligeras al final.

Cuenta el primer día de flujo abundante como "día 1"

Cuando realizas el seguimiento del periodo, no importa cuántos días de sangrado tienes. El "día 1" es el primer día de flujo intenso y el principio de tu fase folicular. Es ahí cuando la FSH comienza a erguirse de nuevo y la siguiente tanda de folículos ováricos comienza su carrera final hacia la línea de meta de la ovulación.

Contando del "día 1" al "día 1", tu periodo debería venir cada 21 a 35 días

Como ya comentamos al principio de este capítulo, un ciclo menstrual sano consiste en una fase folicular de entre siete a 21 días, seguida de una fase lútea de entre 10 y 16 días. Eso da como resultado un ciclo menstrual normal de 21 a 35 días para adultas y de 21 a 45 días para adolescentes.

Tema especial: ¿Por qué tenemos periodos?

La pérdida de sangre cada mes parece un desperdicio de recursos y nutrientes; la mayoría de los otros animales simplemente reabsorben su revestimiento uterino si no conciben. Los periodos humanos son únicos y las científicas piensan que tiene que ver con la naturaleza vigorosa y metabólicamente activa del feto humano. Para albergar tal feto, necesitamos un revestimiento uterino excepcionalmente grueso en comparación con otros animales. Nuestro revestimiento uterino, por lo tanto, es demasiado grueso para ser reabsorbido completamente y debe desprenderse.

Productos menstruales

Necesitas algo para recoger y desechar el líquido menstrual

Las compresas menstruales

Las compresas menstruales desechables son la tecnología más antigua. Las versiones modernas se hacen de algodón absorbente y se adhieren al interior de tus bragas. Las compresas son más fáciles de usar que los tampones o las copas, y son una buena opción cuando eres joven y apenas has comenzado a menstruar. Las compresas vienen en diferentes tamaños y niveles de absorción: desde compresas ligeras para días de flujo leve a compresas más grandes para el flujo más intenso. Puedes utilizar una compresa sola o junto con un tampón para retener pérdidas. Para evitar el crecimiento bacteriano, debes cambiar la compresa cada cuatro horas. Las compresas no son convenientes para nadar o para algunos tipos de ejercicio.

Las compresas menstruales reutilizables están hechas de tela para poder lavarlas y reutilizarlas.

Tampones

Los tampones son un paquete de material absorbente que se inserta en la vagina. Muchas mujeres los encuentran más cómodos que las compresas y pueden usarse durante el ejercicio físico o la natación. Los tampones vienen en diferentes tamaños y niveles de absorción y se hacen generalmente de algodón sólo o de algodón y rayón. Te recomiendo encarecidamente que elijas tampones 100% algodón porque los fragmentos de rayón pueden causar irritación vaginal. Para evitar el crecimiento bacteriano, debes cambiar el tampón de cada dos a seis horas.

Tema especial: Síndrome del Choque Tóxico

El síndrome del choque tóxico (TSS, por sus siglas en inglés) es una enfermedad grave causada por una toxina bacteriana. Algunos casos se han relacionado con tampones de alta absorbencia, particularmente a una marca llamada Rely en los años 70. Rely usó los materiales absorbentes carboximetilcelulosa (CMC) y perlas comprimidas de poliéster, que desafortunadamente desarrollaban bacterias. Finalmente, este producto fue retirado del mercado.

El TSS se da rara vez con tampones modernos. Se estima que afecta a tres de cada 100 000 usuarias de tampones al año.

Copa menstrual

Una copa menstrual es una copa pequeña que se inserta en la vagina. Es de silicona suave o caucho natural por lo que se puede doblar antes y durante la inserción. Después de la inserción, se abre para formar un sello contra la pared vaginal y recojer el líquido menstrual. Puedes dejar la copa colocada hasta 12 horas. Para quitarla, simplemente tira del extremo, pellizca la base para liberar el sello y luego vacía el recipiente en el inodoro. Lávala con agua y vuelve a insertarla.

Una copa menstrual es reutilizable, por lo que te ahorra dinero y es mejor para el medio ambiente. También es una buena opción para periodos intensos porque no tiene pérdidas y retiene más flujo que un tampón. La copa menstrual corriente tiene alrededor de 30 mL, lo que equivale a tres tampones súper. En definitiva, es más sana que el uso de tampones porque no seca la membrana mucosa de la vagina.

Los periodos de toda tu vida

Tu periodo probablemente comenzó cuando tenías cerca de 12 o 13 años. La edad promedio es 13, pero entre 10 y 16 es normal. Tu periodo puede haber sido irregular o intenso durante los primeros años, pero eso era sólo porque tu cuerpo estaba encontrando su camino. Como vimos con la historia de Christine en el Capítulo 1, a demasiadas niñas se les receta la píldora para "regular sus periodos", cuando todo lo que necesitan es un poco más de tiempo.

Para cuando llegas a la edad reproductiva (20 a 45 años), la ovulación y la menstruación deben ser bastante regulares.

Durante aproximadamente diez años antes de la menopausia estarás en la perimenopausia y tus periodos comenzarán a cambiar: serán más cortos o más largos, más abundantes o más ligeros. Podrías producir más estrógeno que nunca y al mismo tiempo mucho menos progesterona. Es un momento difícil. Muchas de las estrategias discutidas a lo largo del libro son útiles para la perimenopausia, pero también veremos algunas estrategias específicas en el capítulo 10.

Tus periodos se detendrán con la menopausia. La edad normal de menopausia es entre 45 y 55. La edad promedio es de 50.

Si la menopausia ocurre antes de los 40 años, es *menopausia prematura*.

Si la menopausia ocurre debido a la extirpación quirúrgica del útero y los ovarios (histerectomía total), se llama *menopausia quirúrgica*.

---

histerectomía

Histerectomía es la extirpación quirúrgica del útero. La extirpación quirúrgica del útero y el cuello del útero y posiblemente los ovarios se llama *histerectomía total*. La extirpación quirúrgica del útero, pero no del cuello uterino o los ovarios, se llama *histerectomía parcial*.

La extirpación del útero no provoca la menopausia. Si todavía tienes los ovarios, entonces aún ovulas y produces hormonas y todavía puedes beneficiarte de muchos de los tratamientos en este libro.

Seguimiento del periodo

Ahora deberías tener una idea bastante clara de lo que puedes esperar de tu periodo. Tu ciclo debería ser de 21 a 35 días con sangrado de dos a siete días. Deberías ver moco fértil y ovular hasta pasar a un sangrado moderado, sin dolor.

Ahora tienes algunos datos para incluir en la *app* del periodo o diario del ciclo menstrual:

El ABC para el seguimiento del periodo:

- primer día de tu día más intenso de sangrado ("día 1" del ciclo)
- número de días entre "día 1" y tu próximo "día 1" (longitud del ciclo)
- número de días de sangrado
- cantidad de sangre perdida (líquido menstrual)
- flujo cervical
- dolor

¿Cómo es tu boletín mensual? Si es diferente de lo que se describe en este capítulo, necesitas tratamiento. Te invito a que sigas leyendo.

Capítulo 5

¿CUÁLES SON LOS POSIBLES PROBLEMAS DE TU PERIODO? BUSCANDO PISTAS

AHORA QUE HAS TENIDO una visión bastante amplia de cómo *debe ser* tu ciclo menstrual, puedes empezar a pensar en cómo *es realmente*. ¿Es regular? ¿Es intenso? ¿Es doloroso? Estas son tus pistas. Ahora, ¿cómo puedes interpretarlas?

Examinemos tu boletín mensual.

¿Ovulas?

A medida que aprendas a interpretar las pistas de tu periodo, te sugiero que vuelvas siempre a esta pregunta esencial; ¿ovulas?

Saber *si* ovulas y *cuándo* es la mejor manera de entender tu periodo. Además, de esta forma sabrás si produces progesterona y cuándo, lo cual es esencial dado que esta hormona cumple un papel fundamental en la salud menstrual, como vimos anteriormente.

Si descubres que *no* ovulas, el siguiente paso es averiguar por qué no y qué puedes hacer para arreglarlo.

¿Cómo saber si ovulas? Como vimos en el capítulo 3, los signos de una posible ovulación incluyen moco fértil, un test de ovulación positivo (tiras reactivas) y un ciclo regular. La evidencia de una ovulación definitiva incluye un aumento en la temperatura basal del cuerpo y un aumento en la progesterona medido por un análisis de sangre en la fase lútea media, de lo cual hablaremos más adelante en este capítulo.

 Tu *app* para el periodo puede indicar la ovulación, pero solo es una estimación. Para *saber* si ovulas realmente, necesitas realizar un seguimiento de tu temperatura tal y como se describe en la sección "Método de observación de la fertilidad" del capítulo 3.

Un periodo *no* es un signo definitivo de la ovulación porque, como recordarás del capítulo anterior, podrías haber tenido un *sangrado anovulatorio*. Un ciclo anovulatorio es como una fase folicular continua seguida de un sangrado ligero.

Sabes que has tenido un ciclo anovulatorio si tu temperatura *no* sube en las dos semanas antes del periodo. Tener un ciclo anovulatorio ocasional no supone necesariamente un problema porque en realidad son bastante comunes incluso en mujeres sanas.[75] Un ciclo anovulatorio es un problema solamente cuando es el único tipo de ciclo que tienes — en otras palabras, si *nunca* ovulas.

Teniendo siempre en cuenta la cuestión de la ovulación, consideremos ahora algunos problemas comunes del periodo.

Ausencia de periodos menstruales o periodos irregulares

La ausencia de periodos menstruales se denomina *amenorrea*. Más concretamente, a la ausencia del periodo cuando solías tenerlo se le llama *amenorrea secundaria*, que es de la que vamos a tratar aquí. También podrías tener algo llamado *amenorrea primaria*, lo que significa que nunca has tenido la regla. Esta categoría está fuera del alcance de este libro. Si tienes 16 años o más y nunca has tenido un periodo, por favor, consulta a tu médica.

Embarazo

En primer lugar, y no puede pasarse por alto, tu falta de menstruación podría significar simplemente un embarazo. Resulta obvio si has tenido periodos regulares y estos se detienen. Es una posibilidad menos obvia (pero posible) si no has tenido periodo alguno. Por ejemplo, puede que no tengas la regla durante varios meses tras haber dejado la píldora y, aun así, podrías estar embarazada. O tal vez te hiciste un test de embarazo hace unos meses, resultó negativo pero no has tenido el periodo desde entonces. En ese caso, también cabe la posibilidad de un embarazo.

¿Cómo es posible? Recuerda, primero ovulas y *luego* tienes el sangrado dos semanas más tarde. Si no has estado ovulando pero después *sí* ovulas, podrías quedar embarazada en esa primera ovulación. En ese sentido, se puede dar un embarazo sin haber menstruado.

Si tienes periodos irregulares (y quieres evitar el embarazo), puedes utilizar el método de observación de la fertilidad con el entrenamiento adecuado. Sin embargo, puede que necesites tomar más precauciones con un método de barrera.

 ¿Ausencia de menstruación? No olvides descartar un embarazo, incluso si te sucede a menudo no tener el periodo durante meses.

Algo que también suele crear confusión es el hecho de que el sangrado ligero es un síntoma común del principio de un embarazo. Ten cuidado de no confundirlo con un periodo ligero inusual. En caso de duda, hazte una prueba de embarazo.

Transición a la menopausia o perimenopausia

La ausencia del periodo también puede ser el principio de la menopausia.

La llegada de la menopausia está, en gran parte, programada genéticamente. No se puede retrasar la menopausia ni con la píldora ni con un tratamiento natural. Si quieres saber cuándo dejarás de tener la menstruación, pregúntale a tu madre, tías o hermanas mayores cuándo dejaron de tener *sus* periodos menstruales. Probablemente dejes de tenerlos más o menos a la misma edad.

Si eres menor de 40 años, es probable que tu falta de periodos menstruales no signifique la menopausia. Solo una de cada 100 mujeres sufre menopausia prematura o insuficiencia ovárica primaria. Tu médica puede descartar fácilmente la menopausia con un análisis de sangre de la hormona folículo estimulante (FSH). Si tus niveles de FSH son mayores de 40 UI/L en dos ocasiones con un mes diferencia, entonces estás comenzando la transición a la menopausia. Para más información, consulta el capítulo 10.

Estrés o enfermedad

El estrés físico o emocional, enfermedad, trauma o cirugía son todas causas comunes de una o dos faltas del periodo menstrual. Esto ocurre cuando el hipotálamo, que es el centro de comando de tus hormonas, toma la decisión ejecutiva de suprimir temporalmente la reproducción y detener tu periodo. Es un mecanismo inteligente ya que el estrés puede significar que estés en una situación peligrosa, como una enfermedad o una guerra y que, por tanto, no sea un buen momento para concebir un bebé. Probablemente no estés en un conflicto, pero el hipotálamo no lo sabe. Cuando este tipo de supresión menstrual se vuelve crónica, se denomina *amenorrea hipotalámica* (AH), que cubriremos en el capítulo 7.

> **hipotálamo**
>
> El hipotálamo es la parte del cerebro que está justo por encima de la glándula pituitaria. Envía mensajes a través de la glándula pituitaria a todas las otras glándulas endocrinas, incluyendo los ovarios, la tiroides y las glándulas suprarrenales.

Alimentación insuficiente

La alimentación insuficiente es otro tipo de estrés que puede detener tu periodo y causar amenorrea hipotalámica. Una vez más, tu hipotálamo realiza una decisión inteligente — si no te estás alimentando lo suficiente, este puede interpretar que estés viviendo una hambruna y que, por tanto, sea difícil concebir un bebé. Esta situación ocurre incluso si no buscas tener un hijo. Desde la perspectiva de tu cuerpo, tener un periodo sano es fundamentalmente estar sana y nutrirse lo suficiente como para reproducirse.

La alimentación deficiente puede detener el periodo — incluso si tienes un peso corporal saludable.

Solíamos creer que la amenorrea se producía por estar debajo de un determinado peso corporal o índice de masa corporal (IMC). Ahora comprendemos que el hipotálamo se preocupa menos por el peso y más por si estás comiendo lo suficiente para seguir el ritmo de tu actividad. Nos referimos a la disponibilidad de energía, que es la relación entre el consumo de energía, la masa corporal y el gasto de energía o ejercicio.[76]

Así, puedes tener un peso normal o incluso un ligero *sobre*peso e igualmente perder tu periodo por una escasa alimentación.

> **índice de masa corporal (IMC)**
>
> Tu IMC es tu peso en kilogramos dividido por el cuadrado de tu altura en metros. Un IMC normal está entre 18,5 y 24,9.

Comer muy pocas calorías puede activar una respuesta al hambre en el hipotálamo y, como consecuencia, desestabilizar la hormona luteinizante (HL) y desactivar la ovulación. Muy pocos carbohidratos (pero suficientes calorías) pueden causar lo mismo. [77] Por lo tanto, puedes perder el periodo por llevar una dieta baja en carbohidratos. Eso es lo que le sucedió a mi paciente Zarah.

 Zarah: ¿Has perdido el periodo por una dieta baja en carbohidratos?

Zarah vino a verme porque no había tenido la regla durante cuatro meses. Estaba algo confundida porque su periodo había sido siempre tan regular como un reloj.

Su médica le había realizado todas las pruebas habituales y no encontró nada anormal.

—No lo entiendo —dijo Zarah—mi alimentación es supersana. En realidad, más sana que nunca.

El calificativo "supersano" me llamó la atención.

—¿Qué tan sana? —pregunté.

Resultó que Zarah y su novio Sam habían estado "comiendo limpio" durante los últimos diez meses con el asesoramiento del entrenador personal de Sam. Comenzaban cada mañana con un batido verde y luego habían limitado sus otras dos comidas a carne y verduras sin almidón. A Sam le iba muy bien. Había perdido 10 centímetros de cintura y nunca se había sentido mejor.

Zarah había perdido algo de peso, pero no demasiado. Ella me aseguró que estaba comiendo lo suficiente y yo le creí. Comía muchos alimentos ricos en calorías, como carne, aguacate, huevos y mantequilla. Simplemente no comía suficientes alimentos ricos en almidón.

—Necesitas más carbohidratos que tu novio —dije—; como mujer, necesitas una cierta cantidad de hidratos de carbono para poder ovular y tener el periodo.

Tranquilicé a Zarah y le dije que no necesitaba comer "carbohidratos malos", como el azúcar y la harina, pero que tenía que comer arroz o patatas todos los días. Algo reticente, Zarah reincorporó el almidón, y tres meses después, tuvo su periodo.

¿Te has fijado en que el periodo de Zarah no volvió enseguida? Tardó tres meses porque el folículo ovárico tiene 100 días de viaje hasta la ovulación.

Algunas mujeres necesitan consumir bastantes carbohidratos para ovular. Algunas necesitan menos. Todo depende de en qué punto se desencadena la respuesta al hambre en el hipotálamo.

Problemas médicos

La ausencia del periodo o la irregularidad pueden ser causados por problemas médicos como la enfermedad celíaca (sensibilidad al gluten) o enfermedad de la tiroides. Hablaremos sobre la enfermedad de la tiroides en algunos lugares del libro, incluida una sección especial en el capítulo 11.

Diagnóstico final

Después de haber descartado todas las causas anteriores, tu médica probablemente te dará el diagnóstico de síndrome del ovario poliquístico (SOP) o amenorrea hipotalámica (AH).

Solo un comentario sobre el diagnóstico del SOP: esta afección no puede ser diagnosticada o descartada con una ecografía pélvica. En otras palabras, puede que no tengas nada anormal en la ecografía y tener el SOP. Para más información, consulta el capítulo 7.

 ecografía

Una ecografía pélvica es un estudio de proyección

de imágenes que sirve para observar tus ovarios y útero. Utiliza ondas acústicas (no radiación) y es seguro, no invasivo y sin dolor.

Retrasos menstruales

Tu periodo debería venir por lo menos cada 35 días. Si tarda más en venir, entonces has tenido un ciclo largo. Los ciclos largos son un tipo de periodo irregular. Pueden indicar un ciclo anovulatorio o una fase folicular muy larga. No indican una fase lútea larga ya que eso no es posible. A menos que estés embarazada, tu fase lútea nunca puede durar más de dieciséis días. Puedes tener la combinación de una fase folicular larga y una fase lútea corta. De ahí que sea tan útil saber si ovulas y cuándo.

Una fase folicular larga puede ocurrir a cualquier edad. Si eres menor de 45 años, puede estar causada por estrés, enfermedad, escasa alimentación o SOP. Si eres mayor de 45 años y tienes una fase folicular larga puede deberse a la enfermedad de la tiroides o a que te encuentres en la transición final previa a la menopausia.

Si siempre has tenido ciclos de más de 35 días, probablemente tengas SOP. Muchas mujeres que sufren de SOP no son conscientes de que tienen esta condición.[78]

Ciclos menstruales adelantados

Tu periodo no debería llegar antes de los 21 días. Si es así, has tenido un ciclo corto. Como los ciclos largos, los ciclos cortos son un tipo de periodo irregular. Indican un ciclo anovulatorio, una fase folicular corta o una fase lútea corta.

Una fase folicular corta es muy común durante la perimenopausia. Sucede en ese momento porque tu glándula pituitaria empieza a producir más FSH, lo que acelera el proceso a la ovulación. Un aumento de FSH también te puede hacer producir más estrógeno del que producías cuando eras más joven.

Al principio de la perimenopausia, es probable que tengas una fase folicular corta. Conforme avanzas en esta etapa, puedes oscilar entre una fase folicular larga entremezclada con una fase folicular corta con ciclos anovulatorios.

Lo que parece ser un ciclo corto también podría ser un sangrado intermenstrual, el cual trataremos más adelante en este capítulo.

Fase lútea corta

Como se mencionó en el capítulo 3, puedes medir la longitud de tu fase lútea mediante el seguimiento del aumento de la temperatura basal del cuerpo. Si observas un aumento de temperatura durante al menos tres días consecutivos, significa que has ovulado *al comienzo de ese aumento*. Con un cuerpo lúteo sano, verás entre once y dieciséis días de temperatura alta entre la ovulación y el primer día del periodo.

Si no ves un aumento constante de temperatura, entonces no has ovulado. Y si después tienes el sangrado, significa que has tenido un ciclo anovulatorio.

Si ves un aumento de la temperatura pero no dura al menos diez días, entonces has tenido una fase lútea corta.

Una fase lútea corta puede estar causada por muchos de los mismos factores que provocan la falta de periodos. El estrés es el factor más común de la interrupción menstrual y se manifiesta en grados distintos; en el más leve, en una fase lútea corta, en una versión más severa en ciclos anovulatorios y en amenorrea como la versión más grave.[79]

Una fase lútea corta produce progesterona baja.

Progesterona baja ⸍

Hay dos clases de progesterona baja.

- Con un ciclo anovulatorio, no produces nada de

progesterona —al menos para ese ciclo.

- Con una fase lútea corta, produces una cantidad menos óptima de progesterona.

¿Cómo sabes si tu nivel de progesterona es menor al nivel óptimo? Entre los síntomas de progesterona baja se incluyen una fase lútea inexistente o una fase lútea corta, moco fértil durante la fase premenstrual, SPM, sangrado irregular o premenstrual y sangrado menstrual prolongado o intenso.

Pruebas para la progesterona baja

Puedes pedirle a tu médica que mida la progesterona con un análisis de sangre. El mejor día para el análisis es en la *mitad* de tu fase lútea, que a veces se le conoce como análisis de progesterona del "día 21". Evidentemente, el día medio de tu fase lútea puede no ser el día 21, ya que depende de la duración de tu ciclo. Por ejemplo, si tienes un ciclo de 21 días tu día medio de la fase lútea es aproximadamente el día 14. Si tienes un ciclo de 35 días, entonces el día medio de la fase lútea es aproximadamente el día 28. Por definición, tu día lúteo medio es aproximadamente siete días *después* de la ovulación y siete días *antes* de tu próximo periodo previsto.

 Puede que tu médica no sepa cuándo hacer el análisis de progesterona.

Si te haces un análisis de progesterona en el momento oportuno (después de la ovulación), el resultado debería dar al menos de 3 ng/mL (9,5 nmol/L).[80] Si está por debajo de esos valores, entonces *no ovulaste* o te hiciste el análisis en el momento equivocado. Evita interpretar tus niveles de progesterona antes de que te venga el periodo. Espera a tenerlo y después pregunta; "¿el análisis se realizó dentro de los 14 días anteriores a mi periodo?" Si no, la prueba carece de sentido.

Un resultado óptimo de progesterona es de 10 ng/mL (30 nmol/L) o incluso mucho mayor. De hecho, cuanto más alto, mejor. Pero no te preocupes demasiado si está un poco bajo. La progesterona fluctúa ampliamente en ráfagas de 90 minutos, por lo que una lectura más baja de lo normal puede significar simplemente que tu muestra fue tomada en un punto bajo entre esas ráfagas.

 ¿Tomas anticonceptivos hormonales? Realizarte un análisis de progesterona no tiene sentido, ya que con este tipo de anticonceptivos no la produces.

Realizar un seguimiento de la temperatura basal es una forma igualmente científica de medir la progesterona. Si observas un aumento constante de la temperatura y una fase lútea de al menos de once días, sabes que has producido suficiente progesterona.

Tema especial: Hoja de ruta para mejorar la progesterona

Probablemente quieras más progesterona y, si es así, no eres la única. La progesterona baja está asociada al SOP, periodos intensos, fibromas, acné, pérdida del cabello, síndrome premenstrual (SPM) y perimenopausia.

Todo el contenido de este libro habla de potenciar la progesterona porque todo el libro habla de la ovulación. *Una ovulación sana es como tienes un ciclo regular y como produces progesterona.*

Folículos ováricos sanos → ovulación sana → cuerpo lúteo sano → más progesterona.

Y recuerda, tus folículos ováricos necesitan estar sanos durante *cada uno* de los 100 días que dura su viaje a la ovulación. Si no están sanos durante incluso *parte* del viaje, la progesterona disminuirá como consecuencia meses más tarde.

Periodos intensos o sangrado menstrual intenso

Un periodo intenso implica una pérdida de sangre mayor a 80 mL o una duración mayor a siete días. Esos 80 mL equivalen, a lo largo del periodo, a dieciséis tampones regulares u ocho tampones súper, completamente llenos.

Sangrado prolongado

Si tienes flujo por más de siete días, tienes un sangrado prolongado. Puede ser debido a diferentes causas, incluyendo pólipos uterinos o fibromas, así que, por favor, empieza por hacer una visita a tu médica. La causa más común del sangrado prolongado es un ciclo anovulatorio, que ocurre típicamente con el SOP (capítulo 7) o perimenopausia (capítulo 10), pero puede darse en otras circunstancias.

Coágulos menstruales

Cuando el flujo menstrual es intenso, los anticoagulantes naturales de tu cuerpo no tienen tiempo para seguir el ritmo del flujo, por lo que verás coágulos menstruales. Tener algunos coágulos es normal, pero si ves regularmente coágulos de mayor tamaño que una moneda (2,4 cm), entonces consulta con tu médica.

¿Qué causa el sangrado menstrual intenso?

El sangrado menstrual intenso y los coágulos menstruales grandes pueden ser causados por muchas cosas, incluyendo el DIU de cobre, la perimenopausia, los ciclos anovulatorios, la enfermedad de la tiroides, trastornos de la coagulación, endometriosis y adenomiosis. Analizaremos estas afecciones en los últimos capítulos.

> **¿Periodos repentinamente mucho más intensos o dolorosos?** Podrías tener la afección ginecológica de la adenomiosis, que afecta a una de cada cinco mujeres y empeora con la edad. Ver la sección "Adenomiosis" en el capítulo 9.

> *adenomiosis*
>
> La adenomiosis es una enfermedad ginecológica en la cual el revestimiento uterino crece dentro del músculo de la pared uterina. Puede causar dolor y periodos intensos.

La causa más común de los periodos intensos es un *desequilibrio hormonal,* una combinación de 1) progesterona baja (discutido anteriormente) y 2) exceso de estrógeno.

Exceso de estrógeno

¿Cómo sabes si tienes exceso de estrógeno? Los síntomas incluyen periodos intensos, sensibilidad mamaria, síndrome premenstrual y fibromas.

Puedes pedirle a tu médica que mida el estradiol con un análisis de sangre. Te recomiendo que lo hagas en el medio de tu fase lútea. De esta forma, puedes evaluar la progesterona al mismo tiempo. En su punto más alto, el estradiol no debe exceder 270 pg/mL o 1000 pmol/L. Si lo hace, entonces tienes demasiado estrógeno. Al interpretar tu resultado, debes entender que el estradiol varía enormemente a lo largo del ciclo e incluso en el transcurso del día. Su punto más bajo es en el día 3 de tu periodo. Su punto más alto es aproximadamente cuatro días antes de la ovulación (día 10 en un ciclo estándar) y luego otra vez en medio de tu fase lútea (día 21 del ciclo estándar).

Tema especial: Predominio de estrógeno

El predominio de estrógeno significa que tienes demasiado estrógeno y no hay suficiente progesterona. Aunque comúnmente el predominio de estrógeno describe el exceso de estrógeno (como se explica en esta sección), también puede significar niveles normales de estrógeno y progesterona baja.

No utilizo el término "predominio de estrógeno" porque prefiero los términos más exactos como *exceso de estrógeno* y *progesterona baja*. Puedes sufrir ambos problemas simultáneamente.

El término "predominio de estrógeno" es popular *online*, pero puede que tu médica no esté familiarizada con él. Por esa razón, recomiendo no usarlo al hablar con tu médica (ver la sección "Cómo hablar con tu médica" en el capítulo 11).

El exceso de estrógeno es causado por una combinación de 1) aumento de la producción por los ovarios y 2) deterioro de metabolismo o desintoxicación. Generalmente, los ovarios producen más estrógenos solo durante la perimenopausia, lo cual veremos en el capítulo 10. El deterioro o desintoxicación del estrógeno puede ocurrir en cualquier momento.

Metabolismo del estrógeno

El metabolismo del estrógeno es la eliminación saludable o desintoxicación del estrógeno de tu cuerpo. Es un proceso de dos pasos.

En primer lugar, el hígado desactiva estrógenos colocando una pequeña molécula o "manija", que se llama *conjugación*. Para hacerlo eficazmente, el hígado necesita un buen suministro de nutrientes como el ácido fólico, la vitamina B6, la vitamina B12, el zinc, el selenio, el magnesio y las proteínas. El hígado también tiene que estar relativamente libre de los efectos tóxicos del alcohol o de productos químicos alteradores del sistema endocrino. Incluso una bebida al día puede aumentar el nivel de estrógeno en la sangre.

Tema especial: Productos químicos alteradores del sistema endocrino.

Los productos químicos alteradores del sistema endocrino (EDC por sus siglas en inglés), o disruptores endocrinos son los muchos y diversos productos químicos industriales que interfieren con el metabolismo y la acción de la hormona. Los EDC comunes incluyen pesticidas, solventes, retardantes de fuego, mercurio y suavizantes de plástico como el bisfenol A (BPA). Estos productos químicos pueden perjudicar el metabolismo saludable o la desintoxicación del estrógeno. También alteran los niveles hormonales e interfieren con receptores de la hormona.

Los EDC han sido asociados a un mayor riesgo de trastornos de salud de la mujer como el SOP y la endometriosis. Ver la sección "Toxinas ambientales" en el capítulo 11.

El segundo paso del metabolismo o desintoxicación del estrógeno es la eliminación de estrógenos conjugados a través del intestino. Requiere que tengas una bacteria intestinal sana o un *microbioma* intestinal sano.

---

microbioma

Es el material genético de los microorganismos en un entorno particular como el cuerpo o parte del cuerpo.

Cuando existe presencia de bacterias sanas en el intestino, estas contribuyen en la eliminación segura de estrógenos conjugados a través de las heces. Cuando las bacterias perjudiciales están presentes, deterioran el metabolismo del estrógeno y producen una enzima llamada *glucuronidasa beta*, que desconjuga y reactiva el estrógeno. Luego, el estrógeno reactivado se reabsorbe en el cuerpo mediante un proceso llamado *recirculación enterohepática* o "recirculación del intestino al hígado". El resultado puede ser un exceso de estrógeno.

Para evitar el exceso de estrógeno, debes mantener la bacteria intestinal sana. Veremos maneras de hacerlo en el capítulo 11.

Hipersensibilidad al estrógeno

No es cuánto estrógeno tienes, sino qué tan *sensible* eres. Por ejemplo, puedes ser extremadamente sensible a los estrógenos cuando tienes inflamación crónica o cuando tienes deficiencia de yodo mineral.[81]Sustituir el yodo puede ser un tratamiento útil para los síntomas de exceso de estrógeno como periodos intensos, dolor mamario y mucho más.

Vamos a ver el tratamiento para el exceso de estrógeno y periodos intensos en los capítulos 8 y 9.

Periodos ligeros

Un periodo ligero o escaso no significa necesariamente que algo vaya mal. Se pueden perder tan solo 25 mL de flujo menstrual, lo cual es todavía normal. Equivale a usar cinco tampones regulares a lo largo de todos los días de tu periodo.

Si observas menos de 25 mL de flujo menstrual, pregúntate; ¿es un periodo verdadero o es un ciclo anovulatorio? Recuerda que un periodo verdadero sigue una fase folicular, ovulación y fase lútea.

Si estás segura de que *sí* ovulas, entonces las cosas van bastante bien con tus periodos aunque tu flujo sea escaso. De no tener el estrógeno suficiente no podrías ovular. Simplemente no tienes tanto estradiol como otras mujeres y eso puede ser el resultado de varios factores. Las razones más comunes de un nivel de estrógeno más bajo de lo normal incluyen el tabaquismo, la escasa alimentación y altas cantidades de soja u otros fitoestrógenos en tu dieta. Para obtener más información sobre el efecto de disminución de estrógeno de los fitoestrógenos, consulta la sección "Soja" en el capítulo 6 y "La historia de la paciente Sam" en el capítulo 9.

 Recuerda que el estrógeno fluctúa. Es normal que el estrógeno sea muy bajo en el día 2 o 3 de tu ciclo.

Si no sientes evidencia de la ovulación o de la fase lútea entonces no estás ovulando, lo cual es lo significativo del periodo ligero. La solución no es aumentar el estrógeno, sino restablecer la ovulación regular. Eso puede traducirse en reducir el estrés, comer más o corregir afecciones como el SOP. Para más información sobre este tema, consulta el capítulo 7.

Dolor

El dolor es una clave importante en tu boletín menstrual. Puede significar muchas cosas diferentes, desde un dolor menstrual benigno normal y corriente a condiciones más serias como una infección y endometriosis. Echemos un vistazo.

Dolor menstrual

El dolor menstrual normal (*dismenorrea primaria*) se manifiesta en forma de calambres en la parte inferior de la pelvis o la espalda. Se llaman también cólicos menstruales y se producen justo antes del periodo o en el primer o segundo día del mismo. Puede aliviarse con ibuprofeno y no debería interferir en tus actividades diarias.

El dolor menstrual normal es causado por la liberación de prostaglandinas en el útero. Tener más estrógeno y menos progesterona puede causar un alto nivel de prostaglandinas y mayor dolor menstrual.[82]

El dolor menstrual común mejorará generalmente a medida que envejeces y debería desaparecer con los cambios de dieta y suplementos incluidos en el capítulo 9. Dicho de esta manera, si no desaparece no es un dolor menstrual normal. Lo consideraría un dolor menstrual *severo*.

📕 dismenorrea

Dismenorrea es el término médico para la menstruación dolorosa.

📕 prostaglandina

Las prostaglandinas son compuestos similares a las hormonas que tienen una variedad de efectos fisiológicos tales como la constricción y dilatación de los vasos sanguíneos.

El dolor menstrual severo (*dismenorrea secundaria*) es un dolor palpitante, ardiente, abrasador o punzante que dura muchos días y puede ocurrir incluso entre un periodo y otro. No se alivia con ibuprofeno y puede ser tan intenso que provoque que vomites o necesites faltar a la escuela o al trabajo.

El dolor menstrual severo es causado por una afección médica subyacente, como endometriosis o adenomiosis, de las que hablamos en el capítulo 9. Puede empeorar a medida que envejeces.

Tema especial: Un diagnóstico erróneo

La endometriosis es una afección en la que partes de tejido que son *similares al endometrio* (revestimiento uterino) crecen fuera del útero. Es una condición muy común y afecta a una de cada diez mujeres. Por desgracia, la endometriosis no es fácil de diagnosticar. Por ejemplo, *no se puede* diagnosticar con una ecografía, ya que aun teniendo una ecografía normal puedes tener la enfermedad. También, algunas médicas obvian los síntomas de la endometriosis en mujeres jóvenes y no lo mencionan como una posibilidad. Es por eso que por lo general se tarda hasta diez años en diagnosticar.

No permitas que esto te pase. No sufras una década de dolor insoportable y que te digan que es "solo dolor menstrual" y no hay nada que hacer.

Por favor lee la sección de "Endometriosis" en el capítulo 9 y luego habla con tu médica. Dile cuántos analgésicos tomas y pregúntale directamente si debes hablar con una ginecóloga sobre endometriosis.

Dolor durante el sexo

Un roce o dolor por fricción durante las relaciones sexuales es común y probablemente signifique que no tienes suficiente lubricación, lo cual puede ser el resultado de estrés o de no estar suficientemente excitada. Si estás cerca de la menopausia, entonces la sequedad vaginal puede ser el resultado de la disminución de estrógeno.

El dolor durante el coito también puede ser un signo de infección vaginal leve como vaginosis o infección por levaduras (véase abajo).

Un dolor profundo, punzante durante las relaciones sexuales es más grave y puede ser el signo de un quiste en el ovario, endometriosis, adenomiosis o una infección. Consulta con tu médica.

Dolor por infección (enfermedad pélvica inflamatoria)

Las infecciones pélvicas son causadas generalmente por enfermedades de transmisión sexual, pero pueden ser causadas por otros tipos de infecciones. Algunas infecciones causan dolor y fiebre constantes, pero algunas causan solamente dolor ocasional, picazón o mal olor. Otras (tales como clamidia) no causan *ningún* síntoma, por lo que quizás tu médica quiera revisarte por si es el caso.

No ignores una posible infección pélvica —si no se la trata, puede llevar a complicaciones y esterilidad. Si piensas que puedes tener una infección, consulta con tu médica. Podrías necesitar antibióticos.

Dolor de ovarios intermenstrual

Un leve dolor con la ovulación es normal porque el óvulo tiene que salir del ovario, lo cual es un suceso ligeramente violento. Un dolor normal durante la ovulación se percibe como una pequeña punzada en la parte baja de la pelvis. Debe ser breve, no más que una hora o dos, y no debería requerir un analgésico o interferir en tu rutina. El dolor de la ovulación se llama *mittelschmerz*, que significa "dolor medio" en alemán.

Puedes experimentar un dolor más fuerte durante la ovulación si ha pasado un cierto tiempo desde la última vez que ovulaste, como puede ocurrir si acabas de dejar la píldora o si te estás recuperando del SOP. En ese caso, es muy posible que tu primera o segunda ovulación sea dolorosa, pero luego el dolor debería reducirse en los ciclos subsecuentes.

Si experimentas dolor severo durante la ovulación constantemente, consulta con tu médica. Podrías tener una infección, un quiste ovárico, adenomiosis o endometriosis.

Quistes ováricos

Los ovarios están llenos de folículos ováricos, y los folículos son esencialmente "quistes" pequeños y normales (aunque generalmente no se llaman así). Cada mes, los quistes normales crecen, estallan y se reabsorben. En ocasiones, hay un error y uno de los folículos llega a ser demasiado grande y se llena de líquido, formando un quiste ovárico anormal.

Hay muchos tipos diferentes de quistes ováricos. Pueden ser asintomáticos o pueden causar dolor. Pueden ser hormonalmente neutrales o liberar estrógeno y alterar el ciclo menstrual. La mayoría de las veces, los quistes ováricos son benignos y se resuelven por cuenta propia. Rara vez requieren cirugía.

Los "quistes" pequeños múltiples del SOP no son quistes ováricos en el sentido estricto de la palabra. No son folículos anormalmente grandes, sino anormalmente *pequeños* que están en un estado de desarrollo parcial. El tratamiento del SOP es diferente del tratamiento de quistes ováricos.

Para más información sobre los tipos de quistes ováricos y su tratamiento, por favor, consulta el capítulo 9.

Flujo vaginal o flujo cervical anormal

Como vimos en el capítulo anterior, es normal observar algo blanco en tu ropa interior. El flujo vaginal normal es blanco o amarillo claro y tiene un olor salado suave. Probablemente también veas moco fértil claro y resbaladizo en algunos días previos a la ovulación.

Ausencia de moco fértil

¿Y si no ves moco fértil? ¿Eso significa que no ovulas? No necesariamente. Es posible que estés produciendo una pequeña cantidad de flujo cervical fértil pero no lo suficiente como para notarlo a menos que lo examines activamente. O el moco fértil podría estar enmascarado por una infección por levaduras o vaginosis bacteriana.

Infecciones por levaduras o vaginosis bacteriana

Si notas picazón o mal olor, consulta con tu médica porque podrías tener una infección y necesitar antibióticos.

Si tu médica dice que tienes una infección por levaduras o vaginosis bacteriana, tomar antibióticos no necesariamente es el mejor tratamiento. En cambio, es momento de pensar en el microbioma vaginal. Antes en este capítulo, discutimos el microbioma intestinal que es la comunidad de bacterias que viven en tu intestino. El microbioma vaginal es la comunidad de bacterias que viven en tu vagina.

Una de las muchas ventajas del microbioma vaginal es que te protege contra el crecimiento excesivo de levaduras y bacterias indeseadas. Si las bacterias vaginales fallan en su trabajo, los hongos o ciertas cepas bacterianas sacan ventaja y causan infección por levaduras o vaginosis bacteriana. Ambas condiciones se definen mejor como un "desorden ecológico del microbioma vaginal".[83]

---

vaginosis bacteriana

La vaginosis es una proliferación excesiva de una o más especies de bacterias vaginales normales.

Para mantener el microbioma vaginal sano debes evitar tanto como sea posible aquellas cosas que alteran las bacterias beneficiosas, incluyendo antibióticos, anticonceptivos hormonales y el uso de jabón o ducha vaginal.

Para más información y tratamiento de infecciones por levaduras y vaginosis bacteriana, consulta la sección "Infecciones por levaduras y vaginosis bacteriana" en el capítulo 11.

Aparición anormal de moco fértil

¿Qué pasa si ves moco fértil más de una vez? Podría llevarte a pensar que el hecho de que tengas moco cervical intermitentemente signifique que ovulas varias veces, pero no es el caso. Puedes ovular una sola vez, y se puede detectar por el aumento de temperatura basal del cuerpo. Si el moco fértil viene y va significa que estás teniendo una fase folicular larga y prolongada y un intento intermitente de ovulación.

También puede ser que veas moco fértil pero en realidad no estés ovulando, sino que tengas un ciclo anovulatorio.

Finalmente, puedes ver moco fértil *después* de la ovulación. No significa que vas a ovular otra vez. Significa que no produjiste la suficiente progesterona para mitigar el flujo cervical.

Sangrado entre periodos

Sangrado en la mitad del ciclo

El sangrado irregular ligero en el día de la ovulación es común y normal. Es causado por una pequeña reducción del nivel de estrógeno, los cuales disminuyen después su pico previo a la ovulación. Es más probable que tengas sangrado irregular ovulatorio si tus niveles de estrógeno están por debajo de la media (aunque sean normales).

Si tienes sangrado irregular en otros momentos del ciclo, entonces pregúntate; *¿Es un sangrado en la mitad del ciclo o es un sangrado ligero anovulatorio?* Porque lo que experimentas como sangrado "entre" periodos puede ser simplemente el sangrado ligero de un ciclo anovulatorio. Esto nos lleva a la pregunta central cuando hablamos de la salud del periodo; *¿Ovulas?* Saber si ovulas y cuándo te ayudará a entender el patrón de tu sangrado.

El sangrado en mitad del ciclo también puede ser signo de una afección ginecológica más grave como, por ejemplo, fibromas uterinos, endometriosis, infección pélvica o pólipos uterinos. Si no estás segura de la causa de tu sangrado, consulta con tu médica.

---

pólipos uterinos

Pólipos uterinos o pólipos endometriales son crecimientos adheridos al revestimiento uterino (endometrio). Generalmente son benignos o no cancerosos.

Sangrado después del sexo

Hay varias explicaciones posibles para el sangrado ligero o sangrado irregular directamente después de la relación sexual. Podría ser simplemente por una lubricación inadecuada, pero también podría ser el resultado de una infección o inflamación subyacente. Es mejor que consultes a tu médica.

Sangrado premenstrual

Es común ver un poco de sangrado irregular o sangrado ligero uno o dos días antes de que comience tu periodo. Dos días de sangrado premenstrual es normal. Si ves más de dos días, entonces la progesterona puede estar disminuyendo demasiado pronto, o te está pasando otra cosa. Por ejemplo, el sangrado irregular premenstrual puede ser un síntoma de la enfermedad de la tiroides, fibromas, endometriosis o pólipos uterinos.

> (CONSEJO) **Recuerda que el "día 1" de tu ciclo** es el primer día de sangrado intenso. Los días de sangrado irregular premenstrual son los últimos días de tu ciclo anterior.

 ## Theresa: Dos tipos de sangrado irregular

Theresa notó demasiado sangrado irregular cuando dejó de tomar la píldora por primera vez. Sangraba por unos días, por lo que pensó que ese era su periodo. Luego, apenas diez días más tarde, sangraba otra vez durante una semana y luego tenía otro periodo. Esta situación continuó durante seis meses hasta que vio a su médica, quien le pidió análisis de sangre y una ecografía pélvica y concluyó que todo era normal.

Le pedí a Theresa que realizara un seguimiento de su temperatura y descubrimos que *no* tenía un aumento de temperatura propio de la fase lútea, lo cual significaba que no estaba ovulando. En cambio, estaba teniendo ciclos anovulatorios o sangrados ligeros.

Con más pruebas, pudimos detectar que Theresa tenía niveles altos de andrógenos u hormonas masculinas, lo cual significaba que tenía el SOP, una causa común de ciclos anovulatorios.

Le pedí a Theresa que redujera el azúcar en su dieta y que tomara una combinación de las hierbas medicinales peonía y regaliz, de las que hablaremos en el capítulo 7. Durante los próximos siete meses, comenzó a ovular y a ver un buen aumento de temperatura en su fase lútea.

El sangrado irregular, sin embargo, no mejoró, cosa que me sorprendió. Theresa ahora estaba ovulando y produciendo progesterona, lo cual debería haber mejorado el sangrado irregular. ¿Qué estaba sucediendo?

Le pedí que se hiciera otra ecografía pélvica.

—Pero me hice una ecografía hace más de un año —dijo— y fue normal. No veo el sentido de volver a analizarme porque nada ha cambiado.

Pero algo *había* cambiado. —Antes no ovulabas —le dije— y ahora sí. Así que debe haber algo nuevo que está ocultando tu mejoría.

Theresa se hizo una segunda ecografía y, esta vez, mostró la presencia de un pólipo uterino. Su ginecóloga quitó el pólipo y, finalmente, el sangrado irregular desapareció.

Síntomas premenstruales

Puedes experimentar una amplia variedad de síntomas durante una o dos semanas antes del periodo. Los síntomas comunes incluyen irritabilidad, dolores de cabeza, sensibilidad en las mamas, retención de líquidos, antojos de alimentos y acné. Los síntomas premenstruales son pistas de tu fase lútea y, como veremos en el capítulo 8, derivan de una combinación de estrógeno alto, progesterona baja e inflamación.

(CONSEJO) **El acné puede estallar durante el SPM**, pero a menudo proviene de una causa subyacente como el SOP o haber dejado la píldora. Consulta la sección "Tratamiento para el acné" en el capítulo 7.

Síntomas posmenstruales

Si notas síntomas "posmenstruales", puedes haber tenido un ciclo anovulatorio como ocurre con el SOP.

 Los cambios de estado de ánimo que se producen mientras tomas anticonceptivos hormonales son efectos secundarios. No son síntomas premenstruales.

Seguimiento avanzado del periodo

Ahora que hemos visto qué puede ir mal en tu periodo tienes más datos para añadir a tu *app* de seguimiento menstrual. Estás lista para un seguimiento avanzado de la menstruación, que puede incluir alguno o todos los datos a continuación.

Seguimiento avanzado del periodo

- "día 1" de tu ciclo
- duración de tu ciclo
- número de días de sangrado
- cantidad de flujo menstrual
- sangrado entre periodos (sangrado irregular)
- flujo cervical
- resultado de una prueba de HL con tiras reactivas
- temperatura basal
- duración de la fase lútea
- dolor y número de analgésicos
- síntomas premenstruales como irritabilidad, dolores de cabeza, acné o sensibilidad en las mamas
- estrés o enfermedad inusuales

No tienes que seguir cada signo y síntoma de forma permanente. Puedes si quieres, pero también puedes tener en cuenta conceptos básicos como el "día 1". También puedes seguir otros datos cuando notes que algo va mal y reunirlos para comunicarlos a tu médica.

¿Cuándo debes ver a tu médica?

- Si no tienes ningún periodo o si tu ciclo es más corto de 21 días o más largo de 35. (Consulta el capítulo 7 antes de consultar a tu médica sobre los periodos irregulares).
- Si sospechas que no ovulas.
- Si sangras durante más de siete días o pierdes más de 80 ml de flujo menstrual.
- Si experimentas dolor entre periodos o dolor tan severo que no puedes realizar tus actividades normales.
- Si notas que tu flujo vaginal tiene mal olor.
- Si observas sangrado después de relaciones sexuales o sangrado entre periodos que no sea sangrados irregulares por la ovulación.

Espero que este capítulo te haya dado una mínima idea de los posibles problemas de tu menstruación. Veremos con mayor profundidad la evaluación y el diagnóstico en la segunda mitad del libro y también veremos las múltiples opciones para el tratamiento.

Tu boletín menstrual

Un resumen de pistas.

Ausencia de periodos

Posible significado: embarazo, menopausia, estrés, enfermedad, enfermedad tiroidea, enfermedad celíaca, haber dejado los anticonceptivos hormonales, SOP, AH, prolactina alta.

Periodos retrasados

Posible significado: ciclo anovulatorio, fase folicular larga, estrés, enfermedad, enfermedad tiroidea, SOP, AH, prolactina alta.

Periodos precoces

Posible significado: ciclo anovulatorio, fase folicular corta, fase lútea corta, progesterona baja, SOP, perimenopausia, estrés, sangrado en la mitad del ciclo.

Periodos intensos

Posible significado: perimenopausia, adolescencia, ciclo anovulatorio, exceso de estrógeno, progesterona baja, SOP, DIU de cobre, enfermedad de la tiroides, fibromas, endometriosis, adenomiosis, trastornos de coagulación.

Sangrado prolongado

Posible significado: ciclos anovulatorios, perimenopausia, pólipos uterinos, SOP.

Coágulos menstruales

Significado posible: sangrado menstrual intenso, progesterona baja, perimenopausia, enfermedad de la tiroides, endometriosis, adenomiosis, fibromas.

Periodos ligeros

Posible significado: ciclo anovulatorio, SOP, exceso de fitoestrógenos, sangrado en la mitad del ciclo confundido con un periodo.

Dolor menstrual severo

Posible significado: DIU de cobre, endometriosis, adenomiosis, infección.

Dolor antes del periodo

Posible significado: dolor menstrual normal, endometriosis, adenomiosis, quistes ováricos, infección.

Dolor durante el sexo

Posible significado: excitación insuficiente que causa la falta de lubricación, estrógeno bajo, infecciones, fibromas, endometriosis, adenomiosis.

Dolor de ovarios intermenstrual

Posible significado: dolor normal de ovulación (*mittelschmerz*), dolor de ovulación temporalmente empeorado (durante los primeros ciclos después de haber dejado la píldora), infecciones, endometriosis, quistes ováricos.

Ausencia de moco fértil

Posible significado: ciclo anovulatorio, estrógeno bajo, infección por levaduras, vaginosis bacteriana.

Moco fértil a destiempo

Posible significado: ciclos anovulatorios, fase folicular larga, baja progesterona.

Infecciones por levaduras o vaginosis bacteriana

Posible significado: anticoncepción hormonal, problema con el microbioma vaginal, antibióticos.

Sangrado a mitad del ciclo

Posible significado: sangrado irregular normal de la ovulación, ciclo anovulatorios, endometriosis, adenomiosis, pólipo uterino, quistes ováricos, infección.

Sangrado premenstrual

Posible significado: ciclo anovulatorio, progesterona baja, endometriosis, enfermedad de tiroides, pólipos uterinos.

Sangrado después del sexo

Posible significado: inflamación del cuello uterino, cáncer de cuello uterino, infección, pólipo cervical o uterino, endometriosis.

Síntomas premenstruales (SPM)

Posible significado: progesterona baja, exceso de estrógenos, inflamación, estrés, intolerancia histamínica.

Síntomas posmenstruales

Posible significado: ciclo anovulatorio, SOP.

Acné

Posible significado: SPM, SOP, anticonceptivos hormonales, haber dejado los anticonceptivos hormonales.

Segunda parte

➤———————➤

Tratamiento

La curación es cuestión de tiempo, pero a veces también es una cuestión de oportunidad.

~ Hipócrates ~

Capítulo 6

MANTENIMIENTO GENERAL DEL PERIODO

B IENVENIDA A LA SECCIÓN de tratamientos del libro. En los próximos capítulos, te brindaré estrategias de tratamiento orientadas a problemas específicos de la menstruación. Para obtener el máximo beneficio de estos tratamientos, primero debes tener algunos cuidados generales.

Sé que quieres adelantarte e ir al grano con los problemas de tu periodo en particular pero, por favor, no te saltes este capítulo. *Este es el capítulo más importante del libro.* El mantenimiento general sienta las bases para todos los tratamientos que vienen más adelante. Si no implementas primero estos principios básicos, no cosecharás los beneficios de los tratamientos específicos.

¿Qué es el "mantenimiento general" del periodo? Es el conjunto de cosas que puedes hacer para aliviar, refrescar y nutrir tu cuerpo.

Alivia tu sistema hormonal

Estrés

El estrés tiene un gran impacto en la salud menstrual. Por un lado, afecta directamente al hipotálamo, que es el centro de comando hormonal del cerebro. Bajo estrés, las señales del hipotálamo a la glándula pituitaria disminuyen, lo que, a su vez, reduce la producción de FSH y LH, las dos hormonas que promueven la ovulación. En términos más simples: el estrés minimiza las señales a la pituitaria, lo que provoca menos ciclos ovulatorios. Discutiremos esto mejor en la sección de "Amenorrea hipotalámica" en el próximo capítulo.

Cortisol

El problema del estrés no queda ahí. El estrés también aumenta el *cortisol*, que es la hormona del estrés producida por las glándulas suprarrenales. El cortisol es una hormona de emergencia, de lucha, que te ayuda a superar desafíos tales como una infección o un peligro. Cambia tu fisiología en formas que mejoran la supervivencia a corto plazo, por ejemplo, aumentando la frecuencia cardíaca y la presión arterial. El cortisol te pone más alerta y aumenta el azúcar en la sangre para proporcionar energía a los músculos. Por lo tanto, la activación a corto plazo del cortisol es beneficiosa.

La activación crónica a largo plazo del cortisol, sin embargo, *no* es beneficiosa. Cuando el cortisol se mantiene alto día tras día, te roba la proteína de los músculos y reduce la sensibilidad a la insulina. También debilita tu sistema inmunológico e impide la ovulación y la producción de esteroides ováricos.[84] Además, daña el hipocampo que es la parte del cerebro que calma el eje hipotalámico-hipofisario-adrenal (HHA). El estrés crónico, por lo tanto, puede conducir a la desregulación o la disfunción de tu eje HHA.

Disfunción del eje HHA

La disfunción del eje HHA o desregulación significa que la comunicación entre el hipotálamo, la glándula pituitaria y glándulas suprarrenales está deteriorada. Causa síntomas tales como fatiga, ansiedad, insomnio, disminución de la libido, hipotensión arterial, antojos de sal, inmunidad deficiente, lagunas mentales, SPM y periodos irregulares.

---

disfunción del eje HHA

La disfunción del eje HHA es un patrón de estrés crónico y regulación anormal del cortisol. Es el término médico correcto para lo que algunas médicas solían llamar "fatiga adrenal" o "agotamiento suprarrenal".

La disfunción del eje HHA es causada por el estrés y otros factores tales como la privación del sueño, trastorno circadiano (*jet lag* o quedarse despierto hasta tarde), alimentación escasa, deficiencia de nutrientes y enfermedad.

Las hormonas femeninas *mejoran* la función del eje HHA porque tanto el estrógeno como la progesterona estabilizan el eje HHA.

Por lo tanto, si tienes un problema con la ovulación, este se puede convertir en un círculo vicioso: la disfunción del eje HHA causa problemas del periodo, lo que también incrementa la disfunción del eje HHA. La mejor manera de solucionarlo es tratar la disfunción del eje HHA con las estrategias incluidas en esta sección. Como analizaremos en el capítulo 10, también podrías necesitar algunas estrategias adicionales cuando tus hormonas y eje HHA comiencen a cambiar dramáticamente a tus cuarenta años.

 Las progestinas sintéticas en los anticonceptivos hormonales pueden empeorar la disfunción del eje HHA.[85]

Cómo examinar la disfunción del eje HHA

Actualmente, no hay ninguna forma confiable de evaluar la disfunción del eje HHA. Un estudio reciente revisó todos los métodos posibles incluyendo pruebas de cortisol en saliva y llegó a la conclusión de que no son indicadores exactos de fatiga o síntomas.[86] En el futuro podría haber mejores métodos de prueba,[87][88] pero, mientras tanto, evalúo la disfunción del eje HHA basada en síntomas y a veces un análisis de sangre de la hormona suprarrenal *DHEAS*, que puede llegar a ser deficiente durante el estrés crónico.

DHEAS

El DHEAS (sulfato de dehidroepiandrosterona) es una hormona esteroide producida por las glándulas suprarrenales. A menudo está a un nivel alto en casos de SOP y bajo en la disfunción del eje HHA. DHEAS disminuye naturalmente con la edad.

CONSEJO

Tu médica puede no estar familiarizada con los términos *fatiga adrenal* y *disfunción del eje HHA*. Si le hablas de glándulas suprarrenales, podría realizarte una prueba de la enfermedad de Addison, que es una enfermedad autoinmune rara de las glándulas suprarrenales.

Dieta y estilo de vida que regulan el eje HHA

Descanso y alegría son los mejores tratamientos para tu eje HHA. En el camino a un periodo sano tienes licencia para tomarte un tiempo libre del trabajo y otras tareas y, en su lugar, pasar tiempo haciendo las cosas que más te gustan. Tal vez te guste el deporte; el atletismo, la natación o bailar. Date tiempo para hacerlo. O quizás te gusta ir a una galería de arte o ir a caminar con amigos. Date tiempo para hacerlo. O quizás te encanta el yoga, leer novelas o cocinar. Lo que sea que te encante hacer, dedícale por lo menos dos horas por semana a esa actividad. Anótalo en tu calendario como si fuera una reunión o una cita. ¡Es una cita contigo misma! En dos meses, verás los resultados en tu boletín mensual.

Meditación, masajes, yoga son todas técnicas de relajación útiles. Por favor, elige el estilo que te atraiga.

Finalmente, **mantener el nivel de azúcar en la sangre estable** es una forma simple de mejorar la función de tu eje HHA. La mejor manera de hacerlo es comer una pequeña porción de proteína en cada comida, especialmente en el desayuno.

Suplementos y hierbas medicinales para regular tu eje HHA

El **magnesio** es el nutriente clave para calmar tu sistema nervioso y regular el eje HHA. Vamos a ver el magnesio más adelante en este capítulo como el mineral milagroso para periodos.

El **zinc** mejora la salud del hipocampo,[89] que es la parte del cerebro que calma el eje HHA. Por favor, consulta la sección "Zinc" más adelante en este capítulo.

Las vitaminas del grupo B pueden ayudar a reducir el nivel de estrés percibido y mejorar la ansiedad.[90]

> **Cómo funciona:** las vitaminas del grupo B aumentan los niveles de los neurotransmisores calmantes GABA y serotonina.

> **Qué más necesitas saber:** para el estrés y la disfunción del eje HHA, elige un complejo B que contenga colina y vitamina B5, el "factor anti-stress".[91] Para SPM y perimenopausia, puedes necesitar más vitamina B6.

La ***Rhodiola rosea*** es una hierba medicinal que tradicionalmente se usaba como tónico de energía y fertilidad en Islandia, Noruega, Suecia y Rusia.

> **Cómo funciona:** calma tu eje HHA al proteger el cerebro del

cortisol y neurotransmisores excitatorios.[92] En un estudio sueco controlado con placebo,[93] los participantes que tomaron *Rhodiola* tuvieron niveles de cortisol más bajos y mostraron resultados mejores en escalas de agotamiento y función cognitiva. La *Rhodiola* también puede aliviar los síntomas de la depresión.[94]

Qué más necesitas saber: la cantidad exacta de la hierba depende de la concentración de la fórmula, así que por favor tómala como se indica en la botella. Puedes tomar *Rhodiola* sola o combinada con otras hierbas *adaptógenas* tales como el ginseng siberiano y la *ashwagandha*. Para mejores resultados, toma la fórmula con adaptógeno dos veces al día durante al menos tres meses. Debes saber que la *Rhodiola* está en peligro de extinción en algunas partes del mundo, así que intenta elegir un producto que provenga de fuentes sostenibles.

adaptógeno

En la medicina herbal, un adaptógeno es un extracto vegetal que ayuda al cuerpo a adaptarse al estrés. El término no está reconocido por la comunidad científica.

Sueño

El descanso es otra estrategia fundamental para un periodo sano. Lograr siete u ocho horas de sueño de calidad cada noche hará más por ti que casi cualquier suplemento o hierba que propongamos en este libro.

¿Por qué dormir es tan importante para las hormonas? Por un lado, estabiliza el eje HHA y el cortisol. También mejora la sensibilidad a la insulina y regula la liberación de la hormona luteinizante (LH), el estrógeno y la progesterona.

El sueño es más importante que el ejercicio. Con suerte, tendrás tiempo en tu día para ambos. Si tienes que elegir entre dormir y hacer ejercicio, ¡elige dormir!

Tu objetivo debe ser dormir al menos siete horas cada noche. Si tienes problemas para dormir, por favor, toma un minuto para considerar una posible razón. Estas son las posibles causas de insomnio:

- estrés crónico
- disfunción del eje HHA y cortisol elevado
- azúcar en la sangre baja
- carencia de tiempo para relajarse a la noche
- demasiada cafeína
- deficiencia de magnesio
- enfermedad de tiroides
- perimenopausia
- pena
- ansiedad
- depresión
- exposición nocturna a la luz azul.

 La luz azul del brillo de tu televisión o teléfono es perjudicial para el sueño porque interfiere en la hormona del sueño melatonina. Una solución simple es bajar el brillo de tu teléfono y utilizar una de las opciones de herramientas que reducen el azul como el complemento o *plugin* f.lux o las aplicaciones Twilight o Night Shift.

Suplementos y hierbas medicinales para ayudar a dormir

El **magnesio** es el mejor suplemento para promover el sueño saludable. Por favor, consulta la sección de "Magnesio" más adelante en este capítulo.

La **melatonina** promueve el sueño y funciona especialmente bien en el insomnio del envejecimiento, la depresión o el jet lag. Te recomiendo tomar de 0,5 a 3 mg al acostarte. No es adictiva, lo que la hace segura para el uso a largo plazo.

El *Ziziphus spinosa* es una hierba medicinal de la medicina tradicional china. Es un sedante no adictivo[95] que se combina típicamente con magnolia (*Magnolia officinalis*) para potenciar su efecto.[96] El *Ziziphus* es particularmente útil para la perimenopausia porque puede aliviar palpitaciones y sudores nocturnos. La cantidad exacta de la hierba depende de la concentración de la fórmula, así que, por favor, tómala como se indica en la botella.

Otras hierbas medicinales efectivas para dormir incluyen el kava, la valeriana, la magnolia, la pasiflora y el lúpulo.

Ejercicio

El ejercicio regular es muy beneficioso para la salud menstrual. Estas son algunas de las maneras en las que el ejercicio mejora la salud del periodo:

- Modula la respuesta al estrés y reduce el cortisol.
- Mejora la sensibilidad a la insulina por lo que puede prevenir o tratar los problemas del periodo como SOP.
- Mejora la circulación de los órganos pélvicos, fortalece los músculos del suelo pélvico y alinea el útero dentro de la pelvis.
- Reduce la inflamación crónica.[97]

¿Qué tipo de ejercicio deberías hacer? En definitiva, elige un tipo de ejercicio que disfrutes. Eso hará mucho más fácil comprometerse a hacerlo de forma permanente. Por ejemplo, tal vez disfrutes los deportes de equipo o tal vez prefieras nadar, bailar, caminar o hacer yoga. Todas y cada una de esas actividades son beneficiosas para la salud del periodo.

Tema especial: ¿Hacer demasiado ejercicio es malo para la menstruación?

Hay una antigua idea de que hacer demasiado ejercicio puede detener el periodo menstrual. Es porque algunas atletas desarrollan lo que solía llamarse "tríada atlética femenina", que es amenorrea combinada con un desorden de alimentación y una densidad ósea disminuida. El término actualizado es *deficiencia energética relativa en el deporte* (RED-S por sus siglas en inglés), que se define como "deficiencia de energía en relación con el equilibrio entre la ingesta de energía alimentaria y el gasto de energía necesaria para la salud y actividades de vida diaria, crecimiento y actividades deportivas".[98]

En otras palabras, el problema no es el ejercicio *per se* sino más bien no consumir suficiente energía (alimento) para mantener ese nivel de actividad. Como veremos en el capítulo 7, la solución es *comer más*.

Aliviar la inflamación

Inflamación crónica

Ahora llegamos a un tema importante en la salud de la menstruación, ya que la inflamación crónica es un factor importante en *todos* los tipos de problemas menstruales. ¿Te sorprende? Cuando piensas en inflamación, probablemente piensas en el dolor y el enrojecimiento que aparecen en algunas partes del cuerpo como las articulaciones o la piel. También podría tener sentido que la inflamación cause ciertos tipos de problemas del periodo como el dolor menstrual.

Sin embargo, la inflamación crónica es más que dolor y enrojecimiento. Mucho, mucho más. La inflamación crónica está relacionada con *la comunicación de todo el cuerpo*.

Las diferentes partes de tu cuerpo necesitan hablar entre sí. Necesitan comunicarse y tus hormonas son una parte importante de esa comunicación. Por ejemplo, la glándula pituitaria habla a los ovarios a través de la hormona FSH. A su vez, los ovarios hablan con el resto del cuerpo a través de las hormonas estradiol y progesterona. Por ejemplo, hay receptores de estradiol y progesterona en *todos* los tejidos de tu cuerpo, incluyendo mamas, útero, cerebro, pero también huesos, músculos, hígado e intestino. Incluso las bacterias intestinales responden a las hormonas.

Las hormonas son mensajeros importantes para la salud del periodo, pero no son los únicos mensajeros. Tienes otros mensajeros químicos producidos por el sistema inmunológico. Tienen nombres como *TNF-alfa, IL-6,* e *IL-8.* No es necesario que sepas todos los nombres de los mensajeros químicos del sistema inmune; eso se lo dejamos a los bioquímicos. A partir de ahora, simplemente nos referiremos a ellos como *citocinas inflamatorias.*

---

citocinas

Las citocinas inflamatorias son mensajeros químicos que tu cuerpo utiliza para combatir las infecciones. Son parte de la respuesta inflamatoria del cuerpo.

El trabajo principal de las citocinas inflamatorias es protegerte contra infecciones y cáncer, lo cual es algo bueno.

Por desgracia, las citocinas inflamatorias también se insertan en la conversación entre las hormonas y los tejidos sensibles a las hormonas, y su contribución a la conversación casi siempre es obstructiva. Por ejemplo, las citocinas inflamatorias demoran la respuesta de los folículos ováricos a la FHS. Impiden la ovulación y afectan la producción de progesterona. Las citocinas inflamatorias también bloquean los receptores de hormonas beneficiosas, como la progesterona y la hormona de tiroides, y pueden hiperestimular los receptores de estrógeno y testosterona.

Considerando todo, las citocinas inflamatorias son un estorbo importante para la salud periodo.

¿Cómo reducir las citocinas inflamatorias? Evita tanto como sea posible cualquier cosa que sobreactive el sistema inmunológico. Evita causas de inflamación, tales como:

- fumar
- estrés
- falta de ejercicio
- falta de sueño
- microbioma intestinal insalubre
- toxinas ambientales
- alimentos inflamatorios

Fumar es lo más inflamatorio que se puede hacer porque el humo del cigarrillo contiene cadmio, pesticidas y otras toxinas perjudiciales para las hormonas e inmunoactivadoras. Si fumas, el primer paso es dejar de fumar.

Otra fuente de inflamación son las toxinas ambientales tales como plásticos, pesticidas y mercurio. Las toxinas pueden ser difíciles de evitar, por lo que no te preocupes demasiado. He proporcionado algunos consejos en la sección "Toxinas ambientales" en el capítulo 11.

Por último, la dieta puede ser una fuente de inflamación porque ciertos alimentos estimulan el sistema inmunológico para que produzca citocinas inflamatorias. Eso significa que tu dieta puede ser inflamatoria.

Tu dieta puede ser *antiinflamatoria*, lo cual es emocionante. Cambia tu dieta y podrás reducir drásticamente la inflamación.

¿Cómo empiezas? ¿Qué alimentos son inflamatorios? Basado en mi lectura de la investigación y mi experiencia con pacientes, he identificado cinco alimentos que suelen causar inflamación. Entre ellos, se incluyen:

- disruptores metabólicos: azúcar y alcohol
- disruptores digestivos e inmunitarios: trigo y productos lácteos
- aceites vegetales procesados

El azúcar, el alcohol, el trigo, los productos lácteos y el aceite vegetal: estos son los cinco alimentos principales potencialmente inflamatorios.

Las siguientes recomendaciones son a modo de guía, no son reglas inflexibles. Dependiendo de tu situación individual, puede que necesites concentrarte en solo uno o dos de los alimentos. Por ejemplo, si tienes el SOP, entonces probablemente necesites concentrarte en evitar el azúcar (se describe a continuación). Si tienes sensibilidad al gluten como Meagan en el capítulo 1, necesitas centrarte en evitar el gluten. Por favor lee la siguiente discusión de alimentos inflamatorios para descubrir qué aspecto de la dieta antiinflamatoria es más importante para ti.

También, recuerda que estos son solo cinco alimentos. Eso te deja muchas otras comidas deliciosas para disfrutar. Proporciono algunas sugerencias de menú al final del capítulo.

El azúcar y el alcohol generan *inflamación metabólica*, que es la activación de citocinas inflamatorias en el hígado y el tejido metabólico como la grasa corporal.

Alimentos inflamatorios #1: Azúcar

El azúcar causa inflamación de maneras diferentes. En primer lugar, causa daño a los tejidos. El azúcar se pega a tus células como pequeños pedacitos de goma de mascar y a tu sistema inmunológico no le gusta eso. Percibe este tipo de "daño provocado por el azúcar" como un ataque y produce citocinas inflamatorias para defenderse de él.

La segunda forma en la que el azúcar causa inflamación es provocando *resistencia a la insulina*.

insulina

La insulina es una hormona creada por el páncreas. Estimula al hígado y a los músculos a tomar azúcar de la sangre y convertirla en energía.

¿Qué es la resistencia a la insulina? En condiciones normales, los niveles de insulina se incrementan brevemente después de comer. Esta hormona estimula al hígado y a las células de los músculos a tomar energía alimentaria de la sangre y convertirla en energía. Esto causa una disminución de azúcar en la sangre, y entonces la insulina cae. Si tienes *sensibilidad a la insulina*, el azúcar y la insulina se mostrarán bajos en un análisis de sangre en ayunas.

En cambio, si tienes *resistencia a la insulina*, el azúcar en la sangre puede ser normal, pero tu insulina será alta. ¿Por qué? Porque el páncreas tiene que producir más y más insulina para tratar de comunicar su mensaje. Demasiada insulina genera inflamación y causa aumento de peso. También puede conducir a diabetes y enfermedades del corazón. Finalmente, demasiada insulina puede deteriorar la ovulación y estimular tus ovarios para producir testosterona, que es la razón por la cual la resistencia a la insulina es un conductor importante al desarrollo del SOP, como veremos en el capítulo 7.

---

resistencia a la insulina

La resistencia a la insulina es una condición de insulina alta, en la cual las células del hígado y de los músculos no pueden responder correctamente a la insulina. Es la precursora a la diabetes tipo 2. Y si tienes diabetes tipo 2, tienes resistencia a la insulina.

Puedes diagnosticar fácilmente la resistencia a la insulina con un análisis de sangre. Consulta el capítulo 7 para análisis y tratamiento.

¿Cómo causa el azúcar resistencia a la insulina?

El azúcar, o más concretamente, la *fructosa* produce resistencia a la insulina, generando inflamación en el hígado, lo que altera la sensibilidad a la insulina.[99] Se ha encontrado que las dosis altas de fructosa en bebidas azucaradas causan resistencia a la insulina en tan solo ocho semanas.[100] La fructosa también es un alto potenciador del apetito,[101] por eso el azúcar te da sensación de hambre y comes en exceso.

Pero espera. ¿No hay fructosa en la fruta? ¿Cómo podría ser insalubre la fruta? Sí, las frutas tienen fructosa pero es una pequeña cantidad. Una pequeña cantidad de fructosa *no* provoca inflamación o resistencia a la insulina, en cambio, *mejora* la sensibilidad a la insulina y la salud. Una pequeña cantidad de fructosa es inferior a 25 g por día, que es lo que obtienes con tres porciones de fruta entera.

En contraste, se obtiene una gran cantidad de fructosa en la dieta americana estándar, también conocida como el patrón de dieta occidental o la dieta "normal". Si sigues esta llamada dieta "normal" estás consumiendo por lo menos 100 gr de fructosa *adicional* por día, y probablemente más. La recibes de todas las cosas dulces como refrescos, golosinas, barras de chocolate, postres, yogures edulcorados y cereales para el desayuno. Esto es así sin importar si están endulzados con jarabe de maíz alto en fructosa (55% de fructosa), azúcar común (50% de fructosa) o miel (40% de fructosa).

¿Has visto miel en esta lista? Los "azúcares naturales" como la miel, el sirope de agave, las bolitas de dátil y el jugo de fruta son una gran fuente de fructosa. También suponen una gran fuente de azúcar porque los *azúcares naturales siguen siendo azúcar*. Los dátiles, por ejemplo, están entre los alimentos más azucarados que puedes comer y un solo vaso de 250mL (8 onzas) de jugo de naranja contiene 18 g de fructosa.

> CONSEJO **El impacto de la fructosa** en tu salud depende de la cantidad que consumas. Una pequeña cantidad de fruta fresca entera está bien. Una gran cantidad de jugo de fruta y frutas desecadas puede causar o empeorar la resistencia a la insulina.

¿Necesitas una manera rápida de saber si un alimento tiene demasiada azúcar? Pregúntate; ¿sabe realmente dulce? Si es así —si es esencialmente un *postre*— entonces tiene demasiada azúcar.

Entonces, ¿cuánta azúcar debes comer? Viéndolo de esta manera, *no* los 100 g de azúcar del patrón de dieta occidental. En cambio, seguramente tendrás los 25 g que incluye de forma natural una dieta de alimentos integrales. Esto es cierto independientemente de tu estado de salud. Más allá de eso, depende.

Si tienes sensibilidad normal a la insulina, igual te puede ir bien con los 25 g de azúcar *añadido* recomendado por la Organización Mundial de la Salud.

Si tienes resistencia a la insulina o el SOP con resistencia a la insulina, será mejor que evites todo azúcar adicional.

Entiendo que dejar el azúcar no es fácil, especialmente si eres adicta. Para una discusión completa e ideas de tratamiento, consulta la sección "dejar el azúcar" en el capítulo 7.

¿El arroz y las patatas son igual de malos que el azúcar?

El azúcar es un carbohidrato. Entonces, ¿qué pasa con otros carbohidratos como el arroz y las patatas? ¿No son igual de malos? En resumen: no. Los alimentos almidonados contienen sobre todo glucosa y muy poca fructosa. La glucosa no altera la sensibilidad a la insulina tanto como la fructosa.

La glucosa y el almidón *aumentan* la insulina, así que podrían causar o empeorar la resistencia a la insulina si ingieres grandes cantidades de almidón y nada más. Con suerte, no es eso lo que estás haciendo. Con suerte, estás comiendo una cantidad moderada de almidón junto con otros alimentos como carne y verduras (proteína, grasa y fibra) que retrasan la absorción de la glucosa en tu cuerpo, ayudando así a mantener baja la insulina.

 Agregar vinagre a una comida es una manera fácil de reducir la absorción de la glucosa.[102]

Basta decir que el azúcar es inflamatorio y puede causar

resistencia a la insulina. El almidón no, si se consume con moderación. Según el investigador Richard Johnson de la Universidad de Florida:

> "Los alimentos a base de almidón no causan aumento de peso ni síndrome metabólico como los alimentos a base de azúcar. Las patatas, las pastas, y el arroz pueden ser relativamente seguros en comparación con el azúcar común. El índice de fructosa puede ser una buena manera de evaluar el riesgo de hidratos de carbono relacionados con la obesidad."[103]

Profesor Richard Johnson

Alimentos inflamatorios #2: Alcohol

Durante mucho tiempo, pensamos que una pequeña cantidad de alcohol podría ser buena para la salud. Ese mito parece haber llegado a su fin cuando descubrimos que incluso unos tragos por semana pueden tener efectos negativos a largo plazo sobre la salud.[104]

¿Por qué el alcohol es inflamatorio?

En primer lugar, el alcohol a menudo se mezcla con bebidas azucaradas tales como refrescos, agua tónica o jugo de fruta. Si eso es lo que estás haciendo, entonces estás recibiendo un efecto doble de alimento inflamatorio #1 (azúcar) *más* alimento inflamatorio #2 (alcohol).

 Si quieres disfrutar del alcohol ocasionalmente, al menos elige un tipo no azucarado como el vino o la cerveza.

En segundo lugar, el consumo de alcohol a largo plazo encoge el cerebro e incluso el hipocampo, que es la parte del cerebro que regula el eje HHA o sistema de respuesta al estrés. El resultado puede ser una desregulación del eje HHA o respuesta al estrés. [105]

Y aún hay más. El alcohol afecta la reducción saludable de estrógeno, que podría ser la razón por la cual incluso quienes beben moderadamente tienen un riesgo mayor de contraer cáncer de mama en comparación con quienes no beben.[106] También, el alcohol causa resistencia a la insulina[107], daña la bacteria intestinal,[108] impide la absorción de nutrientes, afecta a la desintoxicación y disminuye una molécula antiinflamatoria importante llamada glutatión.

El glutatión es un poderoso antioxidante e inmunorregulador. Cada célula de tu cuerpo produce glutatión y cada una de ellas lo necesita. Su función principal es extinguir los radicales libres y eliminar toxinas, pero también reduce las citocinas inflamatorias. Una de las mejores maneras de ayudar al glutatión es reducir el alcohol o evitarlo del todo. Consideraremos otras formas de apoyar al glutatión en capítulo 11.

¿Cuál es el veredicto sobre el alcohol? Puedes disfrutar de un vino o una cerveza ocasionalmente, pero, como mujer, no excedas los cinco bebidas estándar por semana y dos bebidas estándar cada vez.

---

bebida estándar

En Estados Unidos, una bebida estándar contiene 18 mL (0,6 onzas) de alcohol, que equivale a un vaso de cerveza de 350 mL (12 onzas) o a un vaso de vino de 150 mL (5 onzas).

El azúcar y el alcohol generan inflamación metabólica debido a sus efectos sobre la insulina y el glutatión. La sensibilidad a ciertos alimentos como el trigo y productos lácteos es diferente. Es inflamatoria debido a sus efectos sobre la digestión y el sistema inmunológico.

Para entender esta clase de inflamación, primero debes entender que tu sistema inmune y digestión *no son cosas separadas*. Son, en cierto sentido, una entidad continua. El ochenta por ciento de tu sistema inmunológico se agrupa alrededor de la digestión, donde se encuentra en constante comunicación con el intestino y sus bacterias. Una "sensibilidad alimentaria" o una "intolerancia alimentaria" se produce cuando un alimento trastorna tu bacteria intestinal o inflama el revestimiento del intestino, causando así que tu sistema inmune produzca citocinas inflamatorias.

Una sensibilidad alimentaria es cualquier reacción adversa a un alimento. Es una reacción más amplia y más compleja que una alergia a un alimento.

---

sensibilidad alimentaria

La sensibilidad alimentaria es una categoría amplia de reacciones adversas a un alimento. Es, a menudo, una reacción tardía que implica la estimulación de citocinas inflamatorias. La sensibilidad alimentaria no es lo mismo que una alergia alimentaria.

---

alergia alimentaria

La alergia alimentaria es una reacción inmediata a los alimentos. Está mediada por una parte del sistema inmune llamada anticuerpos IgE y causa síntomas como urticaria o inflamación de las vías respiratorias.

Los síntomas comunes de sensibilidad alimentaria incluyen dolores de cabeza, dolor en las articulaciones, hinchazón digestiva y antojos de comida. Por supuesto, muchos de esos síntomas se pueden atribuir a otras causas por las que la "sensibilidad alimentaria" es un asunto polémico.

¿Notaste que los antojos son un síntoma de sensibilidad alimentaria? Muy a menudo, tienes antojos del alimento que causa la sensibilidad (trigo o lácteos), pero también puede manifestarse como un antojo de azúcar (alimento inflamatorio #1).

Permeabilidad intestinal

Tienes un mayor riesgo de sensibilidad alimentaria si padeces una afección digestiva llamada *permeabilidad intestinal* que significa que la pared intestinal tiene "fugas" y permite que las proteínas de los alimentos entren en tu cuerpo. El resultado de esa "fuga" es una inflamación crónica.[109] Para más datos, consulta por favor la sección "Permeabilidad intestinal" en el capítulo 11.

¿Qué alimentos causan sensibilidad alimentaria?

Cualquier alimento puede provocar una reacción de sensibilidad alimentaria pero los alimentos reactivos más comunes son el trigo y los productos lácteos. Basado en signos clínicos (que explicaré a continuación), el trigo y los lácteos son los alimentos inflamatorios que normalmente pido a mis pacientes que eviten. La mayoría de la veces se ven los resultados en un plazo de tres meses. Si no se da ningún cambio, considero otras sensibilidades alimentarias comunes como las del huevo, la soja y alimentos con alto contenido de histamina (ver más abajo).

 Eliminar un alimento inflamatorio de tu dieta puede hacer mucho más por ti que cualquier suplemento.

Alimentos inflamatorios #3: Trigo

Es probable que hayas oído opiniones contrarias sobre el trigo y el gluten. Algunos dicen que el gluten es la raíz de todos los males y otros dicen que no es malo. Hay una razón para esta controversia: el trigo afecta a alguna personas más que a otras. Todo depende de tu susceptibilidad genética, del estado de tu microbioma intestinal y de si tienes permeabilidad intestinal.

Para unas pocas afortunadas, el trigo no es inflamatorio y no es un problema para su salud menstrual. Para muchas otras, sin embargo, el trigo *es* un problema. Considera Meagan del capítulo 1, que tenía periodos irregulares debido al trigo. El trigo es también una causa que contribuye a migrañas premenstruales (capítulo 8) y endometriosis (capítulo 9).

De acuerdo con mi experiencia con miles de pacientes, puedo decir lo siguiente: cuando el trigo es un problema, es un gran problema. Me atrevo a decir que el trigo es un problema importante por lo menos en una de cada diez de ustedes. Por eso lo he enumerado tercero en la lista de alimentos más inflamatorios. El trigo es un problema de menor importancia para cerca de seis de cada diez de ustedes. Para el resto, el trigo probablemente no es un problema.

imagen 8 - sensibilidad al trigo

¿Cuál es el problema con el trigo?

Primero, podrías tener una alergia real IgE-mediada a una de las varias proteínas del trigo. Una alergia al trigo se puede detectar con una "prueba de punción cutánea". Los síntomas de la alergia del trigo se ven rápidamente dentro de minutos u horas y pueden convertirse en anafilaxis.

Alternativamente, podrías reaccionar al gluten, que es una proteína inflamatoria del trigo y otros granos con gluten. Si la reacción al gluten es severa, la enfermedad celiaca dará positivo en un análisis de sangre. Para que la prueba sea exacta, tienes que consumir gluten durante algunas semanas. Por eso es importante descartar la enfermedad celiaca *antes* de eliminar el gluten.

Hay gluten en el trigo, la escanda, el centeno, la cebada, y posiblemente en la avena. *No* hay gluten en el arroz, el maíz, el mijo, la quinoa o las patatas.

La celiaquía es cada vez más común, pero aún afecta solo a aproximadamente una de cada 100 personas. Por desgracia, muchas de las que obtengan negativo en la prueba de la enfermedad celiaca pueden tener un problema significativo con el gluten, lo que podría ser una *sensibilidad al gluten no celiaca* o SGNC.

Durante mucho tiempo, las médicas e investigadoras no reconocieron la existencia de la SGNC, pero eso ha cambiado. La mayoría de las expertas ahora reconocen que existe y que es una afección inflamatoria que puede manifestarse con síntomas digestivos y, más comúnmente, *no* digestivos.[110][111][112] En otras palabras, puedes tener un problema grave con el gluten *sin* tener síntomas digestivos.

Los síntomas no digestivos de SGNC incluyen:[113]

- depresión[114]
- úlceras en la boca
- migrañas
- lagunas mentales
- dolor en las articulaciones y en los músculos
- entumecimiento de piernas o brazos
- eccema
- psoriasis
- enfermedad autoinmune

 Los síntomas de sensibilidad al gluten no celíaca (SGNC) pueden manifestarse días o incluso *semanas* después de la exposición al gluten.

Las investigadoras están tratando de entender la sensibilidad al gluten y están buscando una forma de diagnosticarla. Mientras tanto, la mejor manera de evaluarte a ti misma es intentar evitar el trigo durante *por lo menos* ocho semanas y ver cómo te sientes. Son ocho semanas porque ese es el tiempo que tarda la reacción inflamatoria en disminuir.

Para algunas de ustedes, el problema puede no ser el gluten en absoluto, sino más bien otro componente del trigo llamado *fructosano* o *fructooligosacárido*. El fructooligosacárido es uno de los diversos carbohidratos que juntos se llaman *FODMAPs*.

FODMAP

FODMAP es la sigla en inglés para oligosacáridos, disacáridos, monosacáridos y polioles fermentables. Son carbohidratos de cadena corta que son mal absorbidos en el intestino delgado. El término FODMAP es un acrónimo inventado por los investigadores en la Universidad de Monash en Australia.

Hay FODMAP en el trigo, las legumbres, las frutas y algunos vegetales. Si no puedes absorberlos adecuadamente, se fermentan en el intestino delgado y causan inflamación. El síntoma principal de un problema de FODMAP es la hinchazón digestiva y los síntomas del síndrome del intestino irritable (SII). Es más probable que ocurra si tienes un problema digestivo llamado crecimiento bacteriano excesivo en el intestino delgado (SIBO por sus siglas en inglés). Para más información sobre SIBO y FODMAP, consulta la sección Salud digestiva en el capítulo 11.

---

crecimiento bacteriano excesivo en el intestino delgado (SIBO)

El crecimiento bacteriano excesivo en el intestino delgado (SIBO) es el crecimiento excesivo de las bacterias intestinales normales de este órgano.

 La escanda es un pariente del trigo y una de sus sustitutas más conocidas. La escanda contiene gluten pero no contiene FODMAP, por lo que es más fácil de digerir que el trigo.

Alimentos inflamatorios #4: Productos lácteos

En segundo lugar, solamente después del trigo, la sensibilidad a los lácteos es una de las más comunes.

El problema con los lácteos no es la grasa o la lactosa, aunque algunas personas tienen dificultad para digerir la lactosa. El problema con los lácteos es una proteína llamada caseína A1 (también denominada casomorfina BCM7). Para algunas personas, la caseína A1 es inflamatoria porque, como el gluten, estimula al sistema inmune para generar citocinas inflamatorias. [115][116] La caseína A1 puede también reducir la producción de moléculas del antiinflamatorio natural glutatión.[117]

Afortunadamente, la caseína A1 no genera inflamación en todas las personas. Si no tienes ningún signo de sensibilidad a la caseína, entonces probablemente no tienes la enzima que convierte la caseína A1 en su metabolito inflamatorio (BCM-7). Por lo tanto, puedes consumir productos lácteos de vaca normales.

¿Cómo sabes si tienes sensibilidad a la caseína? La primera clave es: ¿sufrías infecciones recurrentes de oído o amigdalitis cuando eras niña? Para mí, es una clara señal de que la caseína puede haber estado interrumpiendo tu función inmune en ese entonces. Es probable que hayas superado esos síntomas de la infancia pero no la alteración inmunológica. Así, ese mismo trastorno inmunológico se podría manifestar ahora en síntomas adultos como, por ejemplo, alergia al polen, infección sinusal, infecciones en el pecho, eccema y asma. Y ese mismo trastorno inmunológico se podría manifestar ahora en síntomas de la menstruación como acné, dolor menstrual, SPM y periodos intensos.

Una de las formas en que la caseína conduce a problemas del periodo es contribuyendo a algo llamado *intolerancia a la histamina.*

---

intolerancia a la histamina

La intolerancia a la histamina es el estado temporal de tener exceso de histamina, que es la parte del sistema inmune que causa alergias e inflamación. Además de su papel en la función inmune, la histamina también regula el ácido del estómago, estimula el cerebro, aumenta la libido y desempeña un papel clave en la ovulación y la reproducción femenina.

La histamina no es perjudicial. Es una parte importante de la fisiología, pero demasiada histamina puede causar una variedad de síntomas no deseados, incluyendo síntomas de la menstruación.

Demasiada histamina puede ser el resultado de varias contribuciones diferentes. Por ejemplo, tu cuerpo *produce* histamina, las sensibilidades alimentarias como la de los lácteos *estimulan* la histamina y muchos alimentos como los fermentados *contienen* histamina. Eso es un montón de histamina pero, si estás sana, tu cuerpo debe ser capaz de disiparla con una enzima llamada diamino oxidasa (DAO). Si esa enzima no está funcionando bien o si hay demasiada histamina en tu cuerpo, desarrollarás síntomas de exceso de histamina o intolerancia a la histamina.

Hay momentos en el ciclo en los que eres más vulnerable a este tipo de intolerancia. Por ejemplo, puedes experimentarla en la ovulación y justo antes del periodo. ¿Por qué? Porque es cuando el estrógeno está alto en comparación con la progesterona y el *estrógeno aumenta la histamina.* Lo hace estimulando el sistema inmunitario para producir más histamina[118] y disminuyendo la enzima DAO que debería romperla.[119] Al mismo tiempo que el estrógeno estimula la histamina, demasiada histamina estimula los ovarios para que produzcan más estrógeno[120]. El resultado puede ser un círculo vicioso de *estrógeno → histamina → estrógeno → histamina.*

Tomar medidas para reducir la histamina puede mejorar considerablemente el síndrome premenstrual, el dolor menstrual y las reglas intensas. Estas medidas incluyen evitar los productos lácteos de vaca (alimento estimulante de la histamina), alimentos fermentados (contienen histamina) y tomar vitamina B6, que reduce la histamina al regular la enzima DAO.[121] Volveremos sobre el asunto de la intolerancia a la histamina cuando hablemos de SPM en el capítulo 8.

Solo una advertencia: la intolerancia a la histamina aún no es un diagnóstico médico reconocido, por lo que tu médica puede no ser muy receptiva cuando se lo preguntes.

Como ejemplo de lo mucho que pueden afectar los lácteos a la menstruación, considera el caso de mi paciente Nina.

Nina: mejora drástica al evitar lácteos

Nina no estaba bien. Vino a verme por una ansiedad premenstrual severa pero le pasaban otras muchas cosas. Por ejemplo, tenía alergia al polen, picor en los oídos y dolores de cabeza frecuentes. Sufría estreñimiento, retención de líquidos y antojos intensos de azúcar. También le costaba mucho perder peso.

Todos sus análisis de sangre eran normales.

Yo: —¿Sufrías infecciones recurrentes de oído o amigdalitis cuando eras niña?

Nina: —Sí, tenía tubos en los oídos.

Se refería a los pequeños tubos que se insertan en los oídos de los niños para evitar la acumulación de líquido en el oído medio.

Yo: —Necesito que dejes de consumir todos los productos lácteos normales por unos meses. Eso incluye queso, yogur, leche y helado. Puedes comer mantequilla y queso de cabra.

Nina: —¡Pero me encantan esas comidas!

Yo: —Sí, lo sé.

Es común desear un alimento al que se tiene sensibilidad,

especialmente los lácteos.

—Pero te sorprenderás de lo diferente que te sientes. Por favor, haz la prueba.

Prescribí también magnesio y vitamina B6 para su SPM y luego no tuve noticias de Nina durante cuatro meses.

Cuando regresó, estaba extasiada.

—Prácticamente desde el primer día que dejé de consumir lácteos me sentí mejor —dijo—; la retención de líquidos se fue y literalmente me *desinflé*.

Siguió contándome que su digestión había mejorado inmensamente y que ya no necesitaba su medicación para la alergia al polen. No tenía dolores de cabeza y había perdido 10 kg.

—¿Y la irritabilidad premenstrual? —pregunté.

—Inexistente.

No necesitó ninguna cita más conmigo.

Nina tenía una sensibilidad a los lácteos bastante severa que, estimo, afecta a aproximadamente una de cada veinte pacientes. Su tipo de sensibilidad a los lácteos difiere de una verdadera alergia a la leche y no hay forma de realizarse pruebas para ello.

Incluso si no tienes una sensibilidad severa como la de Nina, podrías tener una versión más suave de sensibilidad a la caseína A1 o a lácteos de vaca, y eso afecta al periodo menstrual. Dejar los lácteos de vaca temporalmente es algo muy simple y existe una posibilidad real de que mejore tu SPM, acné, endometriosis o periodos intensos.

Si descubres que tienes un problema con la leche de vaca, puedes cambiar a alternativas no lácteas como la leche de arroz, leche de coco o leche de almendras. Incluso de vez en cuando podrías tomar una pequeña cantidad de leche de soja siempre y cuando no tengas un problema de tiroides (ver la sección "Soja" de abajo). También puedes cambiar a productos lácteos de Jersey, cabra u oveja. Los lácteos de Jersey, cabra y oveja no contienen la caseína inflamatoria A1 que se obtiene de vacas Holstein Friesian normales. Los otros alimentos lácteos que contienen poco o nada de caseína A1 incluyen la crema, el requesón y la mantequilla.

> (CONSEJO) **El suero de leche es otra proteína** de los productos lácteos y no existe evidencia de que sea inflamatoria. A menos que tengas una alergia al suero de leche (lo cual es raro), puedes consumir proteína de suero de leche sin problemas.

No necesitas preocuparte por el calcio porque puedes obtener todo el calcio que necesitas de los productos lácteos de Jersey, cabra u oveja. También puedes obtener calcio de otros alimentos como las almendras, vegetales de hojas verdes y salmón enlatado con huesos. Ha sido enormemente exagerada la importancia de los lácteos en nuestra dieta y un estudio reciente de Harvard concluyó que los seres humanos no tienen *ninguna necesidad nutricional de consumir leche animal.*[122]

Finalmente, llegamos a los aceites vegetales procesados.

Alimentos inflamatorios #5: Aceite vegetal

Entre los aceites vegetales se incluyen el de soja, maíz, canola y el aceite de semilla de algodón. Estos aceites son inflamatorios si son procesados o *hidrogenados* y, por lo tanto, contienen un metabolito tóxico llamado grasa trans. Es más probable que las grasas trans estén presentes en los alimentos fritos. Afortunadamente, los reguladores de alimentos se han movido para prohibir las grasas trans. No obstante, hay otro problema con el aceite vegetal: los ácidos grasos poliinsaturados omega-6. El aceite de omega-6 es saludable y esencial en pequeñas cantidades como las que obtienes de frutos secos, semillas y arroz integral. Sin embargo, no es saludable en las grandes proporciones que obtienes al cocinar con aceite vegetal. En esa dosis, el omega-6 promueve las prostaglandinas inflamatorias.

Está en oposición directa con otro tipo de ácido graso llamado omega-3, que promueve prostaglandinas *antiinflamatorias*.

Para mantener la inflamación baja, necesitas *menos* omega-6 y *más* omega-3. Y la mejor manera de disminuir el omega 6 es evitar el aceite vegetal. En su lugar, elige aceite de oliva, mantequilla, aceite de coco o aceite de aguacate. Al mismo tiempo, puedes aumentar el omega-3 comiendo pescado, huevos orgánicos y carne de ganado alimentado con pasto. También puedes complementar con 2000 mg de aceite de pescado.

CONSEJO **El aceite de oliva es saludable.** Aunque técnicamente es un aceite vegetal, el aceite de oliva no es una fuente de ácidos grasos omega-6. En cambio, aporta ácidos grasos monoinsaturados beneficiosos. Elige una marca de calidad, ya que algunas mezclan el aceite de oliva con otros aceites vegetales.

Tema especial: ¿Qué pasa con el café?

La leche y el azúcar en el café pueden ser inflamatorios, pero el café en sí, el café negro y orgánico, no es inflamatorio. De hecho, los polifenoles en el café pueden *reducir* la inflamación,[123] lo que puede ser bueno para la menstruación. Otros beneficios del café: mejora la sensibilidad a la insulina[124] y puede promover el metabolismo o desintoxicación saludable del estrógeno en algunas mujeres.[125] El consumo moderado de café puede incluso reducir el riesgo de cáncer de mama.[126]

Por otro lado, el consumo excesivo de cafeína está ligado a los periodos menstruales intensos,[127] y la cafeína es una droga estimulante. Tomar demasiado café puede provocar ansiedad e insomnio y empeora la disfunción del eje HHA. Tu respuesta a la cafeína depende de tu capacidad genética de metabolizar la cafeína y también de si tomas la píldora, lo cual afecta al metabolismo de la cafeína.[128]

Vegetales antiinflamatorios

Los vegetales reducen la inflamación y lo hacen de diversas formas. En primer lugar, proporcionan nutrientes importantes como la vitamina C, el folato y el magnesio. Las verduras también alimentan a las bacterias del intestino y ofrecen un maravilloso cóctel de fitonutrientes antiinflamatorios.

Los fitonutrientes son químicos naturales de las plantas. Tienen nombres tales como polifenoles, luteína, flavonoides y resveratrol. Hay miles de fitonutrientes y apenas estamos empezando a comprender todas las maneras en las que son beneficiosos para la salud y previenen enfermedades. Por ejemplo, solíamos pensar que los fitonutrientes eran solo antioxidantes. Ahora entendemos que le hablan directamente a nuestras células y ADN. Los fitonutrientes modifican la función y el metabolismo hormonal, *desactivan* los genes pro-inflamatorios y *activan* genes antiinflamatorios y antienvejecimiento.

Los fitonutrientes son una medicina maravillosa. Para aprovechar su poder, come tantas verduras y frutas frescas como puedas. Llena tu nevera cada semana, tu trabajo es comerlas todas.

(CONSEJO) **Tres maneras de llenar tu nevera** con verduras:

1. Programa un viaje semanal al mercado local de verduras.

2. Regístrate en una entrega semanal de una caja de productos.

3. Cultiva tus propios vegetales y hierbas.

Algunos fitonutrientes están disponibles como suplementos. Dos ejemplos incluidos en este libro son el resveratrol y diindolilmetano (DIM).

Fitoestrógenos (estrógenos vegetales)

Los fitoestrógenos son un grupo especial de fitonutrientes. Se llaman fitoestrógenos porque ejercen un efecto débil similar al estrógeno — pero no son estrógeno. Los fitoestrógenos se unen tan débilmente a los receptores de estrógeno que actúan más como *antiestrógenos*. Estos pueden ser beneficiosos para los síntomas de exceso de estrógeno tales como los periodos intensos.

Los fitoestrógenos se encuentran en alimentos vegetales como los frutos secos, semillas, granos enteros y legumbres. En una cantidad moderada, son saludables.[129] En gran cantidad pueden hacer que los periodos menstruales sean más ligeros y a veces incluso suprimir la ovulación. Por favor, lee La historia de Sam en el capítulo 9.

Los fitoestrógenos más conocidos son los lignanos de linaza e isoflavonas de soja.

Soja

Las isoflavonas de soja son fitoestrógenos fuertes o *antiestrógeno*.

En grandes cantidades, las isoflavonas pueden aligerar o detener la menstruación, pero en una *pequeña cantidad* (como las de edamame o tofu) el efecto antiestrogénico de la soja es *beneficioso*. Por ejemplo, puede prevenir el SPM, aligerar la regla y está asociado a un riesgo reducido de cáncer de mama. [130]

Antes de la menopausia, los fitoestrógenos son *antiestrogénicos* porque bloquean el estradiol. Después de la menopausia, son ligeramente *pro* estrogénicos porque hay menos estradiol para bloquear. Por eso isoflavonas y otros fitoestrógenos pueden aliviar los síntomas de la menopausia como los sofocos.

Demasiada soja puede inhibir una enzima llamada peroxidasa tiroidea y afectar la función tiroidea.[131] Es menos probable que eso ocurra si consumes suficiente yodo.

Nútrete

Una buena menstruación requiere buena nutrición. En esta sección, vamos a ver todos los macronutrientes y micronutrientes que tu cuerpo necesita para un ciclo menstrual sano. Los macronutrientes son sustancias que necesitas en cantidades relativamente grandes y deben obtenerse de los alimentos (a diferencia de los micronutrientes, de los cuales necesitas en pequeñas cantidades).

Macronutrientes para la salud del periodo

Los macronutrientes principales son proteína, almidón y grasa. Necesitas un suministro adecuado de los tres macronutrientes cada día.

Proteína

La proteína es esencial para una menstruación sana, ya que proporciona aminoácidos para reparar y mantener tus hormonas, músculos, órganos, sistema nervioso y sistema inmune. Necesitas al menos un gramo de proteína por cada kilogramo de peso corporal ideal. Por ejemplo, si pesas 65 kg (140 libras), entonces necesitas por lo menos 65 g de proteína por día. Eso equivale, por lo menos, a tres porciones de una proteína animal (carne, pescado, huevos, productos lácteos) o seis porciones de una proteína vegetal (lentejas, frutos secos, tofu).

 La proteína en el desayuno es una manera fácil de mejorar la sensibilidad a la insulina, estabilizar el azúcar en la sangre y calmar tu respuesta al estrés o eje HHA.

Hay un par de cosas a considerar si estás consumiendo únicamente proteína vegetal. En primer lugar, necesitarás combinar granos y frijoles para obtener la gama completa de aminoácidos esenciales. También, debes tener en cuenta el contenido de fitoestrógenos en las proteínas vegetales y cómo demasiados fitoestrógenos pueden tener un efecto *antiestrógeno*.

Tema especial: ¿Eres vegana o vegetariana?

Es más fácil estar sana si comes productos animales como carne, huevos, pescado y queso de cabra. Esto se debe a que los alimentos de origen animal son la mejor fuente de proteína, zinc, hierro, colina, yodo, taurina, ácidos grasos omega-3, vitamina A y vitamina K2. Son la *única* fuente de vitamina B12. Los alimentos de origen animal tienen una gran capacidad de saciar, lo que impide comer en exceso y mantiene la insulina baja.

Si te sientes mejor con una dieta vegana, pregúntate si se debe a que estás evitando los lácteos. Como vimos anteriormente en este capítulo, la leche A1 puede causar inflamación e intolerancia a la histamina —ambas un gran problema para periodos. He hablado con más de un exvegano que se dio cuenta de que el problema no era la carne, sino los productos lácteos.

Si prefieres ser vegetariana, te sugiero que comas huevos y productos lácteos no inflamatorios como los de cabra y oveja.

Si prefieres ser vegana, entonces recomiendo suplementar con vitamina B12 y todos o algunos de los siguientes: zinc, hierro, yodo, colina, taurina, vitamina D, vitamina A preformada, vitamina K2, ácidos grasos omega-3 y proteínas. Al elegir un suplemento de proteína vegana, ten en cuenta su contenido en fitoestrógenos y cuida que no suprima tu ovulación.

Almidón

El carbohidrato complejo o almidón tiene muchos beneficios potenciales para la menstruación.

En el lado positivo, el almidón es una buena fuente de energía y ayuda a la función inmune. El almidón también promueve la activación de la hormona tiroidea y calma el sistema nervioso, evitando así el exceso de cortisol. Finalmente, los alimentos que contienen almidón son una fuente de fibra y almidón resistente que alimenta las bacterias del intestino. También, promueven el metabolismo saludable del estrógeno.

En el lado negativo, algunos almidones se encuentran en el trigo, que es un alimento inflamatorio para algunas. Además, *demasiado* almidón puede causar o empeorar la resistencia a la insulina, como se explicó anteriormente.

¿Cuánto almidón es demasiado? Si sigues la dieta de patrón occidental, es probable que estés comiendo cereales para el desayuno, pan para el almuerzo y pasta para la cena. Si añadimos postres y jugos de fruta, esto puede dar como resultado hasta más de 400 g de carbohidratos por día, lo cual es demasiado.

En cambio, debes obtener por lo menos 150 g de hidratos de carbono que, por ejemplo, equivale a una porción de avena, dos patatas (papas), una porción pequeña de arroz y tres piezas de fruta. Elige lo que yo llamo "carbohidratos suaves" como el arroz, la avena, la patata (papa), la patata dulce (camote) o boniato, la pasta sin gluten y la fruta entera, que *no son inflamatorios*. Si puedes tolerar el gluten, entonces también puedes disfrutar un pan de buena calidad.

Sí, el arroz es un carbohidrato suave. Muchas de mis pacientes temen y evitan el arroz porque es un "carbohidrato", pero igual consumen cereales en el desayuno, *muffins* y galletas. El arroz es una opción mejor que cualquiera de esos alimentos.

¿Deberías seguir una dieta baja en hidratos de carbono?

Definitivamente deberías evitar el azúcar, el peor hidrato de carbono. Aparte de eso, también puedes reducir la ingesta de almidón, especialmente si ya tienes resistencia a la insulina o diabetes.[132]

Una forma sencilla de reducir los hidratos de carbono es prepararte un desayuno bajo en carbohidratos con huevos o carne y verduras.

Por favor, piénsalo bien antes de restringir los carbohidratos a menos de 100 g por día. Sí, podría sentarte muy bien a corto plazo, pero probablemente sea porque has dejado de comer trigo, no porque has dejado los carbohidratos. También puede deberse a que has dejado de comer ciertos tipos de hidratos de carbono difíciles de digerir, los FODMAP, mencionados anteriormente. Si tu problema son los FODMAP, entonces un mejor plan es arreglar tu digestión para que puedas integrarlos en tu dieta nuevamente. Analizaremos cómo hacerlo en Salud digestiva el capítulo 11.

Si sigues a largo plazo una dieta baja en carbohidratos, es posible que tengas problemas. Una dieta baja en carbohidratos puede aumentar el cortisol, desacelerar la tiroides,[133] y causar pérdida de cabello, insomnio y estreñimiento. Una dieta baja en carbohidratos también puede causar que en algún momento pierdas tu periodo, ya que las mujeres necesitan carbohidratos para ovular.[134] Algunas necesitan mucho carbohidrato para ovular y otras menos. Si estás en la menopausia, entonces no necesitas ovular, por lo que sería razonable que hicieras una dieta baja en carbohidratos a largo plazo.

En resumen, los efectos adversos potenciales de una dieta baja en carbohidratos incluyen:

- ansiedad
- insomnio
- actividad de tiroides disminuida
- pérdida de pelo
- estreñimiento
- amenorrea (ausencia del periodo)

En general, a los hombres les va mejor en una dieta baja en carbohidratos. ¿Recuerdas Zarah del capítulo 5? A su novio Sam le fue muy bien con una dieta baja en carbohidratos, pero ella perdió su ciclo menstrual.

No es necesario que consumas muchos hidratos de carbono; unos 150 g suelen ser suficientes. Esos sí, el mejor momento para consumirlos es en la cena, así estabilizará el azúcar en la sangre durante la noche y te ayudará a dormir.

Grasa

La grasa y el colesterol son importantes para tu periodo porque son los pilares de tus hormonas esteroides estrógeno y progesterona. Ciertos tipos de grasa, como los ácidos grasos de cadena media y omega-3 que se encuentran en el aceite de coco y el pescado, tienen el beneficio adicional de ser antiinflamatorios.

Saciedad

Necesitas los tres macronutrientes, proteínas, almidón y grasa, para la saciedad. En otras palabras, necesitas estos tres para sentirte llena, satisfecha y feliz con tu cuerpo. Por favor, no subestimes la importancia de esto. Veremos más de cerca la saciedad posteriormente en este capítulo.

También necesitas estos tres macronutrientes para convencer a tu hipotálamo de que está suficientemente nutrido para ovular y menstruar.

Micronutrientes para la salud del periodo

Los micronutrientes son vitaminas y minerales esenciales para la salud del periodo menstrual. Hay docenas de micronutrientes y todos son necesarios, pero, afortunadamente, no es necesario *suplementarlos* a todos. Basta con suplir aquellos que son difíciles de obtener de la alimentación.

Vamos a empezar con el que suelo recomendar más a menudo: el magnesio.

Magnesio: El mineral milagroso para la menstruación

Prescribo el magnesio para casi todas los pacientes y para casi todos los problemas del periodo. Como descubrirás en los capítulos sucesivos, el magnesio es mi tratamiento de primera línea para el SOP (capítulo 7), el SPM (capítulo 8) y el dolor menstrual (capítulo 9). Me gusta mucho el magnesio porque da resultados rápidos. Mis pacientes suelen sentirse mejor casi inmediatamente después de comenzar con la suplementación de magnesio.

Las fuentes de alimento que contienen magnesio incluyen frutos secos, semillas y verduras de hojas verdes. Para la mayoría, este suministro de alimentos no es suficiente. ¿Por qué? Porque vives en el mundo moderno y el mundo moderno es estresante. El estrés hace que tu cuerpo deseche el magnesio, lo que supone una valiosa pérdida ya que es durante el estrés cuando más necesitas un mineral tan maravilloso y calmante. Parece ilógico, pero tu cuerpo tiene un plan. Al desechar activamente el magnesio, tu cuerpo acelera el sistema nervioso y eso te ayuda a lidiar con cualquier situación de estrés que estés experimentando. En un estilo de vida tradicional, menos estresante, este desperdicio de magnesio no habría sido un problema. Experimentarías un estrés agudo pero luego tendrías días para recuperar el magnesio consumiendo vegetales de hojas verdes.

En el mundo moderno, cambias de una situación estresante a otra. Tu cuerpo desecha magnesio una y otra vez y el consumo de vegetales verdes no es suficiente para reponerlo. Además de eso, te enfrentas a toxinas ambientales que agotan tu magnesio.

Cómo funciona: el magnesio alivia y calma el sistema nervioso y ayuda a conciliar el sueño. El eje HHA se regula y mejora la función de la insulina y la hormona de tiroides. Por último, el magnesio es antiinflamatorio y promueve el metabolismo saludable del estrógeno.[135] Por todos estos motivos, el magnesio es mi suplemento #1 para la salud del periodo.

Qué más necesitas saber: tal vez te preguntes si puedes hacerte un análisis de magnesio para confirmar si tienes deficiencia. La respuesta es no. La mayor parte de tu magnesio está *dentro* de las células, así que no puede ser detectado en un examen de suero, orina o pelo. Una prueba de magnesio en glóbulos rojos es un poco mejor pero, en realidad, no hay motivos para examinar el magnesio. Si vives en el mundo moderno, necesitas magnesio. Es así de simple y es más fácil probar a tomarlo y ver cómo te sientes.

A menos que tengas alguna enfermedad del riñón, es seguro consumir el magnesio a largo plazo. Algunas formas de magnesio (como el cloruro de magnesio) causan diarrea, pero formas más suaves como el quelato de magnesio (glicinato de magnesio) suelen ir bien. Te recomiendo 300 mg justo después de las comidas.

 ## Amy: Magnesio al rescate

Amy estaba sufriendo de SPM intenso.

—Estoy irritable durante los diez días anteriores a mi periodo menstrual —me dijo— y necesito chocolate para sobrevivir a la tarde.

A pesar de ello, su salud era bastante buena, lo cual me sorprendió teniendo en cuenta lo ocupada que estaba. Ella trabajaba diez horas diarias para una concurrida firma de abogados y llegaba tarde a casa casi todas las noches, con el tiempo justo para comer, dormir y hacer todo de nuevo.

—Quizás necesito la medicina herbaria *Vitex* —dijo Amy—. He escuchado que es buena para el SPM.

—Creo que necesitas algo más fuerte —le respondí—. Tu cuerpo está bajo mucha presión por tus largas jornadas de trabajo.

Le receté un comprimido que contiene 150 mg de glicinato de magnesio y 35 mg de vitamina B6, y le sugerí que tomara dos por día. También le recomendé un audio de meditación de 15 minutos para hacer al mediodía.

—Vamos a esperar un ciclo —sugerí—. Y luego hablaremos de *Vitex*.

Ví a Amy después de su siguiente periodo y estimó que su irritabilidad premenstrual ya había mejorado como en un 60%. También había notado que sus antojos de azúcar mejoraron a los pocos días de empezar a tomar magnesio.

Continuamos trabajando en algunas cosas. Por ejemplo, Amy quitó el azúcar y los productos lácteos de su dieta. En lugar de chocolate con leche, cambió a chocolate negro (85% de cacao). También tomó *Vitex* durante unos meses, lo cual mejoró su SPM aún más. De todo lo que Amy probó, el magnesio más la vitamina B6 tuvo el efecto más drástico en su SPM.

La historia de Amy muestra el poder del magnesio para estabilizar el eje HHA. También es especialmente útil para el síndrome premenstrual, como veremos en el capítulo 8.

Los otros micronutrientes que prescribo a menudo son el zinc, la vitamina D y el yodo. Echemos un vistazo.

Zinc

El **zinc** es una pieza *clave* en la salud del periodo. Por ejemplo, se ha demostrado que la deficiencia de zinc juega un papel en la irregularidad menstrual, la aparición de vello facial, el SPM y el dolor menstrual. Solamente después del magnesio, el zinc es el segundo suplemento que prescribo más a menudo para los problemas del periodo.

Cómo funciona: el zinc es antiinflamatorio[136] y regula la respuesta al estrés o eje HHA.[137] También nutre los folículos ováricos para promover la progesterona y la ovulación saludable. Por último, es esencial para la síntesis, transporte y funcionamiento de *todas* las hormonas incluyendo la hormona tiroidea, además de ser un bloqueador natural de andrógenos. [138]

Qué más necesitas saber: los productos de origen animal, particularmente la carne roja, son la mejor fuente de zinc. Si eres vegetariana, es probable que tengas deficiencia. Además, tu cuerpo no puede almacenar zinc, por lo que necesitas una pequeña cantidad cada día. Tu médico puede examinar el zinc con un análisis de sangre. Si tienes deficiencia, considera tomar 30 mg de citrato de zinc o picolinato de zinc directamente después comer. No tomes zinc con el estómago vacío o podría causarte náuseas.

Vitamina D

La vitamina D no es como otras vitaminas. Es una hormona esteroide que regula más de 200 genes diferentes en tu cuerpo. Es esencial para la sensibilidad a la insulina y la ovulación saludable, lo que evidencia lo importante que puede ser para el periodo menstrual corregir una deficiencia de vitamina D.

Cómo funciona: la vitamina D te ayuda a absorber el calcio y depositarlo en los huesos, pero eso es solo la punta del iceberg. También es un potente regulador de la función inmunológica y hormonal.

Qué más necesitas saber: normalmente sintetizas la vitamina D de un precursor del colesterol cuando la piel se expone a la luz UV (luz solar). Varias cosas pueden interferir en la síntesis de la vitamina D, incluyendo la obesidad, la inflamación crónica y la deficiencia de magnesio. Tu médica puede analizar la 25-hidroxivitamina D y comprobar que el nivel de sangre esté entre 30 y 50 ng/mL (75 y 125 nmol/L). Si tienes deficiencia, considera tomar 2000 UI después de la comida. Algunas fuentes alimentarias de vitamina D incluyen yemas de huevo y caballa, pero es difícil conseguir la cantidad necesaria de los alimentos.

Yodo

El yodo es uno de los tratamientos más importantes para los síntomas del exceso de estrógeno, como el dolor mamario, dolor en la ovulación, quistes ováricos y SPM. Puede que estés pensando que los beneficios del yodo vienen indirectamente de su papel en la hormona tiroidea, pero este no es el caso. El yodo es esencial para la tiroides, sí, pero también tiene efectos directos tanto en la ovulación como en el estrógeno.

Cómo funciona: el yodo promueve el metabolismo o la desintoxicación saludable del estrógeno y también hace que las células *sean menos sensibles* al estrógeno.[139] Los ovarios necesitan una gran cantidad de yodo[140] para estabilizar los receptores del estrógeno y promover una progresión suave y saludable hacia la ovulación.

Qué más necesitas saber: no hay ningún asunto en medicina natural más controvertido que la dosificación del yodo. Por un lado, la medicina convencional es conservadora. La dosis diaria recomendada de yodo es de 150 mcg (0,15 mg) con un máximo de ingesta tolerable de 1.100 mcg (1,1mg). Las expertas en tiroides advierten que más de 500 mcg (0,5 mg) de dosis pueden desencadenar la enfermedad de tiroides autoinmune y que las dosis mayores de 225 mcg (0,25 mg) no son seguras para mujeres embarazadas.[141]

Por otra parte, algunas médicas naturistas recomiendan megadosis de hasta 50 000 mcg (50 mg) que es 100 veces (10.000%) más de lo que tu médica considerará seguro.

Estoy de acuerdo con que la dosis diaria recomendada de 150 mcg es demasiado baja. Es suficiente para prevenir el bocio (tiroides agrandada), pero no es suficiente para la salud de los ovarios y las mamas. Al mismo tiempo, *no* pienso que la megadosificación sea segura. Demasiado yodo puede empeorar el acné y puede también suprimir la función de la tiroides y accionar la enfermedad de tiroides autoinmune.[142] Incluso los japoneses, que son los mayores consumidores de yodo del mundo, no consumen más de 5280 mcg (5,2 mg) por día.

Análisis de yodo

El análisis más importante antes de tomar yodo es un análisis de autoinmunidad de la tiroides o "anticuerpos de la tiroides", un tema a revisar en el capítulo 11. Si tienes una enfermedad tiroidea autoinmune, debes mantener una dosis baja o evitar el yodo por completo. Hay un análisis de orina para el yodo, pero no es fiable. Si tu médica te pide el análisis de orina, puedes mejorar su precisión si lo haces por la mañana y evitas suplementos que contengan yodo, alimentos, o medicación de la tiroides durante 24 horas antes del análisis. También hay algo llamado *análisis del desafío del yodo*, pero no lo recomiendo porque implica tomar de una sola vez una dosis grande de 50 000 mcg (50 mg) de yodo.

 La sensibilidad mamaria puede ser un signo de deficiencia de yodo. Personalmente, me parece más útil que cualquier análisis de laboratorio.

Cuando prescribo yodo, generalmente doy un mínimo de 250 mcg (0,25 mg) en forma de yoduro de potasio (KI) o yodo molecular (I2). Comparado con el KI, el I2 se absorbe más lentamente en la tiroides y más rápidamente en el tejido mamario.[143] Eso hace que sea más seguro para la tiroides y mejor para el dolor mamario. Los productos conocidos como la solución de Lugol (que *no* recomiendo) proporcionan una combinación de dosis altas de I2 y yoduro de potasio.

Siempre prescribo yodo junto con selenio que protege la tiroides. También puedes obtener yodo de los siguientes alimentos:

- sal yodada (400 mcg por cucharadita)
- mariscos (10 - 190 mcg por 100 g)
- mantequilla de ganado alimentado con pasto
- alimentos vegetales como hongos y verduras de hojas verdes, pero solo si están cultivadas en suelos ricos en yodo

Las algas también contienen yodo, pero no las recomiendo como fuente de yodo porque contienen bromo, que impide la absorción de yodo.

La mejor dieta

Pacientes y lectores siempre me preguntan: ¿Cuál es la mejor dieta? ¿Qué debo comer exactamente?

Lo más importante: la mejor dieta es aquella que proporciona una fuente adecuada de macro y microalimentos, y una que no sea inflamatoria para ti. Mientras tenga esas dos cosas, te darás cuenta de que tienes una cantidad sorprendente de espacio para maniobrar en relación a qué comer exactamente.

Debes quedar satisfecha

Te recomiendo que hagas comidas completas y sustanciosas y que te sientas bien haciéndolo. Solamente haciendo comidas completas tendrás sensación de saciedad. Mi consejo es que la cena es el momento más importante para comer una comida completa, porque es cuando solemos tener más hambre.

Evita picar entre horas

La saciedad te hace sentir bien y ayuda a evitar el picoteo. En general, el picoteo es algo que deberías reducir al mínimo. Cada vez que comes, realizas un intercambio que tiene sus pros y sus contras.

Pros: la comida te brinda los macro y micronutrientes que necesitas. Los alimentos (especialmente el almidón) también calman el sistema nervioso y regulan el cortisol, por lo que te sientes menos estresada.

Contras: la comida aumenta la insulina y produce inflamación. Algunos alimentos son más inflamatorios que otros, pero todos son un *poco* inflamatorios. Por esta razón, recomiendo que comas contundentemente, pero con *menor* frecuencia.

En general, recomiendo tres comidas sólidas al día y nada de picoteo. No es una regla inflexible. Si estás estresada o no has dormido bien y necesitas comer algo, por favor, hazlo. A medida que tu salud mejora, debería ser cada vez más fácil dejar de picotear.

Ventana de alimentación de 8 horas

Una manera de reducir el picoteo es restringir las comidas a ventanas de alimentación de unas ocho o diez horas.

Su funcionamiento consiste en hacer una cena normal a las 6 o 7 pm. Asegúrate de comer los tres macronutrientes (proteínas, almidón y grasa) en esa comida o tendrás mucha hambre para ayunar durante la noche. Después de la cena, puedes tomar bebidas sin endulzar —pero sin comida— hasta aproximadamente las 9 de la mañana siguiente.

Una ventana de ayuno es un tipo leve de *ayuno intermitente* y se ha demostrado que reduce la inflamación[144] y revierte la resistencia a la insulina.[145] La investigación también ha indicado que el ayuno intermitente también puede ayudar a prevenir la recurrencia del cáncer de mama.[146]

Es obvio que tendrás hambre durante la ventana de alimentación, así que tómate la licencia de comer lo que necesites en forma de comidas nutritivas y abundantes. Una ventana de alimentación *no* es una dieta restringida en calorías.

No tengas miedo a tener hambre ni a la comida.

La forma en que nuestra cultura popular retrata las dietas y la falta de apetito como un rasgo deseable en las mujeres me resulta perturbador. Por ejemplo, que un hombre tenga buen apetito es un signo de virilidad y fuerza. Que una mujer tenga buen apetito implica cierto defecto en el carácter. Escuchamos cosas como: "ella come como un pajarito" y se supone como algo bueno. Rechazo esa idea. Tener hambre es normal, natural y saludable. El hambre es la manera en la que el cuerpo obtiene la nutrición necesaria para un periodo sano. No luches contra tu apetito. En cambio, *hónralo* dándole a tu cuerpo comidas abundantes y satisfactorias.

Tema especial: ¿Tienes un trastorno alimentario?

Los trastornos alimentarios como la anorexia, la bulimia y los atracones tienen un profundo efecto sobre la salud del periodo menstrual. Un trastorno alimentario se define como una serie de emociones, actitudes y comportamientos extremos hacia el peso y la comida.

Los trastornos alimentarios son desórdenes complejos con un diverso conjunto de causas que incluyen factores físicos, emocionales y sociales. Su diagnóstico y tratamiento va más allá del alcance de este libro. Si piensas que puedes tener un trastorno alimentario, debes saber que no eres la única. Sé amable contigo misma y busca ayuda profesional. Consulta la sección de trastornos alimentarios en el apartado "Recursos".

Me gustaría comentar un posible obstáculo inherente a la modificación de la dieta con fines saludables. Cuando elimines los alimentos inflamatorios de tu dieta te darás cuenta de lo bien que te sientes. Eso es genial y debes alegrarte por tus resultados. No obstante, no es necesario que veas esos alimentos como *peligrosos*. Por favor, no caigas en la trampa de ser demasiado rígida o temerosa con lo que comes. Eso puede llevarte a una espiral descendente de escasa alimentación, miedo a salir a comer o a visitar amigos.

Si empiezas a sentir ansiedad o dejas de tener la regla, pregúntate; ¿estoy comiendo lo suficiente?
Para obtener más información sobre alimentación escasa, consulta la sección sobre "Amenorrea hipotalámica" en el siguiente capítulo.

Te propongo que seas flexible y feliz cuando comes. Tu cuerpo es más fuerte de lo que piensas. Mientras elijas alimentos reales, sin procesar, puedes ser bastante flexible. No debes tenerle miedo al picoteo o comida ocasional que no se adapte a una dieta particular. Y no debes castigarte si te decantas por alimentos no saludables de vez en cuando. Mientras recuperas tu salud, particularmente después de dejar el azúcar, deberías notar que tus antojos disminuyen y cada vez es más fácil elegir, o más bien *preferir*, alimentos sanos y antiinflamatorios.

Si tienes un problema serio con el gluten, evidentemente, debes evitarlo de forma definitiva. Por suerte, cada vez más restaurantes ofrecen opciones libres de gluten.

Tu dieta no tiene que tener un nombre

Dieta mediterránea, dieta Paleo, dieta de alimentos integrales. ¿Qué tienen en común? Todas ellas contienen menos alimentos inflamatorios que el patrón de dieta estándar occidental. Así, todas son una buena opción para probar. Pueden orientarte en tu elección de mejor dieta pero no tienes que adherirte rígidamente a ninguna de ellas.

Al planificar tu menú, empieza por reducir los alimentos que son inflamatorios para ti. Luego busca alimentos que proporcionen los macronutrientes necesarios, que te resulten placenteros y saciantes.

Ideas para el menú

¿Qué hay de los alimentos específicos? ¿Cómo debería ser exactamente tu menú?

Todo depende de lo que te guste. Te invito a dar un homenaje a tu apetito. Por ejemplo, puede ser que disfrutes de cocinar un desayuno contundente o quizás prefieras algo sencillo como unas sardinas en pan tostado. Tu apetito cambiará según tus niveles de actividad, sueño y estrés. Es natural desear alimentos diferentes en momentos diferentes.

Para inspirarte, aquí tienes ideas de menú que yo misma consumo y recomiendo a las pacientes.

Desayuno:

- Huevos con hongos fritos en mantequilla, acompañado de aguacate y tomate. Café negro sin azúcar o café con leche de coco o leche entera de Jersey.
- Pan sin gluten con sardinas o queso de cabra suave. Fruta

fresca. Té.
- Frutas frescas con granola sin azúcar y yogur de oveja.

 Necesitas *proteína* en el desayuno. Puede ser carne, huevos, pescado, queso, frutos secos o yogur sin azúcar.

Almuerzo:

- Una gran ensalada verde con remolacha rallada, queso de cabra y salmón ahumado. Aderezo de aceite de oliva. Pan sin gluten. Agua mineral con gas. Dos onzas de chocolate negro.
- Arroz con una latita de salmón y brócoli al vapor con aceite de oliva.
- Sobras de cena anterior.

Cena:

- Salsa de carne boloñesa con pasta sin gluten. Habas verdes con mantequilla. Una mandarina.
- Chuletas de cordero con patatas cocidas y una ensalada verde. Agua mineral con gas. Dos onzas de chocolate negro. Dos ciruelas.
- Lentejas y arroz integral con brócoli y yogur de oveja. Bayas congeladas y crema de coco para el postre.

Estas son solamente ideas. Estoy segura de que puedes elaborar muchas más.

Mis ideas son opciones libres de trigo y libres de lácteos para quienes necesiten evitar esos alimentos inflamatorios. Si tienes la suerte de no ser sensible al trigo o a los lácteos, entonces puedes ampliar tu menú e incluir queso, pan y pasta.

A lo largo del libro, exploraremos cambios en la dieta para problemas específicos del periodo menstrual.

Capítulo 7

➤━━━━━→

RECUPERANDO EL PERIODO MENSTRUAL REGULAR

¿No te viene la regla? Tal vez no te haya venido desde que dejaste la píldora anticonceptiva. Has llegado a la sección de tratamientos para este problema.

¿Por qué es importante?

¿Ausencia del periodo? Puede que tu médica te haya recomendado tomar la píldora y no preocuparte hasta que estés lista para tener un bebé. Por ahora, esta opción te proporcionará un sangrado artificial inducido por fármacos y, más adelante, tendrás la opción de tomar un medicamento para la fertilidad siempre que quieras.

Como bien sabes, eso no es bueno. Quieres una menstruación real y un periodo regular. Según el Colegio de Obstetras y Ginecólogos de Estados Unidos,[147] un periodo regular es *un signo vital* de la salud. Según mi opinión, es un indicador fundamental de tu boletín mensual.

Un periodo regular también es una buena señal de que ovulas. Si vas más allá y realizas un seguimiento de tu temperatura para *confirmar* que ovulas, entonces sabes que todo está bien con tu salud subyacente y tu metabolismo.

Y recuerda que *quieres* ovular. Es tu manera de producir las fantásticas hormonas estradiol y progesterona y de recibir sus muchos beneficios para el estado de ánimo, metabolismo, cabello y salud ósea.

> "Los ciclos ovulatorios son tanto indicadores como creadores de buena salud".[148]
>
> *Dra. Jerilynn Prior*

Vamos a verlo mejor.

Estado de ánimo saludable

Juntos, el estrógeno y la progesterona son el yin y el yang perfecto para el estado de ánimo. El estradiol te levanta el ánimo al aumentar la serotonina, la oxitocina y la dopamina. La progesterona te calma al actuar como GABA en el cerebro.

Metabolismo saludable y peso corporal

Juntos, el estrógeno y la progesterona ayudan a mantener un metabolismo y un peso corporal saludables. El estradiol mejora la sensibilidad a la insulina y, por lo tanto, ayuda a prevenir la resistencia a la insulina.[149] La progesterona aumenta la producción de la hormona tiroidea, aumentando así tu índice metabólico.

Cabello sano

Juntos, el estrógeno y la progesterona son muy, muy buenos para el cabello.

Si tienes ciclos irregulares, no producirás suficientes hormonas y eso puede provocar la caída del cabello, especialmente si también tienes exceso de testosterona debido al SOP, lo que se explica más adelante en este capítulo.

Las hormonas sintéticas de la píldora no son una solución para la pérdida del cabello y, como vimos en el capítulo 2, pueden ser en realidad las verdaderas *causantes*.

Huesos sanos

Finalmente, el estrógeno y la progesterona son esenciales para la salud de los huesos. Si no has tenido la menstruación durante más de tres meses, estás aumentando poco a poco el riesgo de por vida de osteoporosis. Puedes haber oído que la píldora ofrece "protección para los huesos". Desafortunadamente, no hay una evidencia clara de que la píldora haga algo por tus huesos.[150] La mejor solución para tus huesos es restablecer la ovulación regular y producir estradiol y progesterona.

¿Qué tan regulares necesitan ser tus ciclos?

No tienes que tener un ciclo perfecto de 28 días. Diferentes mujeres tienen diferentes cuerpos y diferentes ciclos, y está bien. Cuenta tu ciclo desde el primer día de sangrado intenso (día 1). Debe oscilar entre los 21 y los 35 días, que son los valores normales que indican que has ovulado, que es lo importante. Como comentamos en la sección "Signos físicos de la ovulación" del capítulo 3, puedes confirmar la ovulación mediante el seguimiento de tu temperatura corporal o con un análisis de sangre que mida tu progesterona.

Si tus ciclos menstruales duran más de 35 días o menos de 21 días, entonces puede que no estés ovulando todos los ciclos o *ninguno*.

Ciclos anovulatorios

Si tus ciclos oscilan entre 21 y 35 días, probablemente estés ovulando, pero podría ser que no. Recuerda que puedes sangrar sin haber ovulado nunca, lo que es un ciclo anovulatorio. Es normal tener un ciclo anovulatorio ocasional,[151] pero si los tienes regularmente, podría ser un signo de que estás bajo estrés, no te alimentas lo suficiente o tienes el SOP.

Desde la perspectiva hormonal, los ciclos anovulatorios son casi tan problemáticos como no tener ciclos en absoluto. Este es el capítulo de tratamiento para ciclos irregulares, ciclos anovulatorios y ausencia de ciclos.

Trabajar para llegar a un diagnóstico

El ciclo irregular ocasional probablemente no sea nada de qué preocuparse. La "interrupción menstrual" temporal es común en casos de enfermedad, estrés o por la dieta, especialmente si todavía estás al comienzo de tus veinte años y no se ha establecido tu ovulación regular. El periodo debería regularizarse de nuevo cuando tu vida vuelva a la normalidad.

Si tienes constantemente ausencia de periodos menstruales (o si nunca has tenido uno), tu punto de partida es el consultorio de tu médica.

Para ayudarte con el proceso de diagnóstico, he proporcionado una lista de preguntas en la sección "Cómo hablar con tu médica" en el capítulo 11. Probablemente, tu médica pedirá análisis de sangre para trabajar en las siguientes posibilidades.

¿Estás embarazada?

Como vimos en la sección "Periodos irregulares" del capítulo 5, el primer paso es descartar un embarazo. Esta posibilidad sería evidente si tienes periodos regulares y ahora se han detenido. Pero tal vez no pienses en un embarazo si no has tenido la menstruación por un tiempo largo o si estás acostumbrada a ser irregular. Recuerda: la ovulación viene primero y el periodo viene después. Si quedas embarazada la primera vez que ovulas, no tendrás el periodo. En caso de duda, hazte una prueba de embarazo o visita a tu médica.

¿Eres adolescente?

Si apenas han comenzado tus ciclos menstruales, es normal que duren 45 días. Deberían reducirse al normal de 21 a 35 días después de algunos años. Si no, puedes tener el SOP, analizado más adelante en este capítulo.

¿Estás en la perimenopausia?

Es normal que los ciclos primero se acorten y luego sean menos regulares a tus cuarenta años. Esto ocurre porque tienes más estrógenos y más de la hormona FSH. El resultado es que ovulas antes de lo usual en el ciclo o no ovulas en absoluto. Si no ovulas, no puedes producir progesterona y eso puede causar síntomas perimenopáusicos, ansiedad, insomnio y periodos intensos. Para obtener más información e ideas de tratamiento, consulta el capítulo 10.

¿Estás amamantando?

Echemos un vistazo rápido a la lactancia materna. La lactancia materna suprime la menstruación porque estimula la glándula pituitaria para producir una hormona llamada prolactina, que impide la ovulación. La prolactina debe bajar dentro de los tres meses después de dejar de amamantar, pero a veces puede permanecer alta. La prolactina también puede elevarse ligeramente por la enfermedad de la tiroides y el estrés. Exploraremos razones diferentes de prolactina elevada al final de este capítulo.

---

prolactina

La prolactina es una hormona pituitaria que estimula el desarrollo de las mamas y la leche materna. Suprime el ciclo normal y la ovulación.

¿Tienes una condición médica?

Después de descartar el embarazo, la menopausia y la lactancia materna, tu médica debe examinarte para descartar algunas de las muchas afecciones médicas subyacentes que causan irregularidad o ausencia de la menstruación. Una de las afecciones más comunes de la interrupción del periodo es la enfermedad de la tiroides.

Si tu médica no te ha detectado la enfermedad de la tiroides, pídele que te examine y no aceptes la respuesta vaga de que es "normal". En su lugar, observa tu resultado y compáralo con lo que describo como normal en la sección "Enfermedad de la tiroides" del capítulo 11.

Si la enfermedad de tiroides u otra dolencia es la causa de tu menstruación irregular o ausente, entonces necesitas tratamiento específico para esa condición. Los tratamientos que se exponen en este capítulo no te ayudarán.

¿Es la medicación?

Si tomas algún tipo de medicación, pregúntale a tu médica si eso podría estar causando que tus periodos sean irregulares. Los disruptores comunes de la menstruación incluyen medicamentos psiquiátricos fuertes como los antipsicóticos, anticonvulsivos y algunos medicamentos para la presión arterial. Si tu medicación es la causa de tus periodos irregulares o ausentes, consulta a tu médica sobre una posible alternativa.

¿Te alimentas lo suficiente?

La poca alimentación es una razón común de ausencia de la menstruación. Básicamente, poca alimentación significa escasez de alimentos en general o muy pocos hidratos de carbono en particular. Por favor, consulta la sección "Comer mejor" más adelante en este capítulo.

¿Eres vegetariana?

Puedes ser vegetariana y tener periodos menstruales sanos. No obstante, si no tienes la regla y no sabes porqué, entonces al menos deberías plantearte si la dieta vegetariana podría ser un factor.

Hay dos maneras en las que una dieta vegetariana puede causar amenorrea o periodos irregulares. En primer lugar, puede causar deficiencia de zinc, que es fácil de examinar y corregir. En segundo lugar, puede contener demasiados fitoestrógenos tales como la soja y las legumbres, lo que puede suprimir la ovulación. La solución es cambiar a proteínas vegetales *sin* fitoestrógenos tales como el queso de cabra y los huevos.

Los fitoestrógenos también pueden causar periodos ligeros, lo cual no es malo. Hablaremos La historia de Sam de los periodos ligeros en el capítulo 9.

¿Tienes un desequilibrio hormonal?

Una vez que se hayan descartado todas esas posibilidades, tu médica tratará de buscar si existe un posible desequilibrio en tus hormonas femeninas. Pedirá un análisis de sangre y posiblemente una ecografía de pelvis y, con esos resultados, debería ser capaz de ofrecerte un diagnóstico. Muy probablemente, será el SOP o la amenorrea hipotalámica (AH).

Genial, — estarás pensando — por fin tienes un diagnóstico. Lamentablemente, los problemas no han terminado. ¿Cuál es tu tratamiento? Tu médica probablemente te recomendará la píldora para cualquier afección, que es el mismo tratamiento que te habría ofrecido antes del diagnóstico. Si tienes suerte, puede que te recomiende metformina para el SOP, que es un fármaco para la diabetes. Es una opción algo mejor, pero todavía no es una solución completa.

Si buscas tratamientos naturales, puede que te sientas abrumada. Hay cientos de tratamientos naturales elaborados para el SOP y los periodos irregulares. ¿Cómo demonios seleccionas uno que sea adecuado para ti?

Es hora de profundizar. Observa más allá del mero término SOP o AH. ¿Qué está impulsando el SOP? ¿Por qué no ovulas?

Se llama *diagnóstico profundo* y este capítulo es tu guía.

Síndrome del ovario poliquístico (SOP)

El SOP es un diagnóstico común que afecta hasta un 10% de las mujeres. Se define mejor como *un grupo de síntomas* relacionados con la anovulación (falta de ovulación) y un nivel alto de andrógenos u hormonas masculinas. Los síntomas principales del SOP son los periodos irregulares, específicamente tardíos o con demasiados días de sangrado. Los periodos irregulares son típicos de los ciclos anovulatorios.

Otros síntomas del SOP incluyen la aparición de vello facial y corporal excesivo (hirsutismo), acné, caída del cabello, aumento de peso e infertilidad.

---

hirsutismo

El hirsutismo es el crecimiento excesivo de vello en rostro y cuerpo. Algo de vello en el labio superior es normal y no se considera hirsutismo. El verdadero hirsutismo refleja un exceso de vello en la barbilla, las mejillas, el vientre y alrededor de los pezones.

El SOP es esencialmente un problema de la ovulación que consiste en una sobreproducción de andrógenos (hormonas masculinas) como la testosterona.

Tema especial: Andrógenos

Los andrógenos son hormonas masculinas, como la testosterona, la androstenediona y el DHEA-S. Es normal tener *unos pocos* andrógenos. Son necesarios para tu estado de ánimo, la libido y la salud de los huesos. Sin embargo, demasiados andrógenos causan acné, caída del cabello e hirsutismo.

Además de los síntomas problemáticos de la menstruación irregular (aumento de peso y vello facial), el SOP se asocia con un riesgo a largo plazo de diabetes y enfermedades del corazón. En ese sentido, el SOP es mucho más que un problema del periodo menstrual. Es una condición hormonal de todo el cuerpo que puede durar toda la vida.

Diagnóstico del SOP

Si te han diagnosticado el SOP, tu primera pregunta debería ser; "¿Cómo fue diagnosticado?"

El SOP no se puede diagnosticar a través de una ecografía.

¿Sorprendida? El síndrome del ovario poliquístico debe su nombre a la forma en que los ovarios se ven en una ecografía. Naturalmente, puede que pienses que la apariencia poliquística es un rasgo esencial del síndrome. Sin embargo, estarías equivocada.

En parte, la confusión viene de la palabra "quiste". Como vimos en el capítulo 5, los ovarios normales están llenos de folículos ováricos y estos folículos son esencialmente pequeños "quistes" normales. Cada mes, estos quistes crecen, estallan y se reabsorben.

Si progresas hacia la ovulación adecuadamente, tus ovarios tendrán hasta 12 folículos en desarrollo, si eres adulta, y hasta 25 folículos si eres adolescente. Uno de esos folículos se convertirá en el dominante, haciéndose más grande que los otros y suprimiendo a los demás durante el resto de ese ciclo.

Si no avanzas hacia la ovulación (como ocurre con el SOP), entonces no se formará un folículo dominante ni suprimirá a los demás folículos. En cambio, los otros folículos van a seguir creciendo solo un poco, y acabarás con muchos folículos pequeños sin desarrollar, los cuales ya pueden llamarse "quistes". Esto es lo que se ve en la ecografía. *Poliquístico* proviene de *poli* (que significa múltiples) y *quístico* (que se refiere a los folículos). Significa *folículos múltiples*.

El problema fue que no ovulaste, lo que produjo un número de folículos mayor de lo normal, por lo menos durante ese mes. No hay ningún motivo para pensar que tus ovarios se verán siempre de esa manera. Los ovarios son dinámicos y *cambian*. Cada mes, los ovarios producen folículos nuevos y, cada mes, los reabsorben de nuevo. Es por eso que los ovarios se ven diferentes en una ecografía dependiendo del mes. La aparición de ovarios poliquísticos significa simplemente que no ovulaste *ese mes*. No explica *por qué* no ovulaste ni predice si ovularás en el futuro.

Los ovarios poliquísticos pueden ocurrir con el SOP pero no son *específicos* de esta afección. También aparecen en otras situaciones, como tomando la píldora o incluso en mujeres sanas. Por ejemplo, un estudio encontró que las mujeres sanas tienen ovarios poliquísticos en alrededor de un *25% de sus ciclos*.[152]

Y esto es importante: los ovarios poliquísticos *no causan dolor* como otros tipos de quistes ováricos grandes (ver capítulo 9). Si el dolor es el síntoma principal, entonces está sucediendo algo más.

Tema especial: Los ovarios poliquísticos son normales en las adolescentes

Como adolescente, tienes más folículos ováricos que las mujeres mayores. De hecho, puedes tener hasta 25 folículos en cada ovario, lo que sigue siendo "normal".[153]

Asimismo, como adolescente, tienes ciclos más prolongados que las mujeres mayores. Tus ciclos pueden ser de hasta 45 días durante algunos años antes de que se acorten a los 21 a 35 días normales.

Los ciclos irregulares, los ovarios poliquísticos e incluso la resistencia a la insulina leve (explicada más adelante en el capítulo) son todas *normales* y saludables durante la pubertad. Esos síntomas se consideran anormales solo si continúan después de los primeros años de la menstruación.

Entonces, si el SOP no se puede diagnosticar a través de una ecografía, ¿cómo puede detectarse? De manera muy subjetiva.

No hay ningún análisis definitivo para el SOP porque no es una enfermedad bien definida, sino más bien un grupo de síntomas. Esos síntomas se han definido según varios conjuntos de criterios diagnósticos.

Criterios de la Sociedad de Exceso de Andrógenos y SOP

La Sociedad de Exceso de Andrógenos y SOP (AES SOP) establece que una mujer reúne los requisitos del diagnóstico del SOP cuando cumple con *los tres* criterios siguientes:[154]

- disfunción ovárica y/u ovarios poliquísticos
- hiperandrogenismo clínico y/o bioquímico
- exclusión de otras condiciones que puedan provocar hiperandrogenismo

Dicho de forma sencilla, debes reunir las tres características siguientes para que te diagnostiquen SOP:

- periodos irregulares *u* ovarios poliquísticos en una ecografía
- niveles altos de andrógenos en un análisis de sangre *o* síntomas de exceso de andrógenos como el hirsutismo
- haber descartado otros motivos de andrógenos altos.

Me gustan los criterios AES-SOP porque inciden en los dos aspectos principales de esta condición: no ovular regularmente y exceso de andrógenos.

Criterios de Rotterdam

Los criterios de Rotterdam son un conjunto más amplio y más flexible de criterios. Estos estipulan que una mujer es apta para el diagnóstico del SOP cuando cumple con sólo dos de los tres criterios a continuación:

- oligoovulación o anovulación
- hiperandrogenismo clínico y/o bioquímico
- ovarios poliquísticos en una ecografía

Más la exclusión de otras condiciones que pudieran generar exceso de andrógenos.

En términos simples, podrían diagnosticarte el SOP si tienes periodos irregulares y exceso de andrógenos o si tienes ovarios poliquísticos y exceso de andrógenos, lo cual tiene sentido. También podrían diagnosticarte el SOP si tienes solamente reglas irregulares y ovarios poliquísticos, pero *no* exceso de andrógenos. Esta última posibilidad, sin embargo, no tiene sentido porque, como hemos visto, tus periodos irregulares podrían deberse a muchas razones diferentes y el hallazgo de ovarios poliquísticos en una ecografía no revela nada.

Bajo los criterios de Rotterdam, podrían diagnosticarte el SOP sin tener altos niveles de andrógenos y, por ende, *no tener la condición*. Si te diagnostican SOP sin tenerlo, te pueden someter a una gran cantidad de tratamientos y preocupaciones innecesarios, como se describe en un estudio reciente titulado "¿Las definiciones en expansión de enfermedades están catalogando innecesariamente a las mujeres con el síndrome del ovario poliquístico?"[155]

Con diferencia, prefiero los criterios del AES-SOP a los criterios de Rotterdam porque aquellos reconocen que el SOP es, por definición, una afección que implica un exceso de andrógenos. Y en cuanto a lo que muestra una ecografía, la AES-SOP tiene algo que decir al respecto:

"El hallazgo de morfología ovárica poliquística en mujeres con ciclos ovulatorios que no muestran un exceso clínico o bioquímico de andrógenos puede ser intrascendente".[156]

Intrascendente significa poco importante o insignificante, lo que argumenta que la presencia de ovarios poliquísticos puede no significar nada. Como único hallazgo, no puede determinar el diagnóstico del SOP.

Al mismo tiempo, la ausencia de ovarios poliquísticos no puede utilizarse para descartar el SOP. Puedes tener una ecografía normal y aun así tener el SOP.

En conclusión, si te lo diagnosticaron basándose exclusivamente en una ecografía, existe la posibilidad real de que no tengas la condición de exceso de andrógenos conocida como SOP. Si necesitas ayuda para hablar con tu médica al respecto, consulta la sección "Cómo hablar con tu médica" en el capítulo 11.

> (CONSEJO) **El SOP quizás adquiera un nombre nuevo pronto.** Se han propuesto algunos como Síndrome Metabólico Reproductivo (SMR) y Exceso de Andrógenos Anovulatorio (EAA), siendo este último mi preferencia.

Definiendo el exceso de andrógenos

Tanto los criterios de Rotterdam como los AES-SOP están de acuerdo en una cosa: el exceso de andrógenos se puede definir como 1) niveles altos de andrógenos en un análisis de sangre o 2) muestras físicas de exceso de andrógenos.

Análisis de sangre para el exceso de andrógenos

El mejor análisis de sangre para el exceso de andrógenos es *la testosterona libre*, pero otras pruebas incluyen la testosterona total, el androstenediona, y el DHEAS. Si tu médica mide la *testosterona total*, también debe medir la SHBG (sigla en inglés de globulina fijadora de hormona sexual) que es una proteína de la sangre que se une a la testosterona y al estrógeno. La SHBG es típicamente baja con el SOP.

No puede utilizarse un análisis de saliva para diagnosticar el SOP porque no es preciso.[157]

Signos físicos de exceso de andrógenos

- El vello facial o corporal (hirsutismo) largo, oscuro y que crece en barbilla, mejillas, vientre y alrededor de los pezones es el signo más fiable de exceso de andrógenos. La "pelusa" o vello ligero en las mejillas o el bozo en el labio superior no son signos fiables de exceso de andrógenos.
- El acné, especialmente el acné hormonal en la barbilla, puede ser un signo de exceso de andrógenos si eres adulta. El acné no es un signo confiable de exceso de andrógeno si eres adolescente.[158]
- La pérdida de cabello y el cabello debilitado con folículos

pilosos miniaturizados es el tercer signo de exceso de andrógenos. Este tipo particular de pérdida de cabello se llama *alopecia androgenética*. Hay otros tipos de pérdida de cabello, que analizaremos en la sección "Pérdida de cabello" en el capítulo 11.

📖 alopecia androgenética

La alopecia androgénica también se conoce como alopecia androgénica o pérdida de cabello de patrón femenino. Es causada por exceso de andrógenos o sensibilidad a los andrógenos.

Descarta otras causas de exceso de andrógenos

El SOP es el diagnóstico más común de exceso de andrógenos, pero no es el *único* diagnóstico. Otros diagnósticos incluyen:

- anticonceptivos hormonales con un "índice alto de andrógeno"
- algunos tipos de medicamentos psiquiátricos
- prolactina alta
- hipotiroidismo
- enfermedades pituitarias o suprarrenales raras
- hiperplasia suprarrenal congénita.

📖 hiperplasia suprarrenal congénita

La hiperplasia suprarrenal congénita es un trastorno genético que hace que las glándulas suprarrenales produzcan demasiados andrógenos.

La hiperplasia suprarrenal congénita no clásica (NCAH por sus siglas en inglés) explica hasta un 9% de los casos del exceso de andrógenos[159] y a menudo se diagnostica erróneamente como el SOP. Puede ser diagnosticada con el análisis de sangre de progesterona 17-OH.

Tratamiento convencional del SOP

Anticonceptivos hormonales

El enfoque convencional para el SOP es suprimir la ovulación con la píldora, que parece extraño si tenemos en cuenta que el problema central del SOP es la falta de ovulación. La píldora también puede suprimir los andrógenos, lo cual es más útil pero, por desgracia, funciona siempre y cuando la tomes. Tan pronto como la dejes, tendrás más andrógenos que nunca.

La mayor desventaja de la píldora es que puede *empeorar* la resistencia a la insulina, que es uno de los causantes primarios del SOP, como veremos más adelante en el capítulo.

Espironolactona

La espironolactona (Aldactone®) es casi el mismo fármaco que la progestina drospirenona utilizada en la píldora Yasmin®. La espironolactona suprime los andrógenos, lo cual puede mejorar los síntomas del hirsutismo y el acné. Desafortunadamente, la espironolactona también puede prevenir la ovulación sana y alterar la actividad del eje HHA y, desde mi observación, la suspensión del medicamento puede ocasionar acné aún peor.

Acetato de ciproterona

El acetato de ciproterona es otro fármaco antiandrógeno. Se prescribe solo como Androcur® o como un ingrediente en las píldoras anticonceptivas Brenda-35® o Diane®. La ciproterona conlleva un riesgo mayor de coágulo de sangre que otras progestinas y nunca ha sido aprobado para su uso como anticonceptivo en Estados Unidos.

Metformina

Tu médica puede haberte ofrecido un medicamento para la diabetes llamada metformina, que es un tratamiento razonable. Es una mejor solución que la píldora porque por lo menos funciona bien para resistencia a la insulina, que es uno de los causantes primarios del SOP.

Si quieres tomar metformina, puedes combinarla con los tratamientos naturales de este capítulo.

La metformina puede causar problemas digestivos y agotar la vitamina B12 de tu cuerpo, así que, por favor, habla con tu médica para hacerte un análisis. Puede que necesites una inyección de B12.

El enfoque natural para el SOP

Me encantaría proporcionarte a continuación una lista simple que funcione para el SOP, pero es más complicado que eso. Para obtener resultados con medicina natural, primero debes profundizar y entender las diferentes posibles causas del SOP.

El SOP no es una enfermedad. En cambio, es un grupo de síntomas relacionados con el exceso de andrógenos. Es por eso que se describe como un *desorden endocrino heterogéneo*.

Un desorden heterogéneo es un grupo de síntomas que pueden ser el resultado de varias causas subyacentes *claramente diferentes*.

En el caso del SOP, los causantes son la insulina, inflamación, andrógenos suprarrenales y un aumento de andrógenos pospíldora. Consideraremos cada causa por separado pero, primero, veamos *la predisposición* subyacente al SOP que puede provenir tanto de la genética como de la exposición a las toxinas ambientales.

Predisposición genética al SOP

¿Se puede nacer con el SOP? Bueno, sí y no.

Definitivamente puedes nacer con genes que te pongan en riesgo de padecer el SOP, o que alteran la forma en la que el hipotálamo se comunica con los ovarios. También puedes tener genes que influyen en la probabilidad de que desarrolles resistencia a la insulina o que hacen tus ovarios más propensos a producir andrógenos bajo ciertas condiciones.

En última instancia, tus genes determinan qué tan *fácilmente* puedes ovular y qué probabilidades hay de sobreproducir andrógenos, pero la expresión genética depende de tu entorno actual.

Por ejemplo, tus genes te ponen en desventaja en ese entorno actual, en el que predominan el patrón de dieta occidental y las toxinas ambientales. Sin embargo, esos mismos genes pueden haberle dado a tus ancestros una ventaja en tiempos difíciles de estrés o hambruna. Como genes, no son intrínsecamente malos. Simplemente no están bien adaptados a nuestro mundo moderno.

 Lo bueno de los genes del SOP: como mujer con SOP, tus genes te permiten ser más fértil a medida que envejeces.[160]

Exposición a productos químicos alteradores del sistema endocrino

Otro factor que puede ponerte en riesgo de tener SOP es la exposición temprana a productos químicos alteradores del sistema endocrino tales como pesticidas, ftalatos y bisfenol A (BPA).[161] Por exposición temprana me refiero a la exposición cuando eras niña o incluso antes de nacer. Dicha exposición puede alterar la forma en que el hipotálamo se comunica con los ovarios o la sensibilidad a la insulina, lo que lleva a una predisposición de por vida al SOP.

Modificar el riesgo y revertir el SOP

Sí, tanto los genes como las toxinas te ponen en riesgo de padecer SOP, pero riesgo no quiere decir que siempre tendrás SOP. Puedes modificar la expresión genética y la función ovárica con la dieta, tu estilo de vida y otros tratamientos naturales, lo que mejorará tus síntomas.

> (CONSEJO) **Debes saber cuándo "dejar ir"** tu diagnóstico de
> SOP. Cumples el perfil de un diagnóstico de SOP
> basándote en tus síntomas actuales. Si alcanzas el
> punto de no tener síntomas, entonces ya no tienes SOP. Sin
> embargo, siempre puedes tener cierta predisposición.

Ahora, vayamos al grano con los tratamientos naturales para el
SOP y analicemos minuciosamente las opciones de acuerdo al
tipo de SOP que tienes.

Tipos de SOP (causantes de exceso de andrógeno)

¿Qué quiero decir con "tipo de SOP"? Quiero decir que si tienes
propensión al exceso de andrógenos, puedes entrar en la
categoría de SOP en estado avanzado debido a la exposición de
varios *conductores*.

Basado en mi trabajo con pacientes, he identificado los
siguientes causantes: SOP resistente a la insulina, SOP
pospíldora, SOP inflamatorio y SOP suprarrenal.

Identificar el causante o "tipo" de SOP puede ser increíblemente
útil para encontrar el mejor tratamiento. Ahora analizaremos
cada uno de ellos en las secciones siguientes pero, antes de nada,
mira las preguntas en el siguiente organigrama. Son las preguntas
que hago a mis pacientes para determinar su tipo de SOP.

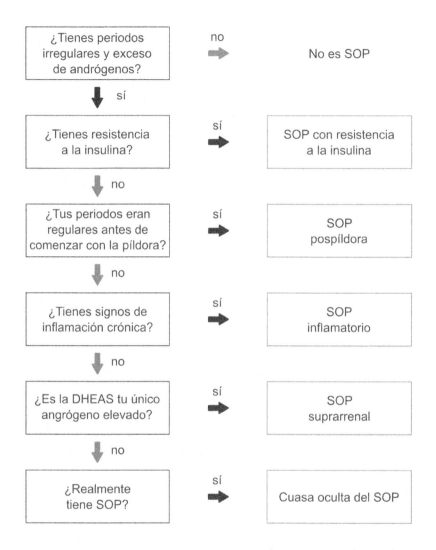

imagen 9 - organigrama de tipos de SOP

SOP resistente a la insulina

La pregunta más importante es "¿tienes resistencia a la insulina?" porque la resistencia a la insulina es, sin duda, el causante más común del SOP.

Recordarás que la resistencia a la insulina es una condición hormonal descrita en la sección dedicada al azúcar en el capítulo 6. Cuando tienes resistencia a la insulina, puedes tener el azúcar en la sangre normal pero demasiada insulina. Tener demasiada insulina no es bueno. Puede conducir a aumento de peso, enfermedades del corazón, osteoporosis y finalmente diabetes. También puede llevar a niveles altos de andrógenos si tienes predisposición genética al SOP.

¿Cómo es que la resistencia a la insulina conduce al SOP? Demasiada insulina puede afectar la ovulación y provocar que los ovarios produzcan testosterona en lugar de estrógeno. Demasiada insulina también estimula la glándula pituitaria para producir más hormona luteinizante (HL), que estimula aún más los andrógenos. Por último, demasiada insulina disminuye la proteína de unión a los andrógenos SHBG, lo que se traduce en más testosterona libre o testosterona no unida.

 La resistencia a la insulina del SOP continúa pasada la menopausia. Si no tratas la resistencia a la insulina, la tendrás toda tu vida.

¿Qué causa la resistencia a la insulina? Como vimos en el capítulo anterior, el azúcar es el principal culpable. Una pequeña cantidad de fructosa es saludable, pero una gran cantidad induce la resistencia a la insulina.[162]

Otras causas potenciales de resistencia a la insulina incluyen fumar, el estrés, los anticonceptivos hormonales, la falta de sueño, el alcohol, las grasas trans, las bacterias del intestino insalubres, la deficiencia de magnesio y las toxinas ambientales.

Tienes el SOP resistente a la insulina si cumples con todos los criterios del SOP (periodos irregulares y andrógenos elevados) *más* resistencia a la insulina.

¿Cómo sabes si tienes resistencia a la insulina? En primer lugar, busca el signo físico de obesidad en forma de manzana, que es un aumento de peso alrededor de la cintura.

> (CONSEJO) **Saca la cinta métrica.** Para evaluar la obesidad en forma de manzana, toma una medida al nivel del ombligo. Tu objetivo es apuntar a una medida de cintura de 35 pulgadas (89 cm) o menos. Para una medida más precisa, calcula tu cintura en relación a tu estatura. Tu cintura debe medir menos de la mitad de tu altura.

La obesidad en forma de manzana es un síntoma común de la resistencia a la insulina, por lo que si tienes sobrepeso, es probable que tu SOP sea del tipo resistente a la insulina.

Al mismo tiempo, podrías tener un *peso normal* y aun así tener resistencia a la insulina y el tipo de SOP resistente a la insulina. [163] En ese caso, la única manera de saber si tienes resistencia a la insulina es hacerte un análisis de sangre. Un análisis del azúcar o la glucosa en sangre *no* es un análisis de resistencia a la insulina. En su lugar, necesitas uno de los siguientes:

- insulina en ayunas
- índice HOMA-IR (índice de resistencia de insulina)
- prueba de tolerancia oral a la glucosa dosando insulina (también llamada análisis de insulina con prueba de tolerancia oral a la glucosa o prueba de tolerancia a la glucosa con insulina)

La *insulina en ayunas* es un análisis de sangre para la hormona insulina. Tu resultado debe ser menor de 8 mIU/L (55 pmol/L). La insulina en ayunas puede recoger una resistencia a la insulina severa. Para detectar una resistencia más leve a la insulina, necesitarás la prueba más sensible de tolerancia a la glucosa con insulina.

El índice HOMA-IR es un cálculo matemático que utiliza la proporción de glucosa en relación a la insulina. Para tener una sensibilidad a la insulina sana, tu índice de HOMA-IR debe ser menor de 1.5.

La *prueba de tolerancia a la glucosa dosando insulina* es un análisis de sangre similar a la prueba de tolerancia oral a la glucosa de dos horas, en el cual se toman varias muestras de sangre durante las dos horas después de tomar una bebida dulce. La diferencia con esta prueba es que, además de la glucosa, se analiza la insulina.

Como se mencionó anteriormente, la resistencia a la insulina es el causante más común de SOP. Si tienes SOP, hay un 70% de posibilidad de que sea del tipo de resistencia a la insulina. Así que, por favor, lee esta sección de tratamiento.

Dieta y estilo de vida para la resistencia a la insulina

Dejar el azúcar

Lo primero que debes hacer es dejar de consumir postres y bebidas dulces. Lamento ser la portadora de malas noticias, pero me refiero a dejarlo por completo. No me refiero a reducirla a una pequeña cantidad de postre natural.

Si tienes resistencia a la insulina, entonces no estás equipada hormonalmente para manejar ninguna cantidad de postre. Cada vez que comas algo dulce, te acercas cada vez más a la resistencia a la insulina y cada vez más al aumento de peso, acné e hirsutismo del SOP.

 Puedes comer fruta siempre y cuando esté por debajo de los 25 g de fructosa mencionados en el capítulo 6.

No siempre tendrás resistencia a la insulina. Una vez que la insulina sea normal, podrás volver a disfrutar del postre ocasional. Por ocasional me refiero a una vez al mes.

Entiendo que no es fácil dejar de azúcar porque el azúcar está en casi todo lo que estás acostumbrada a comer, incluyendo cereales, yogur, panecillos, jugo de fruta, batidos y bolitas de dátil. Puede que necesites hacer una reorganización importante de tu despensa y lista de compras.

También podrías afrontar el problema de los antojos de azúcar y la adicción al azúcar.

Tema especial: ¿Eres adicta al azúcar?

La adicción al azúcar es real y común. Entre los signos están:

• la ansiedad por azúcar incluso cuando no tienes hambre;

• la ansiedad por azúcar en respuesta a emociones negativas;

• ocultar a tus seres queridos cuando consumes azúcar;

• sentirte enojada o molesta ante la idea de dejar el azúcar.

Si eres adicta al azúcar, por favor, no te sientas culpable o avergonzada. Como cualquier adicción, la adicción al azúcar se puede superar con el apoyo adecuado. Busca ayuda profesional.

Las pacientes suelen decirme que dejar el azúcar es tan difícil como dejar de fumar cigarrillos. Necesitas un plan. Aquí hay algunos consejos para que sea más fácil.

- Duerme lo suficiente, porque el sueño reduce los antojos de azúcar.
- Haz comidas abundantes y nutritivas que incluyan los tres macronutrientes: proteínas, almidón y grasa.
- No restrinjas las calorías.
- Escoge una fecha de inicio durante un momento de bajo estrés en tu vida.
- Deja por completo el azúcar y abstente durante cuatro semanas.
- Debes saber que los antojos intensos desaparecen después de veinte minutos.
- Todos los antojos deberían desaparecer después de siete días.
- Complementa con magnesio, ya que reduce los antojos de azúcar.
- Debes saber que estás bien. No eres una mala persona solo porque tengas antojos de azúcar.

> **Si necesitas un edulcorante** mientras te adaptas a una dieta baja en azúcar, prueba con edulcorantes naturales como la estevia o el xilitol.

Dejar de consumir azúcar no es lo mismo que hacer una dieta *baja en carbohidratos*. De hecho, te resultará más fácil dejar el azúcar si te permites comer patatas y arroz. ¿Por qué? Porque el almidón es altamente saciante y reduce los antojos.

Dicho esto, podrías encontrar *más difícil* dejar el azúcar si comes alimentos inflamatorios como el trigo y los productos lácteos. ¿Por qué? Porque los alimentos inflamatorios pueden causar antojos de comida.

Rose: ¿Realmente puedo comer patatas?

Rose sabía que tenía el SOP resistente a la insulina, por lo que estaba haciendo lo posible para cortar los carbohidratos. Pero no funcionaba. Ella no había perdido nada peso y sus síntomas del SOP eran tan fuertes como siempre.

—Yo como huevos cada mañana —dijo— y luego ensalada y carne en el almuerzo y en la cena.

—Eso suena bien —contesté—. ¿Pero es suficiente alimento para el almuerzo y la cena? ¿Comiste algo más ayer?

Entonces Rose me dijo que bebió un *latte* descremado con azúcar en la mañana y cinco o seis bolitas de dátil en la tarde.

—¿Algo más?

Rose tenía hambre después de la cena, así que comió dos tazones de helado paleo hecho con leche de coco y sirope de agave.

—Sé que tengo poca fuerza de voluntad —dijo sintiéndose culpable—. Tengo que esforzarme más.

—No, no tienes un problema con la fuerza de voluntad —le dije—. Simplemente tienes hambre.

Pedí a Rose que comiera tres comidas abundantes al día. —
Por favor, continúa con el desayuno y almuerzo bajo en
carbohidratos, pero quiero que comas carne y patatas en la
cena —dije—. Además de algunas verduras, por supuesto, y
mantequilla o aceite de oliva. Y, por favor, come tanto como
necesites para saciarte, pero luego no vuelvas a comer hasta la
mañana.

Rose (incrédula): —¿Realmente puedo comer patatas? Eso no
puede ser. Son carbohidratos malos.

—El azúcar es el carbohidrato malo —dije—. Necesito que
dejes de consumir azúcar con el café y también que dejes de
comer bolitas de dátil y cualquier tipo de postre.

También prescribí un polvo con 300 mg de magnesio para
aliviar los antojos de azúcar de Rose.

A Rose le preocupaba sentirse cansada sin poder comer las
bolitas de dátil para "sobrevivir" durante la tarde. Pero, para
su sorpresa, comenzó a sentirse mejor y su energía mejoró.

Cuando dejó de consumir azúcar, dejó de tener antojos de
azúcar.

Reducir otros carbohidratos

Una vez que has dejado el azúcar exitosamente, puedes pensar en
reducir otros carbohidratos como el pan, las patatas y el arroz.

Una estrategia simple es tener un desayuno *bajo en
carbohidratos*. Eso significa huevos o carne y verduras sin
almidón. Al evitar el almidón y el azúcar en el desayuno,
mantendrás la insulina baja y ampliarás los beneficios del ayuno
nocturno.

Si te sientes bien, también podrías pensar en un almuerzo bajo en
carbohidratos.

En algún momento, sin embargo, vas a necesitar *algo* de
almidón. ¿Por qué? Porque el almidón es satisfactorio y calma el
sistema nervioso para que puedas dormir. El almidón también

llenará los almacenes del glicógeno del hígado para así mantener el azúcar en la sangre estable durante la noche.

Por todas estas razones, recomiendo comer al menos una pequeña porción de arroz o patata con la cena.

 No cometas el error de reducir el almidón pero seguir consumiendo azúcar. En otras palabras, no tiene sentido renunciar a las patatas en la cena solo para luego comer un postre paleo.

Sigue una ventana de alimentación de ocho horas

Como se describe en el capítulo 6, también puedes restringir tu alimentación a una ventana de ocho o diez horas. Evidentemente, que tendrás hambre durante la ventana de alimentación, así que come lo que necesites en forma de comidas completas y abundantes. Una ventana de alimentación es un tipo suave de ayuno intermitente que mejora la resistencia a la insulina.[164]

Ejercicio

El ejercicio sensibiliza el músculo a la insulina. Por ejemplo, tan solo doce semanas de entrenamiento de fuerza pueden mejorar la sensibilidad a la insulina en un 24%.[165]

Regístrate en algún entrenamiento de fuerza o clases de pilates. O comienza con algo aún más pequeño, como una simple caminata por el barrio. Sube escaleras. Haz algunas flexiones.

Para mejores resultados, elige el ejercicio que más te guste.

Evita los anticonceptivos hormonales

La píldora anticonceptiva puede causar o empeorar la resistencia a la insulina[166] en parte porque impide el aumento de masa muscular que conseguirías normalmente con el ejercicio.[167] Un estudio encontró que tan solo tres meses de anticonceptivos hormonales fueron suficientes para empeorar la resistencia a la insulina en mujeres con SOP.[168]

Tema especial: Cómo reducir el riesgo de cáncer uterino sin anticonceptivos

Una de las razones por las que tu médica puede recomendarte tomar anticonceptivos hormonales es reducir el riesgo a largo plazo de cáncer de útero que tiene el SOP. Su razonamiento es que la progestina evitará el engrosamiento de tu revestimiento uterino, lo cual es cierto. Afortunadamente, hay otras formas *mejores* de impedir el engrosamiento del revestimiento uterino, como las incluidas a continuación.

• Revertir la resistencia a la insulina para evitar su efecto estimulante en el revestimiento del útero. Revertir la resistencia a la insulina también puede ayudarte a ovular.

• Encontrar una manera de ovular para que puedas producir progesterona, lo que naturalmente protegerá tu revestimiento uterino, ya que ese es una de sus labores principales. (Todos los tratamientos naturales que se discuten en este capítulo te ayudarán a ovular).

• Tomar progesterona micronizada o natural, que puede funcionar tan bien como una progestina sintética para adelgazar el revestimiento uterino.

Suplementos y hierbas medicinales para la resistencia a la insulina y el SOP con resistencia a la insulina

Antes de enfocarnos en los suplementos, debes saber que *la dieta es más importante que cualquier suplemento*. Esto funciona así para casi todas las condiciones en este libro, pero es especialmente cierto para el SOP resistente a la insulina. Debes dejar el azúcar y escoger uno o dos de los siguientes suplementos. No necesitas todos.

El **magnesio** es el maravilloso Mineral milagroso para periodos que conocimos en el capítulo anterior y es mi tratamiento de primera línea para el SOP con resistencia a la insulina. Los estudios han demostrado que una dieta alta en magnesio se correlaciona con un menor riesgo de resistencia a la insulina,[169] mientras que una dieta baja en magnesio se correlaciona con un mayor riesgo de resistencia a la insulina. Algunos investigadores han llegado a proponer la deficiencia de magnesio como una de las *causas* de esta condición.[170]

Yo prescribo magnesio a cada paciente con SOP y lo llamo "metformina natural".

Cómo funciona: mejora la sensibilidad a la insulina.[171]

Qué más necesitas saber: recomiendo 300 mg de magnesio por día tomado directamente después de la comida. Prefiero el bisglicinato de magnesio (magnesio unido al aminoácido glicina) porque la glicina tiene sus propias propiedades sensibilizadoras a la insulina.[172] Y generalmente lo administro en combinación con otro aminoácido taurina, que también mejora la sensibilidad a la insulina. Consulta el capítulo 10 para más información sobre taurina.

El **ácido alfa lipoico** es una molécula natural involucrada en la producción de energía. Es producida por el cuerpo y también se puede obtener de alimentos como el hígado, las espinacas y el brócoli. Como complemento, el ácido alfa lipoico es beneficioso para el SOP.[173][174]

Cómo funciona: mejora la sensibilidad a la insulina y promueve el desarrollo saludable del folículo ovárico. También aumenta el glutatión.

Qué más necesitas saber: el ácido alfa lipoico es seguro, pero más de 1000 mg por día puede disminuir la hormona tiroides. Te recomiendo 300 a 600 mg al día con las comidas. Se combina bien con el siguiente suplemento: el mioinositol. [175]

El **mioinositol** es un mensajero intracelular de la insulina. Tomado como suplemento, puede mejorar el SOP.[176]

Cómo funciona: mejora la sensibilidad a la insulina, reduce los andrógenos y apoya la ovulación regular.[177]

Qué más necesitas saber: hay dos tipos de inositol suplementario que tienen diferentes efectos. El D-chiro-inositol mejora la sensibilidad a la insulina en todo el cuerpo. El mioinositol mejora la insulina y la señalización de la FSH *dentro* del ovario, mejorando así la función ovárica y la promoción de la ovulación saludable. La fórmula de inositol utilizada en los ensayos clínicos es un suplemento combinado de mioinositol y D-chiro-inositol en un índice de 40:1, que corresponde al índice normal del cuerpo. La dosis estándar es de 2000 a 4000 mg y generalmente es segura para el uso a largo plazo.

La **vitamina D** es la vitamina solar que tratamos en el capítulo 6.

Cómo funciona: mejora la sensibilidad a la insulina y promueve el desarrollo saludable del folículo ovárico.[178]

Qué más necesitas saber: pídele a tu médica que haga un chequeo de tu vitamina D. Si tienes deficiencia, toma 2000 UI con la comida.

La **berberina** se ha desempeñado bien en los ensayos clínicos del SOP, superando a la metformina en dos grandes estudios.[179] [180] Es un buen tratamiento para el SOP en general y un gran tratamiento para el acné, como veremos más adelante en este capítulo. La berberina tiene el agradable beneficio secundario de reducir la ansiedad.[181]

Cómo funciona: mejora la sensibilidad a la insulina, posiblemente por su efecto beneficioso sobre las bacterias del intestino.[182][183] La berberina promueve también la ovulación[184] y evita que los ovarios produzcan demasiada testosterona.[185]

Qué más necesitas saber: la berberina no es una sola hierba. En cambio, es un *fitonutriente* o un componente activo de varias hierbas diferentes, incluyendo el sello de oro (*Hydrastis canadensis*), el agracejo (*Berberis vulgaris*) y la hierba china *Phellodendron amurense*. Puedes tomar un extracto concentrado de berberina o una preparación de una hierba entera como el *Phellodendron*. Las hierbas que contienen berberina tienen un sabor amargo, por lo que es mejor tomarlas en comprimidos o cápsulas. La cantidad exacta depende de la concentración en la fórmula. La dosis estándar para un extracto de berberina es de 350 a 500 mg dos veces al día.

Existen algunas precauciones. No tomes berberina si estás embarazada o amamantando y consulta a tu médica cuando se combina con medicamentos como los antidepresivos, los betabloqueantes, los antibióticos o los inmunosupresores, ya que puede alterar los niveles de esos medicamentos.

No tomes berberina durante más de ocho semanas seguidas, porque sus efectos antimicrobianos podrían alterar la composición de tus bacterias intestinales. A corto plazo, los efectos antimicrobianos de la berberina son probablemente beneficiosos. Por ejemplo, la berberina puede mejorar la salud digestiva y reparar la permeabilidad intestinal.[186] A largo plazo, podría agotar las bacterias intestinales. Soy cautelosa con la berberina y generalmente recomiendo tomarla solo cinco días a la semana, con un receso de dos días. Luego, después de ocho semanas, recomiendo suspenderla durante al menos un mes. En caso de duda, busca asesoramiento profesional.

Los dos suplementos siguientes son el zinc y una combinación de peonía y regaliz. Son especiales porque, además de sus muchos otros beneficios, también tienen efectos directos *antiandrógenos*. Eso los convierte en un buen complemento de tus otros tratamientos centrales para el SOP como dejar el azúcar y consumir magnesio. Hablaré otra vez del zinc y la combinación de peonía y regaliz más adelante en la sección "Tratamientos Antiandrógenos".

 Cada tratamiento natural discutido en el capítulo del SOP trabaja directa o indirectamente en la reducción de andrógenos.

El **zinc** es uno de los principales nutrientes para la salud menstrual, como vimos en el capítulo 6. Como recordarás, tiene muchos beneficios, incluyendo la reducción de la inflamación y la regulación de la respuesta al estrés. También está implicado en la función ovárica. La deficiencia de zinc se ha correlacionado con un mayor riesgo de SOP.[187]

> **Cómo funciona:** el zinc nutre los folículos ováricos para promover la progesterona y la ovulación saludable. También tiene efectos directos de antiandrógeno. En un ensayo clínico reciente, se demostró que el zinc mejora el hirsutismo.[188]
>
> **Qué más necesitas saber:** recomiendo 30 mg por día tomado directamente después de una comida abundante. No tomes zinc con el estómago vacío o podría causarte náuseas.

La combinación de peonía y regaliz es una medicina de hierbas que prescribo con frecuencia para mis pacientes con SOP. Se ha probado en un par de ensayos clínicos en los cuales se encontró que reduce la testosterona y mejora la regularidad del ciclo.[189] [190]

> **Cómo funciona:** la peonía (*Paeonia lactiflora*) inhibe la producción de testosterona y promueve la actividad de la enzima aromatasa, que convierte la testosterona en estrógeno. [191] El regaliz (*Glycyrrhiza glabra*) reduce la testosterona en las mujeres[192] y bloquea los receptores de andrógenos.[193] Juntas, las dos hierbas también tienen un efecto de normalización sinérgica sobre las hormonas hipofisarias.[194]
>
> **Qué más necesitas saber:** La cantidad exacta de la hierba depende de la concentración de la fórmula, así que, por favor, tómala como se indica en el envase.

La combinación de peonía y regaliz es una medicina potente, por lo que debes tener cuidado acerca de cómo la consumes. Por ejemplo, no la tomes en combinación con medicamentos para la fertilidad. No la tomes si eres menor de 18 años porque todavía estás desarrollando la comunicación entre la hipófisis y los ovarios. Tampoco la tomes por más de seis meses consecutivos excepto bajo supervisión profesional. Si estás tomando peonía y regaliz para regular tus periodos no las necesitas por más de seis meses porque debería haber funcionado dentro de ese tiempo. En ese momento deberías poder dejarlas y tu periodo seguirá siendo regular. Si las estás tomando para mejorar los síntomas de andrógenos tales como hirsutismo, tómalas durante seis meses, descansa uno y luego reanuda. *¡Vigila tu presión arterial!* El regaliz aumenta la presión arterial, así que no lo tomes si ya tienes presión arterial alta. En caso de duda, por favor busca asesoramiento profesional.

Tema especial: Progesterona natural para el SOP

La endocrinóloga canadiense Dra Jerilynn Prior recomienda *una terapia cíclica de progesterona* para el SOP. Esto implica suministrar progesterona natural o micronizada en un patrón que imite la fase lútea. Funciona para el SOP porque suprime la hormona luteinizante (LH) y así puede ayudar a normalizar la comunicación entre el hipotálamo, la glándula pituitaria y los ovarios. Para obtener más información acerca de la terapia de progesterona cíclica, visita el sitio web del Centro de Investigación de la Ovulación y el Ciclo Menstrual.[195]

La progesterona micronizada también ayuda a proteger contra el cáncer uterino y tiene un efecto antiandrógeno agradable, que analizaremos más adelante en el capítulo.

progesterona micronizada

La progesterona micronizada es una forma de reemplazo de hormona. Es progesterona bioidéntica o natural en lugar de una progestina sintética. Puede utilizarse como una crema tópica o una cápsula como la marca Prometrium®.

hormona bioidéntica

Una hormona bioidéntica o "idéntica al cuerpo" es una hormona estructuralmente idéntica a la hormona humana.

Esto cubre el tratamiento para el SOP resistente a la insulina. Y recuerda que este es el tipo que se aplica a la mayoría de ustedes. Si estás *segura* de que no tienes resistencia a la insulina, entonces sigue leyendo acerca de los demás tipos de SOP.

Y recuerda, un análisis de glucosa en la sangre *no* es un análisis para la resistencia a la insulina.

Lista de control para el SOP resistente a la insulina

- Dejar el azúcar.
- Tomar magnesio.
- Considerar uno de los suplementos adicionales para SOP mencionados anteriormente, tales como el mioinositol, el zinc, o la combinación de peonía y regaliz.
- Considerar un suplemento adicional antiandrógeno, de lo que se hablará más adelante en el capítulo.

SOP pospíldora

Dejar la píldora puede causar síntomas que te califican para un diagnóstico de SOP. Sucede por varias razones.

- Los anticonceptivos hormonales pueden causar o empeorar la resistencia a la insulina[196][197] y son un contribuyente importante del SOP resistente a la insulina.
- Los anticonceptivos hormonales suprimen la ovulación, cosa que, de hecho, deben hacer. Para la mayoría de las mujeres, la ovulación se reanudará una vez que dejen de tomarlos. Para otras, la ovulación no volverá en meses o incluso años. Durante ese tiempo, pueden darse los requisitos necesarios para un diagnóstico de SOP.

- Dejar una píldora de "índice de andrógeno bajo" como Yasmin® puede causar un aumento temporal en los andrógenos. Mientras tus andrógenos estén elevados, podrías desarrollar las cualidades para un diagnóstico de SOP, pero tus andrógenos deben disminuir después de un año o dos. Veremos más de cerca el tema de los andrógenos pospíldora en la sección "Cómo dejar de los anticonceptivos hormonales" del capítulo 11.

El SOP pospíldora es el segundo tipo más común de SOP que veo con mis pacientes. Es diferente de otros tipos de SOP, ya que suele ser temporal. En otras palabras, es una situación que la Dra. Jerilynn Prior llama *exceso de andrógeno anovulatorio adaptativo*. No proviene necesariamente de la tendencia genética del ovario de sobreproducir andrógenos que caracteriza a otros tipos de SOP.

Diagnóstico del SOP pospíldora

El SOP es SOP pospíldora si cumples con todos los rasgos del SOP (periodos irregulares y andrógenos elevados) *más* la falta de resistencia a la insulina, *más* el hecho de haber estado bien antes de empezar la píldora.

Si *no* estabas bien antes de comenzar a tomarla, posiblemente ya tenías SOP entonces, por lo que es posible que no tengas SOP pospíldora.

Observa la relación entre tu LH y FSH

Con el SOP pospíldora, probablemente tendrás la HL alta en comparación con la FSH. Eso es común en *todos* los tipos de SOP, pero con el SOP pospíldora es uno de los *únicos* síntomas. La HL impide que tus folículos ováricos se desarrollen correctamente y los estimula para que produzcan andrógenos.

El SOP no es el único tipo de problema pospíldora. Recuerda a Christine del capítulo 1, que tenía amenorrea pospíldora (síndrome pospíldora) pero no tenía la HL alta o los niveles altos de andrógenos y, por lo tanto, no reunía los requisitos para un diagnóstico de SOP.

Si encuentras que tu SOP es del tipo pospíldora, lo primero que verás es que no hay ningún tratamiento convencional para el SOP pospíldora. La recomendación estándar es volver a la píldora. Por lo tanto, continuaremos con tratamientos naturales.

Dieta y estilo de vida para SOP pospíldora

El SOP pospíldora a menudo es temporal por lo que el primer paso es mantener la calma y darle tiempo. Y debes saber que no es un problema tuyo, sino del medicamento supresor de la ovulación que te dieron.

El siguiente paso es comer bien y comer *lo suficiente*. Si no tienes resistencia a la insulina, entonces no necesitas evitar estrictamente el azúcar (pero tampoco debes consumir demasiado). Sigue las pautas de dieta discutidas en el capítulo 6 y, por favor, no comas poco.

Si restringes la comida pensando que ayudará a tu condición del SOP, puedes acabar con otro trastorno llamado amenorrea hipotalámica (AH), que analizaremos más adelante. De hecho, tener el SOP te pone en mayor riesgo de AH.[198] Asegúrate de comer suficientes alimentos y suficientes hidratos de carbono porque tu cuerpo necesita almidón para ovular.[199]

 Si estás evitando **los carbohidratos** porque te detectaron ovarios poliquísticos en una ecografía, puedes estar en el camino completamente equivocado.

Suplementos y hierbas medicinales para el SOP pospíldora

El **zinc** suprime andrógenos y ayuda a la función ovárica. Como hemos comentado anteriormente, es bueno para cualquier tipo de SOP, pero es mi primera opción para el SOP pospíldora debido a la deficiencia de zinc que es común después de tomar la píldora.

La **combinación de peonía y regaliz** es una buena manera de "desbloquear las hormonas" después de la píldora. Ayuda a normalizar las hormonas pituitarias[200] y así puede promover la ovulación saludable. Consulta la sección anterior para más información.

> **CONSEJO** *Vitex* es otra hierba popular para restaurar el periodo menstrual, pero puede elevar la HL y, como consecuencia, empeorar el SOP. *Vitex* es la mejor elección para el hirsutismo inducido por la prolactina y el AH discutido más adelante.

Puedes esperar una mejora bastante rápida y permanente del SOP pospíldora. El truco es darle a tu cuerpo el tiempo necesario para recuperarse de la píldora. Eso es lo que sucedió con mi paciente Karla.

Karla: SOP pospíldora

Karla tenía 33 años cuando dejó de tomar Yasmin® para buscar un embarazo. La había estado tomando durante los últimos siete años como método anticonceptivo. Antes de tomar la píldora, sus periodos eran regulares con un ciclo de 30 días.

A Karla le vino la regla de inmediato, lo cual fue genial, pero sus ciclos duraban alrededor de 50 días y su piel se llenó de granos. Su especialista en fertilidad pensó que estaba teniendo ciclos anovulatorios (sin ovular) y yo estuve de acuerdo. Él le diagnosticó SOP basándose en los ciclos irregulares, el nuevo síntoma de acné y la testosterona alta.

Hacía solo diez meses que Karla había dejado la píldora y ya estaba pensando en el fármaco clomifeno, que es estimulante de la ovulación.

—¡Para! —dije— No has ovulado todavía pero eso no significa que *no puedes* ovular. Estabas bien antes de la píldora. Todo esto podría mejorar por cuenta propia solo con un poco más tiempo.

Le pregunté sobre el moco fértil, y ella creía haber visto algo justo la semana anterior.

—Suena a que podrías haber ovulado antes de que vinieras a verme —le dije—. Así que tendrás el periodo la semana que viene probablemente. Mientras tanto, creo que debemos esperar antes de empezar con cualquier tratamiento herbario que estimule la ovulación. En cambio, te sugiero tomar zinc, que va a nutrir tus ovarios y piel.

Le pedí a Karla que tome 30 mg de zinc después de la cena y que quite temporalmente el azúcar y los productos lácteos de vaca de su dieta para así ayudar a su acné pospíldora.

Karla tuvo la regla una semana después, lo que significa que probablemente había ovulado cuando vio el moco fértil. Tuvo cuatro ciclos más y luego se quedó embarazada.

No creo que Karla tenga cualquier síntoma del SOP después de tener el bebé. Sus periodos menstruales irregulares, acné e incluso la testosterona elevada eran todos *temporales* mientras su cuerpo se ajustaba a dejar Yasmin®.

Lista de control para el SOP pospíldora

- Mantener la calma y dar tiempo.
- Comer lo suficiente.
- Considerar zinc o la combinación de peonía y regaliz.
- Considerar un suplemento adicional antiandrógeno, como

se explica más adelante en el capítulo.

SOP inflamatorio

¿Qué sucede si no encajas en ninguno de los tipos anteriores del SOP? Podrías estar bastante frustrada a esta altura. Tu SOP no es causado por resistencia a la insulina o por haber dejado la píldora. Entonces, ¿qué lo causa?

El SOP inflamatorio es causado por la inflamación y las toxinas ambientales. La inflamación también desempeña un papel en los tipos de SOP anteriores y, de hecho, en cualquier problema del periodo menstrual, pero es el causante *principal* del SOP inflamatorio.[201]

¿Cómo es que la inflamación provoca SOP? Como vimos en el capítulo 6, la inflamación altera los receptores hormonales y suprime la ovulación. También estimula las glándulas suprarrenales y ovarios para producir más andrógenos.[202]

La inflamación puede provenir de la resistencia a la insulina, en cuyo caso debes consultar la sección de SOP resistente a la insulina. La inflamación también puede ser causada por otros factores como fumar, alimentos inflamatorios, toxinas ambientales y problemas digestivos. En ese caso, esta es la sección para ti.

Diagnóstico de SOP inflamatorio

Tu SOP es inflamatorio si cumples con todos los criterios para el SOP (periodos irregulares y andrógenos elevados) *más* no tienes resistencia a la insulina, *más* tus periodos no se vieron afectados por la píldora, *más* tienes signos y síntomas de inflamación, como los siguientes:

- problemas digestivos como el síndrome del intestino irritable (SII)
- fatiga inexplicable
- dolores de cabeza
- dolor en las articulaciones
- trastornos de la piel tales como eccema y psoriasis

Al igual que para el SOP pospíldora, no hay tratamiento convencional para el SOP inflamatorio, así que acudiremos a los métodos de tratamiento naturales.

Dieta y estilo de vida para SOP inflamatorio

Primero y principal, por favor, sigue la *dieta antiinflamatoria* como se indica en el capítulo 6. Eso significa evitar lácteos y trigo y posiblemente evitar otras intolerancias a alimentos comunes tales como los huevos.

 Evitar los alimentos inflamatorios es más eficaz para el SOP inflamatorio que cualquier suplemento.

Asegúrate de identificar y tratar cualquier problema digestivo y reducir la exposición a toxinas ambientales como los pesticidas, los plásticos y el mercurio. Consulta la sección "Inflamación" en el capítulo 11.

Suplementos para SOP inflamatorio

Tanto el zinc como el magnesio son, una vez más, mis recetas favoritas. Además de sus muchos otros beneficios, se ha demostrado que el zinc y el magnesio reducen la inflamación que causa el SOP.

Los **suplementos probióticos** son otra idea de tratamiento para el SOP inflamatorio.

Cómo funcionan: Los probióticos mejoran la salud intestinal y reducen la inflamación. También ayudan en la desintoxicación del mercurio.[203]

Qué más necesitas saber: si tienes un problema subyacente de SII, considera la cepa probiótica *Lactobacillus plantarum 299v*. Para más consejos sobre probióticos, consulta la sección "Salud digestiva" en el capítulo 11.

N-acetil cisteína (NAC) es una versión del aminoácido cisteína. Se ha probado con pacientes de SOP y ha mostrado resultados positivos para restablecer la ovulación regular.[204]

Cómo funciona: reduce la inflamación y promueve la desintoxicación de toxinas ambientales. NAC también mejora la sensibilidad a la insulina.

Qué más necesitas saber: NAC tiene el agradable beneficio secundario de reducir la ansiedad. Tomar demasiado NAC puede reducir el revestimiento del estómago, así que no lo tomes si tienes gastritis o úlceras estomacales. Te recomiendo de 500 a 2000 mg por día.

La **melatonina** es la hormona del sueño que vimos en el último capítulo. La produce la glándula pineal en el cerebro, pero también la producen los ovarios. Se ha demostrado que los suplementos de melatonina restauran la ovulación regular en mujeres con SOP.[205]

Cómo funciona: protege el folículo ovárico del estrés oxidativo y promueve la ovulación.

Qué más necesitas saber: te recomiendo 0,5 a 3 mg al acostarte. Puede también ser utilizado tópicamente para la pérdida de cabello, como se describe en la sección de la alopecia androgenética.

Lista de control para SOP inflamatorio

- Evitar el trigo y los lácteos de vaca.
- Identificar y evitar las sensibilidades a otros alimentos.
- Solucionar los problemas digestivos.
- Considerar tomar un suplemento de zinc.
- Considerar un suplemento adicional antiandrógeno, como se explica más adelante en el capítulo.

SOP suprarrenal

Con suerte, ya has identificado tu tipo de SOP. Lo más probable es que sea el primer tipo, SOP con resistencia a la insulina pero, si no, aquí tienes más para considerar.

El SOP es suprarrenal si:

- cumples con todos los criterios de SOP;
- *no* tienes resistencia a la insulina;
- *no* te afectó negativamente dejar la píldora;
- *no* tienes signos y síntomas de inflamación;
- tienes andrógenos ováricos *normales* (testosterona y androstenediona) pero *andrógenos suprarrenales* (DHEAS) elevados.

Si necesitas una representación visual de estos criterios, por favor, consulta de nuevo el organigrama de SOP más arriba (*imagen 9*).

La mayoría de las mujeres con SOP tienen una elevación de uno o *todos* los tipos de andrógenos:

- testosterona de los ovarios
- androstenediona de los ovarios y las glándulas suprarrenales
- DHEAS (sulfato de dehidroepiandrosterona) de las glándulas suprarrenales

Si tienes andrógenos ováricos elevados, entonces tienes uno de los tipos anteriores de SOP. Esta es la sección para cuando tienes *solo* DHEAS elevados, pero androstenediona y testosterona normal.

Si tienes DHEAS elevado, tu médica debe descartar primero otras razones, como la prolactina alta o hiperplasia suprarrenal congénita no clásica (NCAH), mencionada anteriormente en este capítulo. Una vez que esas condiciones se hayan descartado, solo queda el diagnóstico de SOP suprarrenal,[206] que representa el 10% de los casos de SOP,[207] y es diferente del SOP clásico del que hemos hablado hasta ahora. Por ejemplo, puedes ovular regularmente con el SOP suprarrenal.

Como el SOP andrógeno ovárico, el SOP suprarrenal se asocia con productos químicos alteradores del sistema endocrino[208] y una predisposición genética subyacente.

A diferencia del SOP andrógeno ovárico, el SOP suprarrenal *no* es causado por resistencia a la insulina o alteraciones de la ovulación. En cambio, es causado por un sistema de respuesta de estrés anormal[209] o eje HHA (suprarrenal), que puede ser el resultado del estrés o agitación alrededor de la época de la pubertad.[210]

No existe tratamiento convencional para el SOP suprarrenal, aunque algunos médicos solían prescribir dosis bajas de hidrocortisona,[211] que trabaja reduciendo la producción de DHEAS.

Dieta y estilo de vida para el SOP suprarrenal

Tu primer paso es reducir el estrés para disminuir el DHEAS que produce las glándulas suprarrenales. Algunas estrategias útiles de eliminación de estrés incluyen aquellas tratadas en el capítulo 6, como buscar tiempo para el descanso y bienestar, practicar técnicas de relajación como la meditación, el masaje y el yoga y, por último, mantener un nivel de azúcar en la sangre estable.

Suplementos y hierbas medicinales para el SOP suprarrenal

Tanto el zinc como el magnesio son, una vez más, útiles aquí. Como se describe en las secciones anteriores, ayudan a regular el eje HHA.

Las **vitaminas del grupo B** reducen el estrés y ayudan a regular el eje HHA.

Cómo funcionan: las vitaminas del grupo B aumentan los niveles de los neurotransmisores calmantes GABA y serotonina.

Qué más necesitas saber: para el estrés y la disfunción del eje HHA, recomiendo un complejo B que contenga colina y vitamina B5, el "factor antiestrés".

El **regaliz** (*Glycyrrhiza glabra*) es ideal para el SOP suprarrenal. Por supuesto, es la misma hierba usada en la fórmula peonía y regaliz discutida anteriormente.

Cómo funciona: al igual que la hidrocortisona, el regaliz puede regular la producción del andrógeno suprarrenal

DHEAS.

Qué más necesitas saber: la cantidad exacta de la hierba depende de la concentración de la fórmula, así que por favor tómala como se indica en la botella. Y, como se mencionó anteriormente, vigila tu presión arterial porque el regaliz ¡sube la tensión!

La **Rhodiola** (*Rhodiola rosea*) es la medicina herbaria de adaptógeno que conocimos en el capítulo 6. Junto con el regaliz, puede ayudar a reducir el DHEAS.

Cómo funciona: Calma el cerebro y el eje HHA.

Qué más necesitas saber: La cantidad exacta de la hierba depende de la concentración de la fórmula, así que por favor tómala como se indica en el envase. Puedes tomar Rhodiola sola o como parte de una fórmula de combinación con otras hierbas adaptógenas como el ginseng siberiano y la ashwagandha.

Si tienes SOP suprarrenal, probablemente vas a tener una lucha con síntomas de andrógenos tales como el hirsutismo. Así que, además de los tratamientos discutidos en esta sección, puede que necesites un tratamiento a largo plazo con un bloqueador androgénico natural. Consulta la sección "Tratamientos antiandrógenos" más adelante en este capítulo.

Lista de control para SOP suprarrenal

- Reducir el estrés.
- Considerar suplementos como el magnesio y vitaminas B para regular el eje HHA.
- Considerar el uso a largo plazo de un suplemento antiandrógeno, incluido más adelante en este capítulo.

 Hay un grado de superposición entre los diferentes tipos de SOP. Por ejemplo, la inflamación también es un factor tanto en el SOP con resistencia a la insulina como en el SOP suprarrenal.

¿Sigues confundida?

¿Y si te han dicho que tienes SOP pero parece que no cumples con ninguno de los criterios antes mencionados? No tienes resistencia a la insulina. No desarrollaste SOP pospíldora. No tienes signos evidentes de inflamación o exposición a toxinas ambientales.

Volvamos al principio. En primer lugar, ¿realmente tienes SOP? ¿Obtienes andrógenos altos en un análisis de sangre o signos claros de exceso de andrógenos?

Si *no* tienes exceso de andrógeno y tu *único* síntoma es la falta del periodo menstrual (y tal vez acné), entonces podrías tener amenorrea hipotalámica, que analizaremos pronto. Recuerda, encontrar ovarios poliquísticos durante una ecografía no es suficiente para diagnosticar el SOP.

Si resulta que *sí* tienes SOP pero no cumples con ninguno de los criterios anteriores, entonces tus problemas pueden deberse a algo menos obvio. Antes de terminar con el tema SOP, permíteme compartir algunos de los *catalizadores ocultos* del SOP que he observado con mis pacientes. Los catalizadores ocultos son cosas que, una vez corregidas, pueden mejorar o revertir el exceso de andrógenos.

Catalizadores ocultos de SOP

Muchas cosas pueden afectar la ovulación y promover exceso andrógenos. Entre ellas, se incluyen:

Enfermedad de la tiroides, porque el hipotiroidismo impide la ovulación y empeora la resistencia a la insulina;[212]

Deficiencia de vitamina D, porque los ovarios necesitan vitamina D;

Deficiencia de zinc, porque los ovarios necesitan zinc;

Deficiencia de yodo, porque los ovarios necesitan yodo;

Prolactina elevada ya que aumenta el DHEA;

Muy poca comida o muy pocos carbohidratos, porque

necesitas carbohidratos para ovular. Si estás comiendo poco, entonces te has metido en la categoría de AH.

Lo mejor de identificar un catalizador *oculto* del SOP es que una vez que se corrige, los síntomas deberían mejorar bastante rápidamente.

Tratamiento de vello facial, acné y pérdida de cabello de patrón femenino

El vello facial, el acné y la alopecia androgenética (calvicie de patrón femenino) son todos síntomas comunes de SOP, pero también pueden ocurrir por otras razones. Esta es la sección de tratamiento para esos síntomas, tengas o no SOP.

Tratamiento de vello facial (hirsutismo)

El **tratamiento convencional** incluye la píldora o las drogas antiandrógenas ciproterona (Androcur®) y espironolactona (Aldactone®).

El **tratamiento natural** sirve para tratar el SOP (si tienes SOP) y también para elegir uno de los suplementos enumerados más adelante en el capítulo en la sección de antiandrógeno natural.

También necesitarás eliminar el vello de forma mecánica como, por ejemplo, usando pinzas, cera, láser, o electrolisis.

El vello facial es un síntoma frustrante porque, incluso con el mejor tratamiento, puede tardar por lo menos doce meses hasta que comience a mejorar.

Tratamiento de acné

El **tratamiento convencional** incluye la píldora espironolactona (Aldactone®) e isotretinoína (Accutane®). El mecanismo de acción de la isotretinoína es alterar la expresión del ADN, y algunos estudios lo han asociado con efectos secundarios graves como la depresión,[213], la osteoporosis y la enfermedad inflamatoria intestinal.[214] Te ruego que no lo tomes.

El **tratamiento natural** incluye las siguientes indicaciones.

- Tratar el SOP, si tienes SOP.
- Elegir uno de los suplementos enumerados más adelante en el capítulo en la sección de los tratamientos antiandrógeno.
- Elegir uno o más de los tratamientos para el acné incluidos a continuación.

Tratamientos para el acné

Los siguientes tratamientos son efectivos para el acné, independientemente de la causa subyacente de SOP, pospíldora u otro tipo.

Deja de consumir azúcar para reducir una hormona llamada factor de crecimiento insulínico o IGF-1. La IGF-1 supone la oportunidad perfecta para el acné porque aumenta el sebo, la queratina y la inflamación.[215]

Evita los lácteos de vaca para reducir la inflamación y la hormona IGF-1. Según las investigaciones del Estudio de la Salud de las Enfermeras (*Nurses' Health Study*) de 2005, las mujeres que beben menos leche son menos propensas a sufrir acné.[216] Igual puedes consumir productos lácteos no inflamatorios, como los de cabra, oveja y leche de Jersey. Ver la sección "Productos lácteos" en el capítulo 6.

Presta atención a tus problemas digestivos porque el acné puede estar causado por la deficiencia de ácido estomacal y SIBO y otros problemas digestivos. Eso puede significar evitar la intolerancia a alimentos comunes como el gluten y los huevos. Consulta la sección "Salud digestiva" en el capítulo 11.

Presta atención a la intolerancia a la histamina, que es la condición de exceso de histamina que ya comentamos en el último capítulo. Los alimentos con altos niveles de histamina incluyen el queso y alimentos fermentados. Estos pueden empeorar el acné.

El **zinc** es un gran tratamiento para el acné. Funciona reduciendo la queratina y, por lo tanto, mantiene los poros abiertos. El zinc también mata bacterias, reduce la inflamación y disminuye los andrógenos. Obtuvo resultados positivos en varios ensayos clínicos.[217]

La **berberina** es un antibiótico natural que mata las bacterias que causan el acné. También reduce la inflamación y el IGF-1. En un ensayo clínico, el acné mejoró en un 45% después de solo cuatro semanas con berberina.[218] La berberina puede no ser segura para el uso a largo plazo. Por favor consulta la sección dedicada a la berberina anteriormente en este capítulo.

El **DIM** (diindolilmetano) es un fitonutriente derivado de vegetales como el brócoli. Se analiza más abajo en la sección de antiandrógeno.

Incluso con el mejor tratamiento, el acné puede tardar seis meses en mejorar. Y recuerda, dejar una píldora como Yasmin® puede causar un tipo de acné pospíldora que se agrava durante los seis meses antes de que comience a mejorar.

Tratamiento para la pérdida de cabello de patrón femenino

La pérdida de cabello de patrón femenino o la alopecia androgenética es el tipo de pérdida y debilitamiento de cabello a largo plazo causado por hormonas masculinas. Es diferente a la pérdida temporal del cabello causada por deficiencia de tiroides o de hierro. Para una discusión completa de todos los tipos de pérdida de cabello, consulta la sección "Pérdida de cabello" en el capítulo 11.

El **tratamiento convencional** incluye la píldora o los fármacos antiandrogénicos ciproterona (Androcur®), espironolactona (Aldactone®) y la droga tópica minoxidil o Rogaine®.

El **tratamiento natural** incluye:

- tratar el SOP, si tienes SOP;
- elegir uno de los suplementos enumerados más adelante en el capítulo en la sección de los tratamientos antiandrógeno;
- elegir uno de los siguientes tratamientos tópicos.

Tratamientos tópicos para la alopecia androgenética

El **romero** inhibe la 5-alfa reductasa, que es la enzima que convierte la testosterona en la hormona más potente dihidrotestosterona (DHT).[219] Para uso tópico, coloca cuatro gotas de aceite esencial de romero en una cucharada de aceite portador como el aceite de jojoba. Masajea suavemente el cuero cabelludo durante 30 minutos antes de lavarte el cabello. Utiliza tres veces por semana.

La **melatonina** reduce el estrés oxidativo en el folículo piloso y promueve el crecimiento del cabello.[220] Un estudio utilizó una solución de 0,1% aplicada una vez diariamente antes de acostarse.

Incluso con el mejor tratamiento la alopecia androgenética puede tardar meses o incluso años en mejorar.

Tratamientos antiandrógeno

Necesitas esta sección si:

- tienes SOP y ya has puesto en marcha el *tratamiento de base* para tu tipo de SOP;
- tienes síntomas de andrógenos por otra razón, como por una oleada de andrógenos pospíldora.

---

antiandrógenos

Los antiandrógenos (también conocidos como antagonistas del andrógeno, bloqueadores de los andrógenos o bloqueadores de testosterona) son drogas o suplementos que reducen los andrógenos o bloquean sus efectos.

> (CONSEJO) Los **suplementos antiandrógenos** no son un tratamiento *independiente* para el SOP. Sirven para usarse como complementos a los otros tratamientos de base tratados anteriormente en este capítulo.

El **tratamiento convencional** incluye las drogas ciproterona (Androcur $^{®}$) y espironolactona (Aldactone $^{®}$).

El **tratamiento antiandrógeno natural** incluye los siguientes componentes.

El **zinc**, que en un reciente ensayo clínico mejoró significativamente el hirsutismo en solo ocho semanas.[221] El zinc funciona normalizando las hormonas. No reducirá la testosterona por debajo de lo normal.

La combinación de peonía y regaliz reduce los niveles de testosterona en suero. Lo prescribo sobre todo para SOP. Consulta la sección de peonía y regaliz anteriormente en este capítulo;

DIM (diindolilmetano), fitonutriente derivado de vegetales como el brócoli, las coles de bruselas, la col y la col rizada. Bloquea los receptores androgénicos.[222] También inhibe la enzima aromatasa y así podría tener el efecto indeseado de la disminución de estrógeno. Prescribo 100 mg de DIM por día para el acné y el hirsutismo.

La **progesterona micronizada o natural** inhibe la 5-alfa reductasa y bloquea los receptores de andrógenos. La mejor manera de obtener progesterona es ovular y *producir tu propia progesterona*. También puedes complementarla.

El **hongo reishi** (*Ganoderma lucidum*) inhibe la 5-alfa reductasa.[223] El reishi tiene varios beneficios para la salud como el apoyo al sistema inmune y la estabilización del eje HHA (suprarrenal).

El ***Vitex agnus-castus*** disminuye la prolactina, mejorando así el exceso de prolactina inducida por andrógenos y el hirsutismo. La prolactina elevada no es típica del SOP, razón por la cual generalmente no prescribo Vitex para el SOP. Lo prescribo para la amenorrea hipotalámica, tratada más abajo.

La **palma enana americana** (*Serenoa repens*) inhibe la 5-alfa reductasa y resultó exitosa en un ensayo clínico reciente donde fue combinada con té verde, melatonina, vitamina D y soja.[224] Como el DIM, la palma enana americana podría tener el efecto indeseado de disminuir el estrógeno. Yo nunca prescribo la palma enana americana, principalmente porque prefiero otros tratamientos como el zinc y la combinación de peonía y regaliz.

 No necesitas *todos* los suplementos mencionados en este capítulo. Comienza con un tratamiento base para el SOP como dejar el azúcar y tomar magnesio y elige un tratamiento adicional de antiandrógeno como el zinc.

Amenorrea hipotalámica (AH)

La amenorrea hipotalámica se define como la falta del periodo menstrual por más de seis meses y *sin poder encontrar ningún diagnóstico médico*.

Es importante la parte de "ningún diagnóstico médico". Significa que tu médica debe haber descartado otras condiciones como la enfermedad tiroidea, enfermedad celíaca, SOP, prolactina alta y otros.

Antes de que pasemos a hablar de amenorrea hipotalámica, hay dos posibilidades más a considerar.

En primer lugar, ¿tu ausencia de menstruación se debe a demasiada soja en tu dieta? Como vimos en el capítulo 6, demasiados fitoestrógenos pueden detener el periodo.[225] Si la soja es el problema, entonces, reduce la ingesta y los periodos deben regresar.

A continuación, ¿tu falta de periodos menstruales se debe a que recientemente has dejado la píldora? Si es así, es posible que solo necesites un poco más de tiempo, como hizo Christine en el capítulo 1. O te puedes beneficiar de los tratamientos discutidos en esta sección. Consulta también la sección "Cómo dejar los anticonceptivos hormonales" en el capítulo 11.

La sabiduría del hipotálamo

Si no hay una razón médica para la ausencia de menstruación es porque el hipotálamo (tu centro de comando hormonal principal) ha decidido que no debes ovular. ¿Por qué tomaría tal decisión? El hipotálamo no está tratando de ser malo. Trata de *ayudarte* porque percibe que algo no está bien en tu mundo. Ya sea porque estás estresada o no puedes comer lo suficiente tu hipotálamo no quiere intentar la difícil tarea de traer un bebé al mundo. Por eso detiene temporalmente la reproducción, solo hasta que las cosas mejoren.

Pero espera, ¿qué pasa si realmente no deseas tener un bebé? Solo quieres tener periodos menstruales. Desde la perspectiva del hipotálamo, es lo mismo. Estar lo suficientemente saludable como para tener un bebé significa que estás lo suficientemente saludable como para tener la regla.

 La **amenorrea hipotalámica** no es un trastorno. Es una respuesta *normal* a la poca alimentación o el estrés.

Veamos ahora las dos causas principales de la amenorrea hipotalámica: la poca alimentación y el estrés.

Comer mejor

Si fueras mi paciente, empezaría con una pregunta simple; ¿sientes que estás recibiendo lo suficiente para comer? Por ejemplo, ayer, ¿te sentiste *satisfecha* con tu comida?

Me gusta esta pregunta porque hace llegar el mensaje de que

mereces sentirte satisfecha y estar totalmente nutrida. Como mujer, necesitas más comida de la que te han hecho creer.

La escasa alimentación puede hacerte perder la menstruación y, como vimos en el capítulo 5, no tienes que tener un peso bajo. La poca alimentación puede ser un problema cuando tienes un peso normal o incluso *sobre*peso. El hipotálamo se preocupa menos por el peso y más por si estás comiendo lo suficiente para seguir el ritmo de tu actividad.

 Puedes ejercitarte siempre y cuando comas lo suficiente.

Para tener el periodo, es necesario nutrirse completamente en todos los sentidos. Esto se traduce en suficientes calorías y suficientes micronutrientes como el zinc y el yodo. También significa suficiente cantidad de *todos* los macronutrientes como las proteínas, las grasas y los carbohidratos.

Comer poca cantidad de carbohidratos puede afectar la señalización hipotalámica y causar amenorrea, incluso si consumes suficientes calorías.[226]

Si te sientes mejor en una dieta baja en carbohidratos, entonces pregúntate:

- ¿es porque has dejado de consumir trigo? Si es así, tu mejor estrategia es evitar el trigo, pero sigue consumiendo arroz, patatas y avena;
- ¿es porque has aliviado un problema digestivo? Si es así, tu mejor estrategia es arreglar la digestión (ve el capítulo 11).

Trastorno de alimentación

Si piensas que puedes tener un trastorno alimentario, debes saber que no eres la única. Un estudio mostró que la mayoría (63%) de las mujeres jóvenes con amenorrea llegan a ser diagnosticadas con un trastorno alimentario.[227]

Sé amable contigo misma y *busca ayuda profesional.* He proporcionado los nombres de organizaciones de buena reputación en la sección de "Recursos".

Además de buscar la ayuda de un psicólogo profesional, aquí van algunas ideas simples.

- Deja de seguir las cuentas de redes sociales que glorifican cuerpos desnutridos y esqueléticos.
- Sal con amigos que disfrutan de comer y que se sienten cómodos con la comida.
- Nunca uses la palabra "malo" o "limpio" para referirte a comida o alimentación.
- Deja de ser perfecta en todo, incluyendo tu dieta.

Incluso una vez que empieces a comer más, aún tendrás que esperar al menos cuatro meses para tener la menstruación. ¿Por qué? Porque ese es el tiempo que tardan tus folículos ováricos en viajar hasta la ovulación.

 Si no puedes ganar peso comas lo que comas, puede que tengas una condición médica como la enfermedad celíaca. Consulta con tu médica.

Menos estrés

La mejor manera de reducir el estrés es seguir todas las pautas descritas en la sección de disfunción del eje HHA en el capítulo 6.

Tratamiento convencional de la amenorrea hipotalámica

La amenorrea hipotalámica es una afección para la que las recomendaciones de tratamiento convencional y natural son las mismas: comer más y estresarse menos.

Puede que tu médica también te recomiende la píldora, pero recuerda: el sangrado de la píldora no es un periodo menstrual.

La píldora no protege contra la osteoporosis[228] y realmente puede perjudicar la recuperación de la amenorrea hipotalámica. [229]

Suplementos y hierbas medicinales para la amenorrea hipotalámica

La estrategia más importante para la amenorrea hipotalámica es *comer más*. A menos que también lo hagas durante al menos cuatro meses, ninguno de los siguientes suplementos puede hacer algo para ayudarte.

El **magnesio** es El mineral milagroso para periodos, y también es útil en este caso. Te ayuda a lidiar con el estrés y regular el hipotálamo.

La ashwagandha (*Withania somnifera*) es una medicina herbal que se ha utilizado por miles de años en la tradición médica ayurvédica de la India. Tradicionalmente, se suministraba como un tónico energético y de reproducción.

Cómo funciona: reduce la ansiedad y contrarresta los efectos a largo plazo de estrés como la inestabilidad del azúcar en la sangre, el insomnio, la depresión y la supresión del hipotálamo.

Qué más necesitas saber: la cantidad exacta de la hierba depende de la concentración de la fórmula, así que tómala como se indica en el envase. La ashwagandha se puede tomar en forma de té, líquido o en pastilla. Para un beneficio total, recomiendo tomarlo dos veces al día durante al menos tres meses.

El ***Vitex agnus-castus*** (sauzgatillo o árbol casto) es un medicamento preparado a partir de las bayas de un árbol del Mediterráneo. En la antigüedad, fue utilizado supuestamente para suprimir la libido de los monjes, de ahí su nombre. Afortunadamente, no tiene ese efecto en las mujeres.

Cómo funciona: promueve la ovulación protegiendo al hipotálamo del estrés crónico y evitando que la glándula pituitaria produzca demasiada prolactina. Vitex también contiene componentes similares a los opiáceos, que calman el sistema nervioso.[230] Es por eso que Vitex es también un gran tratamiento para el síndrome premenstrual, como veremos en el capítulo 8.

Qué más necesitas saber: la cantidad exacta de la hierba depende de la concentración en la fórmula. Una tableta puede contener de 200 a 1000 mg. Para un mejor efecto, toma la hierba a primera hora de la mañana antes del desayuno, porque es cuando la pituitaria es más receptiva. Recomiendo administrar la dosis deteniéndola durante cinco días cada mes. No todas las médicas la dosifican de esta manera, pero creo que previene la atenuación de su efecto con el tiempo. Si tienes la regla (pero la estás usando para SPM), no tomes la hierba durante cinco días desde el inicio de cada periodo. Si no tienes la menstruación, tómala por 25 días seguidos y haz cinco días de descanso.

Vitex es una medicina potente, por lo que debes tener cuidado acerca de cómo la tomas. Por ejemplo, no debes tomarla si también estás tomando un medicamento para la fertilidad. No la tomes si eres menor de 18 años porque todavía estás desarrollando la comunicación entre la hipófisis y los ovarios. No la tomes durante más de seis meses consecutivos excepto bajo orientación profesional. Si estás utilizando Vitex para que tus periodos continúen, no deberías necesitarlo durante más de seis meses porque debería haber hecho su efecto dentro de ese tiempo. En ese momento deberías poder dejarlas y tu periodo seguirá siendo regular. Por último, ten cuidado con Vitex si tienes SOP, ya que puede aumentar la HL y empeorar la afección. En caso de duda, habla con tu médica.

Prolactina elevada

La prolactina es una hormona pituitaria que promueve la lactancia y regula las hormonas. Demasiada prolactina inhibe la ovulación.

Los niveles muy elevados de prolactina son un problema médico grave que puede detener el periodo por completo.

Los niveles ligeramente elevados de prolactina pueden causar periodos irregulares, dolor mamario y pérdida de la libido. También pueden causar exceso de andrógenos a través de dos mecanismos diferentes.

- La prolactina aumenta el andrógeno suprarrenal DHEA. [231]
- La prolactina aumenta la 5-alfa reductasa causando más dihidrotestosterona (DHT).[232]

La prolactina elevada puede detectarse con un simple análisis de sangre.

¿Qué causa la prolactina elevada?

La prolactina **muy** alta (más de 1000 mIU/L o 50 ng/mL) es generalmente el resultado de un tumor hipofisario benigno llamado prolactinoma, que requiere diagnóstico médico y tratamiento. Tu médica probablemente solicitará un estudio de diagnóstico por imagen, como un IRM (estudio de imagen por resonancia magnética) y te mandará un tratamiento con el medicamento bromocriptina, que reduce la prolactina. No hay tratamiento natural para un prolactinoma activo.

La **prolactina moderadamente elevada** (más de 480 mIU/L o 23 ng/mL) puede ser causada por prolactinoma, enfermedad de la tiroides, alcohol o medicamentos como los anticonceptivos hormonales, antiácidos para el estómago y algunos tipos de medicamentos psiquiátricos y para la presión arterial. Requiere supervisión y diagnóstico médico.

La **prolactina ligeramente elevada** (alrededor de 480 mIU/L o 23 ng/mL) es común y no puede ser diagnosticada con un solo resultado. ¿Por qué? Porque tu prolactina podría haberse elevado temporalmente por alguno de los siguientes factores:

- sexo
- ejercicio
- alcohol

- alimentación
- sueño
- deshidratación
- estrés
- fase lútea (posovulación)
- enfermedad de tiroides leve
- anticonceptivos hormonales

Para mayor precisión, deberás volver a inspeccionar la prolactina bajo las condiciones siguientes:

- durante la fase folicular;
- entre 8 a.m. y 12 p.m.;
- en ayunas;
- hidratada;
- no directamente después del ejercicio o del sexo;
- relajada y
- sin estar tomando anticonceptivos hormonales.

 La **prolactina ligeramente elevada** puede ser una característica de amenorrea hipotalámica y SOP.

Una vez que tu médica ha descartado una explicación médica para la prolactina alta, puedes considerar usar tratamientos naturales.

Dieta y estilo de vida para bajar los niveles de prolactina

Reducir el alcohol, especialmente la cerveza, porque la cebada estimula la prolactina. Es por ello que la cerveza fue prescrita tradicionalmente para aumentar el suministro de leche. No excedas las cuatro bebidas alcohólicas por semana.

Reducir el estrés con yoga, meditación y paseos lentos y prolongados.

Hierbas medicinales para bajar los niveles de prolactina

Vitex es el mejor tratamiento natural para bajar la prolactina. Para instrucciones de dosificación, consulta la sección que trata Vitex anteriormente en este capítulo.

Una última palabra acerca de los periodos irregulares

Los periodos irregulares pueden ser frustrantes. Es difícil obtener un diagnóstico preciso e incluso, una vez que lo tienes, hay muchos tratamientos naturales diferentes para elegir.

Mi experiencia con miles de pacientes es que con el tiempo se puede solucionar el misterio de la menstruación irregular. Investiga más profundamente tu diagnóstico. Trata de averiguar *por qué* no ovulas. Recluta a tu médica para que te ayude y utiliza la lista de preguntas en la sección "Cómo hablar con tu médica" en el capítulo 11.

Una vez que selecciones un tratamiento, por favor, debes comprometerte con él durante *por lo menos tres meses*. Debes esperar al menos ese tiempo porque ese es el tiempo que tardan los folículos ováricos en viajar hasta la ovulación.

Anímate. Sigue adelante y recuerda: tu cuerpo *quiere* tener periodos regulares.

Capítulo 8

⮞⟶

LA SOLUCIÓN PARA EL SPM: 3 PASOS PARA LA RESILIENCIA HORMONAL

STE ES EL CAPÍTULO que muchas de ustedes han estado esperando. ¿Qué se puede hacer para aliviar la irritabilidad, el dolor mamario, el acné, los dolores de cabeza y otros síntomas premenstruales?

Permíteme comenzar diciendo rotundamente que para la mayoría de las mujeres, el síndrome premenstrual (SPM) puede convertirse en cosa del pasado. Lo digo en serio. El SPM responde bien al tratamiento y responde rápido. Será lo primero que debes cambiar en tu boletín mensual.

Me encanta escuchar decir a las pacientes: "Me sorprendí cuando llegó mi periodo menstrual. No sentí nada".

Sin irritabilidad. Sin dolores de cabeza. Sin antojos de comida. *Es* posible.

¿Te sorprende? La mayoría de las mujeres reportan algunos cambios físicos o emocionales en la segunda mitad de su ciclo. Aproximadamente el 20% de las mujeres experimenta síntomas lo suficientemente graves como para buscar ayuda médica.

No es de extrañar que el SPM sea ampliamente interpretado como algo inevitable y universal. Sin embargo, aquí estoy, diciéndote que no tiene por qué ser así. Reafirmo lo que digo. El SPM es común, pero no es inevitable. De hecho, el SPM es curable. Por eso he dedicado un capítulo completo de este libro a una solución para el SPM.

Un diagnóstico polémico

El SPM fue descrito por primera vez a principios de los años 80 y ha sido polémico desde entonces. Es polémico por un par de razones.

En primer lugar, el término SPM está sujeto a un mal uso. Demasiado a menudo, se utiliza para trivializar todas y cada una de las emociones de la mujer, lo cual es un problema. Como mujer (y como ser humano), tienes *derecho* a tener emociones. Tus emociones no deben ser descartadas por tu pareja o ningún miembro de tu familia como simplemente "hormonal". De hecho, rechazo esa palabra cuando se usa como adjetivo para describir a una mujer. Es de locos que *hormonal* haya llegado a ser un insulto. Implica que las hormonas femeninas en sí mismas son negativas para el estado de ánimo, lo que, como veremos más adelante en el capítulo, simplemente no es cierto.

La segunda razón por la que el SPM es polémico es que no se refiere a una cosa, sino a un conjunto grande y variable de síntomas. En su interpretación más amplia, el SPM puede referirse prácticamente a *cualquier* síntoma que experimentes dos de cada cuatro semanas.

Síntomas del SPM

A pesar de la polémica, estoy convencida de que el SPM es real.

Los síntomas emocionales más comúnmente reportados son la irritabilidad, la ansiedad, la depresión y el llanto. Los síntomas físicos más comúnmente reportados son trastornos del sueño, retención de líquidos, distensión abdominal, palpitaciones, dolor en las articulaciones, dolores de cabeza, lagunas mentales, antojos de comida, dolor mamario y espinillas. Para calificar para el SPM, los síntomas deben ocurrir durante los diez días *anteriores* a tu periodo y luego desaparecen durante o poco después del sangrado.

Magnificación premenstrual

Si tus síntomas de SPM son síntomas que *empeoran* temporalmente pero que tiendes a experimentar de todos modos (por ejemplo: dolores de cabeza, problemas digestivos, acné, y antojos de azúcar), entonces no es SPM. Es *magnificación premenstrual*.

La magnificación premenstrual es diferente del síndrome premenstrual, y la mejor estrategia para abordarla es tratando la condición *subyacente*. Así, no se agravará por el movimiento natural inflamatorio que se produce al final de la fase lútea. También puedes beneficiarte de algunas de las estrategias discutidas en este capítulo.

¿Qué causa el SPM?

Tus hormonas en sí mismas *no son las culpables del SPM*. Ni el estrógeno ni la progesterona son intrínsecamente negativos para el estado de ánimo o cualquier otra cosa. Todo lo contrario. Tus hormonas son *beneficiosas*.

Recuerda de capítulos anteriores que tanto el estrógeno como la progesterona son poderosos potenciadores del estado de ánimo y el metabolismo.

Por ejemplo, cuando el estrógeno se eleva en la fase folicular, te sientes genial porque el estrógeno aumenta la serotonina y te da músculos más fuertes y mejor sensibilidad a la insulina. Esto es maravilloso, hasta un punto. Si el estrógeno sube demasiado, no te sentirás tan genial.

Los altibajos del estrógeno

El estrógeno es como esa amiga interesante y carismática: es genial tenerla alrededor, pero puede llegar a ser un poco abrumadora después de un tiempo. Un poco de estrógeno es genial. Demasiado estrógeno es sobrestimulante y puede causar dolor mamario, retención de líquidos, irritabilidad y dolores de cabeza.

La salida del estrógeno también puede causar síntomas. El estrógeno no puede mantenerse alto para siempre, y tampoco querrías que eso pasara. El estrógeno tiene que disminuir al final de tu ciclo y, cuando lo hace, la serotonina y la dopamina también disminuyen. Cuanto más alto está el estrógeno, más sientes la caída. La retirada del estrógeno puede causar fatiga, sudores nocturnos y migrañas.

La progesterona al rescate

Al mismo tiempo que el estrógeno sube y baja, la progesterona debe llegar al rescate. Si puedes producir suficiente progesterona, te calmará y protegerá de los altibajos del estrógeno.

Recuerda del capítulo 4 que la progesterona contrarresta el estrógeno. La progesterona tiene otros superpoderes tales como convertirse en el neuroesteroide alopregnanolona, que calma el cerebro al igual que el neurotransmisor GABA. Estabiliza el eje HHA (suprarrenal).

Si puedes producir suficiente progesterona, y si eres lo suficientemente sensible a ella, entonces el alopregnanolona te calmará hasta que llegue tu periodo. Si, por otro lado, no produces suficiente progesterona o si la progesterona disminuye demasiado rápido[233] o si tienes cambios sensibles a la progesterona[234], entonces podrías tener síntomas en relación con el estado de ánimo.

El enfoque convencional para el SPM y la fluctuación hormonal consiste en usar anticonceptivos hormonales para emparejar las hormonas. Sí, eso estabiliza las cosas, pero no en el buen sentido. Claro que ya no tendrás una fluctuación hormonal, pero porque ya no tendrás hormonas. Estás matando a la gallina de los huevos de oro.

 Los **anticonceptivos hormonales** también pueden causar síntomas, pero son *efectos secundarios* de los fármacos, no SPM.[235]

Resiliencia hormonal

El enfoque natural para la fluctuación hormonal es diferente. No desactiva la fluctuación hormonal. En cambio, acepta el cambio como un proceso normal y beneficioso. Tus hormonas fluctúan porque las produces en un patrón cíclico con la ovulación, y esa es la única manera de *poder* producirlas.

Dicho de otra manera: si tienes hormonas, van a fluctuar.

No necesitas equilibrar tus hormonas. Solo es necesario que puedas *adaptarte* a sus altibajos. Esa capacidad para adaptarse a la fluctuación hormonal es lo que llamo *resiliencia hormonal*.

Las investigaciones nuevas apoyan la idea de resiliencia hormonal y sugieren que hay un componente genético. Las células de mujeres con el trastorno disfórico premenstrual (TDPM) responden a las hormonas de manera diferente comparadas con las mujeres sin la referencia de la condición[236].

📖 *TDPM*

El trastorno disfórico premenstrual es una condición de depresión premenstrual, irritabilidad o ansiedad graves. Afecta a aproximadamente una de cada veinte mujeres.

Por lo tanto, es posible que hayas tenido la suerte de nacer con genes que te protegen de los síntomas premenstruales. Si no, puedes autoprotegerte al *cultivar la resiliencia hormonal* en tres sencillos pasos.

- Mejorar la progesterona y GABA.
- Estabilizar el estrógeno y metabolizarlo adecuadamente.
- Reducir la inflamación para calmar los receptores de hormonas y neurotransmisores.

¿Te fijaste en el tercer punto? *Reducir la inflamación.* ¿Por qué es importante para el SPM?

El papel de la inflamación

Las citocinas inflamatorias te ponen en mayor riesgo de tener el síndrome premenstrual.[237] ¿Por qué? Porque, como vimos en el capítulo 6, la inflamación crónica distorsiona la comunicación hormonal.

Más precisamente, la inflamación afecta a la fabricación de progesterona y la capacidad de respuesta de los receptores de progesterona. Por lo tanto, terminas necesitando *más* progesterona tan solo para poder sentir su efecto calmante.

La inflamación también desregula los receptores GABA, que además deterioran tu respuesta a la progesterona y agravan el SPM.

Finalmente, la inflamación interfiere con la desintoxicación del estrógeno y te hipersensibiliza al estrógeno.

En resumen, la inflamación puede causar 1) menos progesterona y GABA y 2) más estrógeno.

La inflamación es el desencadenante perfecto para el SPM.

Afortunadamente, puedes reducir la inflamación con las estrategias antiinflamatorias propuestas en el capítulo 6. También puedes aprovechar el efecto antiinflamatorio natural de la progesterona.[238]

Vamos a empezar con la progesterona.

Mejorar la progesterona y GABA

La progesterona es fundamental en el tema del síndrome

premenstrual, porque te protege de los altibajos del estrógeno. También reduce la inflamación y calma el estado de ánimo favoreciendo el neurotransmisor GABA.

Tu cuerpo quiere más progesterona *y* más GABA para poder experimentar un mayor beneficio de la progesterona. Esta sección te dará estrategias tanto para la progesterona y como para el GABA.

 Más progesterona y más GABA pueden resultar en menos SPM.[239]

¿Cómo sabes si tienes suficiente progesterona?

Los síntomas de progesterona baja incluyen SPM, moco fértil durante la fase premenstrual, sangrado irregular o premenstrual y sangrado menstrual prolongado o intenso.

Puedes medir la progesterona con un análisis de sangre durante la fase media lútea o mediante el seguimiento de tu temperatura. Recuerda, la idea es buscar un aumento constante de la temperatura en tu fase lútea. Consulta la sección "Progesterona baja" en el capítulo 5.

Como hemos visto en capítulos anteriores, la progesterona es difícil de producir y difícil de mantener. ¡Con razón los síntomas premenstruales son tan comunes!

Dieta y estilo de vida para mejorar la progesterona y GABA

Como vimos en la sección "Hoja de ruta para mejorar la progesterona" en el capítulo 4, la progesterona, en cualquier ciclo, es el resultado de la salud del cuerpo lúteo, siendo este resultado de la salud del folículo ovárico durante todo su viaje de 100 días hacia la ovulación.

Aumentar los niveles de progesterona es un proyecto a largo plazo.

Reduce los alimentos inflamatorios

Al reducir los alimentos inflamatorios tales como el azúcar, el trigo y los lácteos de vaca, ayudas a la progesterona de dos maneras.

- Menos inflamación conduce a una mejor ovulación y, por lo tanto, *mayor* cantidad de progesterona.
- Menos inflamación incrementa la sensibilidad tanto de la progesterona como de los receptores GABA.

De todos los alimentos inflamatorios, los lácteos de vaca parecen ser los más significativos para el SPM, probablemente porque pueden desencadenar la liberación de histamina.

Tema especial: La conexión curiosa entre SPM e histamina

Si los síntomas de tu SPM incluyen dolores de cabeza, ansiedad o lagunas mentales, entonces podrías estar sufriendo de *intolerancia a la histamina*. Como recordarán de la sección "Intolerancia a la histamina" en el capítulo 6, la histamina es una parte normal del sistema inmunológico, pero demasiada histamina puede causar síntomas.

La intolerancia a la histamina a menudo empeora justo antes del periodo porque el estrógeno aumenta los niveles de histamina y viceversa. La progesterona, por el contrario, disminuye la histamina, que es una forma en la que la progesterona alivia el SPM.

El tratamiento para la intolerancia de la histamina puede incluir:

- mejorar la progesterona o tomar progesterona;

- reducir los alimentos que *estimulan la histamina*, como los productos lácteos y el alcohol;[240]

- reducir los alimentos *que contienen histamina*, como el vino tinto, el queso, el caldo de huesos y los alimentos fermentados;

• tomar vitamina B6, que estimula la enzima DAO que descompone la histamina.[241]

La intolerancia a la histamina también puede ser un factor en el dolor menstrual y los quistes ováricos, que veremos en el capítulo 9.

 La **reducción en los niveles de histamina** es una parte importante de por qué la vitamina B6 y la progesterona natural funcionan tan bien para el SPM y otras condiciones.

Reducir el alcohol

El alcohol reduce la alopregnanolona[242] e interfiere con el efecto calmante de la progesterona. El alcohol también puede empeorar la intolerancia a la histamina. Quizás puedes disfrutar del vino o la cerveza ocasional, pero por el bien de tu progesterona y SPM, no excedas las cuatro bebidas por semana.

Reducir el estrés

Si se percibe un nivel de estrés elevado se duplica el riesgo de SPM severo.[243] Sucede lo siguiente. En primer lugar, la adrenalina bloquea directamente los receptores de progesterona y agota el GABA. Solo eso ya puede causar SPM.

A largo plazo, el estrés también afecta a la ovulación y agota la progesterona. Finalmente, la baja progesterona puede desestabilizar aún más tu respuesta al estrés o el eje HHA (suprarrenal).[244] Es por eso que puedes notar un efecto retardado con el estrés. El estrés de *ahora* puede provocar semanas de SPM en el futuro.

Reducir el estrés es fundamental para la resiliencia hormonal. Si sufres de SPM, ahora tienes una excusa para decir: "Para equilibrar mis hormonas, tengo que salir a caminar, o reservar un masaje, o pasar toda la tarde leyendo una novela".

Ejercicio

El ejercicio ayuda al SPM[245] ya que reduce el estrés y la inflamación.

Suplementos y hierbas medicinales para aumentar progesterona y GABA

El **magnesio** es mi tratamiento de primera línea para SPM. Mejora los síntomas premenstruales tan drásticamente[246] que algunas científicas han sugerido que la deficiencia de magnesio es la *causa* principal del síndrome premenstrual.[247]

> **Cómo funciona:** ayuda en la fabricación de las hormonas esteroides, incluyendo la progesterona. También normaliza la acción de la progesterona sobre el sistema nervioso central. Pero los beneficios del magnesio no se quedan aquí. También reduce la inflamación, regula la respuesta al estrés y aumenta la actividad GABA.

> **Qué más necesitas saber:** las fuentes alimenticias de magnesio incluyen frutos secos y semillas y vegetales de hojas oscuras, pero las fuentes de magnesio de origen alimenticio a menudo no son suficientes. Recomiendo un suplemento de 300 mg de glicinato de magnesio por día. Consulta la sección dedicada al magnesio en el capítulo 6.

La **vitamina B6** es el siguiente tratamiento más fuerte para SPM. Es eficaz tanto para SPM como para la condición más severa del TDPM.[248]

> **Cómo funciona:** la vitamina B6 (también llamada piridoxal-5-fosfato o P5P) funciona en casi todos los aspectos de la historia de SPM. Es esencial para la síntesis de progesterona y GABA. Reduce la inflamación y ayuda en la desintoxicación saludable de estrógeno. Por último, la vitamina B6 es un diurético natural y alivia la intolerancia a la histamina.

Qué más necesitas saber: generalmente, recomiendo entre 20 y 150 mg de vitamina B6 por día en dosis espaciadas repartidas durante el día (por ejemplo: 50 mg dos veces al día). Podrás sentir sus ventajas en el plazo de una hora. La vitamina B6 funciona bien conjuntamente con el magnesio como vimos en de Amy la historia en el capítulo 6. Observa que el suministro a largo plazo mayor a 200 mg puede provocar lesiones nerviosas.

 La combinación de **magnesio y vitamina B6** es mi tratamiento favorito para el SPM.

Vitex agnus-castus (árbol casto o sauzgatillo). Hablamos de la hierba medicinal Vitex en el último capítulo como tratamiento para la amenorrea hipotalámica. Vitex también es ideal para el SPM. Recientemente se evaluó mediante una gran revisión sistemática de diecisiete ensayos aleatorios controlados y se determinó que es seguro y eficaz para el tratamiento del SPM y el TDPM.[249]

Vitex alivia el estado de ánimo, la retención de líquidos y la sensibilidad en las mamas. Vamos a ver la sensibilidad en las mamas más adelante en el capítulo.

Cómo funciona: mediante la inhibición de la hormona pituitaria prolactina, mejora la ovulación y la progesterona. Vitex también contiene componentes similares a los opiáceos, que calman el sistema nervioso.[250]

Qué más necesitas saber: la cantidad exacta de hierba depende de la concentración de la fórmula. Un comprimido puede contener de 200 a 1000 mg.

Para un mejor efecto, toma la hierba a primera hora de la mañana antes del desayuno, porque es cuando la pituitaria es más receptiva. Déjala durante cinco días desde el inicio de cada periodo. Para obtener instrucciones detalladas, consulta la sección "Vitex" en el capítulo 7.

El **selenio** es un nutriente clave para la producción de progesterona.

Cómo funciona: es esencial para la formación e integridad del cuerpo lúteo.

Qué más necesitas saber: las fuentes alimenticias de selenio incluyen mariscos, vísceras y nueces de Brasil. Una porción de salmón, por ejemplo, proporciona 40 mcg de selenio. Si decides suplementar, toma solo de 100 a 150 mcg por día para permitir la cantidad que recibes de los alimentos. El límite máximo de consumo tolerable de selenio de cualquier fuente es de 200 mcg por día.

La **progesterona micronizada** o la progesterona natural es algo a tener en cuenta después de haber intentado otros tratamientos.

Cómo funciona: es la hormona progesterona, así que es un tipo de reemplazo hormonal. La progesterona alivia el SPM porque convierte a la neuroesteroide alopregnanolona calmante y ayuda a la eliminación saludable de histamina.

Qué más necesitas saber: utilízala durante la fase lútea como crema tópica o cápsula. Para obtener más información acerca de la progesterona natural y las hormonas bioidénticas, consulta la sección de hormonas bioidénticas en el capítulo 10.

Lista de control para aumentar progesterona y GABA:

- Mantener tus folículos ováricos sanos durante cada uno de los 100 días de su viaje hacia la ovulación.
- Reducir el estrés.
- Considerar tomar magnesio, vitamina B6 y Vitex.

 El tratamiento natural funciona mejor para prevenir el SPM. Sigue las pautas durante *todos* los días de tu ciclo, no solo durante el momento premenstrual.

Estabilizar y metabolizar el estrógeno

Como vimos anteriormente en este capítulo, el estrógeno es esa amiga positiva y carismática, pero que necesita que la frenes un poco. Si mantienes el estrógeno bajo control, evitarás los síntomas del *exceso de estrógeno* como son la sensibilidad mamaria e irritabilidad premenstrual. También evitarás la depresión que puede producir la bajada repentina de estrógeno.

Dieta y estilo de vida para metabolizar el estrógeno

Reduce el alcohol

Disminuye el consumo de alcohol para mejorar el metabolismo o desintoxicación del estrógeno. Tan solo dos bebidas por día pueden *duplicar* la exposición al estrógeno.[251]

Conserva las bacterias intestinales sanas

Las bacterias intestinales sanas escoltan el estrógeno de manera segura fuera de su cuerpo. Las bacterias intestinales poco saludables hacen lo contrario. Afectan el metabolismo del estrógeno y provocan que este sea reabsorbido en el cuerpo. Una de las mejores maneras de mantener un microbioma saludable es evitar tanto como sea posible fármacos como antibióticos que dañan la bacteria intestinal.

Mantén un peso corporal saludable

Mantener un peso corporal saludable es importante, ya que la grasa corporal produce un tipo de estrógeno llamado *estrona*.

Evita productos químicos alteradores del sistema endocrino

Los productos químicos alteradores del sistema endocrino tales como plásticos y pesticidas afectan tu capacidad de metabolizar el estrógeno. También pueden hiperestimular tus receptores de estrógeno. Ver la sección "Toxinas ambientales" en el capítulo 11.

Reduce los alimentos inflamatorios

Al reducir alimentos inflamatorios tales como el azúcar, el trigo y la leche de vaca, contribuyes a la desintoxicación saludable del estrógeno. También se reduce la histamina, que a su vez puede reducir el exceso de estrógeno y así aliviar los síntomas de SPM.

Come fitoestrógenos

Los fitoestrógenos son sustancias similares a los estrógenos naturales provenientes de legumbres, lino, granos y verduras. Son beneficiosos para el síndrome premenstrual porque se unen débilmente a los receptores de estrógeno y te protegen de los altibajos del estrógeno más fuerte, el estradiol.

 Los **fitoestrógenos reducen el estrógeno** porque bloquean los receptores de estrógeno y aceleran el metabolismo del estrógeno.[252]

Suplementos y hierbas medicinales para estabilizar y metabolizar el estrógeno

El **yodo** es útil para el SPM y especialmente para el dolor mamario, que analizaremos más adelante en el capítulo.

Cómo funciona: estabiliza y regula los receptores de estrógeno.

Qué más necesitas saber: por favor, ten cuidado con el yodo si tienes la enfermedad de la tiroides. Ver la sección "Yodo" en el capítulo 6.

El **calcio D-glucarato** es un fitonutriente eficaz para el SPM. La parte activa es el *glucarato* (no el calcio). El glucarato normalmente es producido por tu cuerpo en pequeñas cantidades. También se encuentra en alimentos como las naranjas y el brócoli.

Cómo funciona: el glucarato contribuye a la desintoxicación de estrógenos al inhibir la *beta-glucuronidasa*, que es una enzima producida por las bacterias del intestino que provoca que los estrógenos sean reabsorbidos.

Qué más necesitas saber: te recomiendo de 1000 a 1500 mg por día. También puede ayudar a prevenir el cáncer de mama. [253]

Un **suplemento probiótico** promueve la bacteria intestinal saludable.

Cómo funciona: las bacterias intestinales sanas escoltan al estrógeno fuera de tu cuerpo.

Qué más necesitas saber: el mejor probiótico para promover el metabolismo saludable del estrógeno es aquel que inhibe la enzima beta-glucuronidasa. La cepa bacteriana *Lactobacillus casei* ha demostrado resultados prometedores en este sentido, pero la investigación está todavía en sus inicios. Para una discusión completa sobre el campo en constante cambio de la investigación de probióticos, consulta la sección "Salud digestiva" en el capítulo 11.

Lista de control para estabilizar y metabolizar el estrógeno:

- Reducir el alcohol.
- Mantener las bacterias intestinales sanas.
- Identificar y tratar la intolerancia a la histamina.
- Pensar en tomar calcio D-glucarato y dosis bajas de yodo.

Reducir la inflamación

Como vimos en el capítulo 6, la inflamación crónica distorsiona la comunicación hormonal. La inflamación es una causa importante del síndrome premenstrual ya que interfiere con la producción de hormonas y receptores hormonales.

¿Cómo se puede reducir la inflamación?

Dieta y estilo de vida para reducir la inflamación

Reduce los alimentos inflamatorios

Eliminar los productos lácteos de tu dieta puede mejorar drásticamente el SPM, como vimos con Nina en el capítulo 6. Otros alimentos que potencialmente causan SPM son: trigo, azúcar, aceite vegetal y alimentos con niveles altos de histamina (mencionados arriba).

 La **sensibilidad alimentaria** puede causar SPM.

Suplementos y hierbas medicinales para reducir la inflamación

Como vimos unas páginas atrás, el **magnesio** más la **vitamina B6** es mi primera línea de tratamiento para SPM. Ambos nutrientes ayudan a la formación de progesterona, pero también tienen un potente efecto antiinflamatorio. Para instrucciones de dosificación, consulta la sección de progesterona incluida anteriormente.

Más allá de magnesio y vitamina B6, puedes considerar el zinc.

El zinc es uno de los suplementos antiinflamatorios más fuertes y obtuvo buenos resultados en un ensayo clínico reciente para el síndrome premenstrual.[254]

> **Cómo funciona:** disminuye la inflamación y los niveles de histamina, y aumenta la progesterona y GABA. Si tienes deficiencia de zinc, es más probable que sufras de SPM.[255]

> **Qué más necesitas saber:** recomiendo tomar 30 mg por día directamente después de la cena, ya que esta es la comida más importante. Recuerda no tomar zinc con el estómago vacío o podría causarte náuseas.

Tratamiento avanzado para SPM

Hasta ahora, hemos propuesto un plan de tratamiento general para el SPM que debe ser eficaz para la mayoría de los síntomas premenstruales incluyendo aquellos analizados en esta sección.

Como una revisión, los tratamientos más eficaces para el SPM son:

* magnesio
* vitamina B6
* zinc
* evitar las comidas inflamatorias o que producen histamina (generalmente lácteos).

Con estos tratamientos, podrías ver resultados dentro del primer mes, pero podría llevar más tiempo. Espera al menos tres meses antes de intentar otra solución.

Aquí hay algunas ideas de tratamiento adicional para tratar *junto con* los tratamientos base.

SPM con depresión y ansiedad

Los síntomas de estado de ánimo son comunes con el SPM. Si son lo suficientemente graves, pueden cumplir con los requisitos del diagnóstico médico de *trastorno disfórico premenstrual* (TDPM). El tratamiento convencional para el TDPM es un antidepresivo, por lo que deberás consultar a tu médica.

Los síntomas premenstruales del estado de ánimo deberían mejorar con los tratamientos ofrecidos anteriormente en este capítulo, particularmente con el magnesio, vitamina B6 y Vitex. Todos esos suplementos pueden ser utilizados con seguridad en combinación con un antidepresivo convencional.

 Vitex consigue mejores **resultados que los antidepresivos** en el tratamiento del el trastorno disfórico premenstrual. (TDPM)[256]

También puedes considerar uno de los siguientes tratamientos.

El **SAMe** (S-adenosil metionina) es un potenciador fuerte del estado de ánimo. Funciona rápidamente en unos pocos días, por lo que puedes utilizarla a corto plazo, según sea necesario.

Cómo funciona: SAMe es un derivado del aminoácido metionina. Ocurre naturalmente en tu cuerpo y tiene muchas funciones diferentes, incluyendo la fabricación de serotonina y dopamina. También reduce la histamina.

Qué más necesitas saber: te recomiendo de 100 a 200 mg por día. Una dosis más alta puede causar ansiedad. No la combines con otros antidepresivos excepto bajo recomendación médica.

La **hierba de San Juan** (*Hypericum perforatum*) es una hierba medicinal con una larga tradición de uso para la depresión y la ansiedad. En los últimos años, ha sido sometida a varios ensayos clínicos para el SPM. En un estudio, un grupo de 35 pacientes que sufrían de SPM tomaron la hierba de San Juan durante dos ciclos menstruales e informaron de una reducción significativa de todos los síntomas físicos y emocionales, incluyendo la ansiedad.[257]

Cómo funciona: la hierba de San Juan aumenta la serotonina, la dopamina y el GABA. También reduce la inflamación. Las científicas todavía están trabajando para descubrir el mecanismo completo de los beneficios de la hierba de San Juan.

Qué más necesitas saber: te recomiendo 300 mg de un extracto estandarizado. Para mejores resultados, tómala dos veces al día durante al menos dos meses. No la combines con otros antidepresivos excepto bajo recomendación médica. No la combines con la píldora anticonceptiva porque puede reducir la eficacia anticonceptiva de la píldora.[258]

Rhodiola rosea es la hierba medicinal que vimos en el capítulo 6 para regular la respuesta al estrés.

Cómo funciona: la Rhodiola calma la ansiedad y regula el eje

HHA (suprarrenal).

Qué más necesitas saber: la cantidad exacta de la hierba depende de la concentración de la fórmula, así que tómala como se indica en la botella. Para obtener más información acerca de Rhodiola, consulta el capítulo 6.

SPM con dolor mamario

El dolor mamario cíclico (también llamado *mastalgia cíclica* o *dolor de mama fibroquístico*) es común con el SPM. Los síntomas incluyen agrandamiento de las mamas, dolor, bultos, quistes, calor, dolor en pezones y, a veces, secreción del pezón. Los bultos fibroquísticos de las mamas pueden ser atemorizantes, pero no conducen directamente al cáncer de mama. Lo más preocupante es que pueden enmascarar la presencia de otros tipos de bultos, así que debe ser evaluado por tu médica.

El **yodo** es el mejor tratamiento para el dolor mamario.

Cómo funciona: como vimos en el capítulo 6, el yodo se estabiliza y regula los receptores de estrógeno. El tejido mamario tiene un montón de receptores de estrógeno, por lo que las mamas necesitan una gran cantidad de yodo. Se ha demostrado que el suplemento de yodo mejora los bultos fibroquísticos de la mama[259] y reduce el riesgo de cáncer de mama.[260] También tiene un buen efecto diurético y por lo tanto puede aliviar la retención premenstrual de líquidos.

Qué más necesitas saber: el mejor tipo de yodo para las mamas es el *yodo molecular* (I2). Comparado con el yoduro, el I2 se absorbe más *lentamente* en la tiroides y más *rápidamente* en el tejido mamario.[261] Eso hace que el I2 sea más seguro para la tiroides y mejor para el dolor mamario. Dicho esto, cualquier tipo de yodo puede ser perjudicial para la tiroides, así que por favor, no tomes más de 500 mcg (0,5 mg) excepto bajo supervisión profesional. Tomar demasiado yodo puede empeorar el acné.

June: Yodo para el dolor mamario

June me contó que cuando le estaba llegando el periodo le dolían tanto las mamas que hasta le resultaba doloroso bajar las escaleras caminando. También tenía bultos en las mamas, que su médica había revisado. Le había dicho que era una enfermedad benigna de las mamas y le dijo que no se preocupara.

June no estaba *preocupada*, pero tenía mucho dolor. Necesitaba ayuda.

—Vamos a revisar tu tiroides —le dije—. Así podemos decidir si es seguro que tomes yodo.

June tuvo una prueba de función tiroidea normal (TSH) y dio negativo en *anticuerpos tiroideos*, lo que para mí es la prueba más importante antes de administrar yodo. Si le hubieran dado positivos los anticuerpos de la tiroides, entonces no le habría querido prescribir ninguna cantidad de yodo en forma de suplemento.

No le hice ningún análisis de yodo porque, como vimos en el capítulo 6, el yodo no es fácil de analizar. Para mí, como médica clínica, el síntoma del dolor mamario es suficiente para demostrar la deficiencia de yodo.

Le pedí a June que tomara un comprimido de yodo al día de la marca Violet®, que ofrece 3000 mcg (3 mg) de yodo molecular. También tomó magnesio y vitamina B6, que recomiendo a casi todas las pacientes con SPM.

Tres meses después, June no tuvo casi ningún dolor en las mamas.

Luego le pedí a June que redujera su yodo a un comprimido cada dos días porque esperaba que hubiera repuesto el yodo de su cuerpo, por lo que necesitaría cada vez menos. Finalmente, bajamos la dosis de mantenimiento a un comprimido por semana, equivalente a 428 mcg por día.

Vitex es otro tratamiento confiable para el dolor mamario premenstrual. Puede reducir el dolor y los bultos en solo dos ciclos[262]. Para más instrucciones, consulta la sección que dedicada a Vitex anteriormente en este capítulo.

SPM con acné

Tanto el estrógeno y como la progesterona son generalmente buenos para la piel. Es por ello que tienes la piel más clara durante la mitad de tu ciclo, cuando esas hormonas están elevadas. Entonces puedes notar más acné durante la época premenstrual, cuando esas hormonas descienden. Con los tratamientos ofrecidos en este capítulo puedes *de algún modo* mejorar el acné ayudando a la progesterona y estabilizando el estrógeno.

Digo "de algún modo" porque el acné casi nunca tiene que ver con el estrógeno o la progesterona. En cambio, casi siempre tiene que ver con otros problemas subyacentes como la resistencia a la insulina y la inflamación. Los mejores tratamientos son aquellos que abordan esos problemas, como eliminar los lácteos y el azúcar de tu dieta y tomar zinc. Te proporciono otras ideas de tratamiento para el acné en la sección "Tratamiento para el acné" en el capítulo 7.

SPM con migrañas o dolores de cabeza

Las migrañas son provocadas por una disminución de estrógeno, [263] razón por la cual la fase premenstrual es un momento peligroso para las migrañas. El 70% de las pacientes mujeres con migraña señalan un empeoramiento de las migrañas justo antes o durante su periodo. La escasez de melatonina durante la menstruación también puede desempeñar un papel en esta dolencia.[264]

El tratamiento convencional para la migraña recomienda anticonceptivos hormonales, pero no es efectivo porque la mayoría de los tipos de anticonceptivos hormonales empeoran este síntoma. Además, los anticonceptivos hormonales conllevan un mayor riesgo de apoplejía para quienes padecen migraña que para otras mujeres.[265]

Los tratamientos naturales son una buena solución.

Evita el trigo, ya que es un disparador común de migrañas. Un estudio encontró que evitar el trigo elimina migrañas en el 89% de las pacientes.[266]

El **magnesio** es muy eficaz para la prevención de la migraña, y tiene sentido ya que el 50% de los enfermos de migraña tienen deficiencia de este mineral. El neurólogo Dr. Alexander Mauskop del Centro del Dolor de Cabeza de Nueva York recomienda que *todos los pacientes que sufren de migraña sean tratados con magnesio.*[267] Un metanálisis de 2016 apoya el uso de magnesio para la prevención de la migraña.[268]

> **Cómo funciona:** calma el sistema nervioso, reduce la inflamación y estabiliza los receptores de serotonina. El magnesio también previene la liberación de la *sustancia P*, que es un neurotransmisor que promueve el dolor en las migrañas.

> **Qué más necesitas saber:** recomiendo 300 mg de glicinato de magnesio por día. Puedes tomar una dosis extra si sientes que se avecina una migraña. Funciona bien en combinación con 100 mg de vitamina B6.

Los suplementos de **melatonina** reducen la frecuencia de las migrañas menstruales y han superado a los medicamentos convencionales para la migraña en al menos un ensayo clínico.[269]

> **Cómo funciona:** reduce la inflamación y estabiliza los neurotransmisores serotonina y GABA.

> **Qué más necesitas saber:** funciona como prevención, por lo que debe tomarse todas las noches durante la fase lútea. Te recomiendo de 0,5 a 3 mg al acostarte.

La **vitamina B2** (riboflavina) ha demostrado reducir la frecuencia de la migraña en un 50%.[270]

Cómo funciona: normaliza la producción de serotonina y mejora la función de un gen llamado *MTHFR* que se ha ligado a las migrañas.

Qué más necesitas saber: la dosis utilizada en los ensayos clínicos fue 200 mg dos veces al día, que es la dosis que prescribo a mis pacientes con migraña.

MTHFR

La MTHFR (metilentetrahidrofolato reductasa) es una enzima que transforma el folato (ácido fólico) en su forma activa. Aproximadamente una de cada tres personas tiene una variante del gen que produce la enzima. La mutación del gen MTHFR puede evaluarse con un simple análisis de sangre. Si tienes la variante del gen, puedes necesitar una dosis mayor de vitamina B.

La **progesterona micronizada** o progesterona natural es muy eficaz para las migrañas premenstruales. Como ya he dicho, recomiendo probar otros tratamientos antes de la progesterona. Las migrañas premenstruales son la excepción. Cuando una paciente acude a mí en busca de ayuda con las migrañas, a menudo recomiendo la progesterona en la primera visita.

Cómo funciona: la progesterona calma el sistema nervioso y el cerebro.

Qué más necesitas saber: te recomiendo una crema o cápsula. Tómala antes de acostarte a lo largo de la "ventana de riesgo" de migraña (desde cinco días antes de tu periodo hasta dos días después de comenzar el periodo). Si sientes que se avecina una migraña, toma una segunda dosis durante el día. Consulta la sección de "Progesterona natural" en el capítulo 10.

Solo un recordatorio: *No* hay progesterona en los

anticonceptivos hormonales.

Migrañas posmenstruales o al final de la menstruación

Las migrañas al final de la menstruación no son provocadas por hormonas como en las migrañas premenstruales. En cambio, las migrañas al final de la menstruación son accionadas por una breve anemia por deficiencia de hierro debido a la pérdida de sangre menstrual.[271] El mejor tratamiento es tomar hierro.

SPM con fatiga

Para tratar la fatiga premenstrual, primero debes resolver *porqué* está ocurriendo.

Fatiga inflamatoria

Una razón común de la fatiga premenstrual es la inflamación, pues los niveles de progesterona caen (recuerda, la progesterona es antiinflamatoria). Con este tipo de fatiga, sientes como si tuvieras gripe, te duelen los músculos y la garganta. La intolerancia a la histamina puede también desempeñar un papel en este tipo de fatiga premenstrual. El mejor tratamiento es eliminar los lácteos de vaca de tu dieta y tomar los nutrientes antiinflamatorios magnesio, vitamina B6 y zinc.

Fatiga del eje HHA (suprarrenal)

Otra razón para la fatiga premenstrual es la disfunción del eje HHA o un problema con tu sistema de respuesta al estrés. Perder la progesterona al final del ciclo puede desestabilizar tu eje HHA y empeorar los síntomas de "fatiga adrenal". Con este tipo de fatiga, te sientes agitada o estresada antes de tu periodo. Los mejores tratamientos son el magnesio más la vitamina B6 y una hierba *adaptógena* como Rhodiola o ashwagandha.

Problemas de sueño

Otra razón para la fatiga premenstrual es el insomnio que podrías tener cuando los niveles de estrógeno y progesterona bajan. Ambas hormonas tienen efectos directos en la mejora del sueño[272], por lo que perderlas puede interrumpirlo.

Tema especial: El efecto de la progesterona de mejorar el sueño

La progesterona mejora el sueño tan profundamente que puede detectarse en estudios de EEG o de ondas cerebrales. Por ejemplo, en los días inmediatamente después de la ovulación (cuando la progesterona está en su punto más elevado), las mujeres exhiben más husos del sueño, que son ondas cerebrales que indican el inicio del sueño profundo. [273] Por el contrario, las mujeres que toman la píldora (que no tienen progesterona) exhiben menos husos para dormir y menos ciclos de sueño reparadores.[274]

El mejor tratamiento para el insomnio premenstrual es el magnesio y los otros tratamientos de aumento de progesterona mencionados anteriormente en este capítulo. Las cápsulas de progesterona micronizada pueden dar un gran alivio.[275]

Deficiencia de hierro

Una consideración final para la fatiga premenstrual es la deficiencia de hierro, que es común en mujeres con SPM[276]. Estás particularmente en riesgo de deficiencia si sufres de periodos intensos.

Si sospechas que tienes una deficiencia de hierro, busca síntomas como la falta de aliento o la aparición de hematomas con facilidad. Pídele a tu médica que te haga un análisis de *ferritina sérica*.

> 📖 *ferritina*
>
> La ferritina sérica es la prueba de sangre para el hierro almacenado.

Tu médica necesita probar los niveles *reales* de hierro o ferritina. No basta solo con pedir un recuento sanguíneo y luego decirte que tu hemoglobina está bien, por lo que el hierro debe estar bien. La ferritina sérica debe estar entre 50 y 200 ng/mL.

> 📖 *recuento sanguíneo*
>
> El recuento sanguíneo o hemograma es un análisis de sangre que determina el número de células de la sangre y hemoglobina.

> 📖 *hemoglobina*
>
> La hemoglobina es la proteína que contiene hierro en glóbulos rojos.

El **hierro** es un nutriente energético clave.

Cómo funciona: transporta el oxígeno en la sangre y apoya la producción de la hormona tiroidea.

Qué más necesitas saber: si tienes deficiencia, toma de 15 a 50 mg de bisglicinato de hierro (una forma de hierro suave y altamente absorbible) directamente después de los alimentos. Las fuentes alimenticias de hierro incluyen carnes rojas, huevos, lentejas y vegetales de hojas verdes.

SPM con antojos de azúcar

Los antojos premenstruales son tan comunes que se han convertido en una especie de broma en la cultura popular. Y, sin embargo, como todas las cosas premenstruales, no tienes que soportarlos.

Lo primero que debes entender es que es *normal* tener más hambre antes de tu periodo. Esto ocurre porque los estrógenos y la serotonina disminuyen y ellos son los supresores naturales del apetito. Entonces, te queda relativamente más progesterona, que es un estimulante del apetito. El efecto de mejorar el apetito de la progesterona no es nada por lo que preocuparse, porque la progesterona también aumenta la tasa metabólica, por lo que quemas más calorías.

Si tienes más hambre durante la época premenstrual, entonces, por favor, *come más*. Está muy bien y es normal. Sírvete esa segunda porción de comida si la necesitas. Puedes picotear alimentos satisfactorios altos en calorías como frutos secos o huevo duro. Pero, *por favor, evita el azúcar* porque es inflamatorio y solo empeorará tu SPM.

Aquí hay algunos trucos para deshacerse de los antojos de azúcar.

Duerme lo suficiente

El sueño normaliza el apetito, por lo que el sueño adecuado es una de las mejores formas de prevenir los antojos premenstruales de azúcar.

Come proteínas

La proteína promueve la saciedad. En otras palabras, la proteína te hace sentir llena, y así será mucho menos probable que tengas antojos de azúcar.

Deja el azúcar

Como vimos en la sección "Azúcar" del capítulo 7, el azúcar puede ser adictivo. Si, tienes antojos más intensos durante el SPM, pero si te apetece todo el tiempo, entonces tus antojos de azúcar son solo un *magnificación premenstrual* de un problema mayor.

Es hora de romper con el azúcar. Te lo aseguro: no puedes

simplemente "reducirlo". Dejar los alimentos como el postre es la única manera permanente de escapar de los antojos.

Los mejores suplementos para aliviar los antojos de azúcar son los suplementos base para SPM magnesio y vitamina B6. Juntos, calman el sistema nervioso, reducen la inflamación y mejoran la resistencia a la insulina.

Otros suplementos útiles para antojos de azúcar incluyen SAMe y hierba de San Juan.

Si te apetece chocolate durante SPM, podría simplemente ser tu cuerpo tratando de obtener más magnesio. Una barra (100 g) de chocolate negro ofrece unos 200 mg de magnesio. Suplementar el magnesio es una forma fácil de aliviar los antojos de chocolate.

(CONSEJO)

El SPM ocasional es una parte útil de tu boletín mensual

Con la ayuda de los tratamientos que hemos debatido, tu SPM debe mejorar rápidamente y puedes esperar meses de pocos o ningún síntoma. De vez en cuando, volverá tu SPM. No es porque los tratamientos hayan dejado de funcionar. Es porque algo ha cambiado en *ti*.

Por ejemplo, puedes haber tenido cierta tensión de trabajo. O viajes al extranjero. Tal vez sufriste una infección y tuviste que tomar antibióticos. O tal vez los postres regresaron a tu dieta.

Cualquiera y todas esas cosas pueden traer de vuelta el viejo SPM.

Recuerda que tu periodo es tu boletín mensual. El momento premenstrual es una parte exquisitamente sensible de ese boletín de calificaciones. Te cuenta cosas que han pasado ese mes. Tal vez esas 50 horas de trabajo semanales fueron demasiado para ti. Tal vez necesitas dejar el azúcar otra vez.

Ya puedes agradecer a tu SPM por decírtelo.

Capítulo 9

FLUJO NORMAL: BASTA DE DOLOR Y SUFRIMIENTO

HEMOS HABLADO DE PERIODOS IRREGULARES y también del difícil desarrollo premenstrual de los periodos. Ahora ha llegado el momento de hablar de algo importantísimo: el sangrado.

Vamos a repasar lo que es normal. Tu flujo menstrual debe ser sobre todo líquido, sin grandes coágulos. Debe ser de color rojo fuerte y no debe ser doloroso.

Debes perder entre 25 y 80 ml en todos los días de tu periodo. Eso permite una variación significativa. Por ejemplo, es normal tener un sangrado un poco escaso que dure solo dos días. También es normal tener un sangrado más largo e intenso que se prolongue durante siete días. Como vimos en el capítulo 5, el promedio de pérdida de sangre es de 50 ml, lo que equivale a diez tampones normales o cinco tampones tamaño súper completamente llenos y repartidos a lo largo de los días de tu periodo. Recuerda, una compresa o un tampón regular llenos contienen 5 ml. Un tampón medio lleno contiene 2,5 ml y un tampón tamaño súper completamente lleno contiene 10 ml.

Periodos intensos

El sangrado menstrual intenso afecta aproximadamente a un 25% de las mujeres. El término médico es *menorragia* (significa "brote menstrual") y se define como la pérdida de sangre de más de 80 ml o de más de siete días de duración. Para que puedas visualizarlo, esos 80 ml equivalen a dieciséis tampones regulares u ocho tampones súper completamente llenos repartidos a lo largo del periodo menstrual.

Es posible que pierdas muchísimo más de 80 ml. Ese tipo de periodo que llega a asustarte se denomina *menorragia severa* y puede ocurrir durante la perimenopausia, momento en el que puedes perder más de 500 ml (2 tazas) en un solo periodo.

Sangrado prolongado

Si tienes flujo menstrual durante más de siete días, es casi seguro que tuviste un *ciclo anovulatorio.* Esto puede ocurrir con el SOP (capítulo 7) o la perimenopausia (capítulo 10). Si tienes SOP, la estrategia es averiguar el tipo de SOP y tratarlo. Consulta el capítulo 7. También puedes considerar tomar progesterona micronizada o natural.

Busca un diagnóstico

Si todavía no lo has hecho, por favor consulta a tu médica sobre los periodos intensos. Probablemente te hará un examen pélvico y también ordenará análisis de sangre y una ecografía pélvica. Probablemente encontrará que tus periodos abundantes son el resultado de un *desequilibrio hormonal*, lo que significa que tienes demasiado estrógeno y no tienes suficiente progesterona.

 La **progesterona** aligera los periodos.

Tu médica también podría descubrir un *motivo médico* para el sangrado menstrual abundante. Los dos más comunes son los trastornos de la coagulación y la enfermedad de la tiroides.

Veamos cada uno de ellos.

Trastornos de la coagulación

Un trastorno de coagulación es un deterioro de la capacidad del cuerpo para coagular la sangre. Puede suceder por diferentes razones; la más común es que tengas una variante genética de uno de los muchos factores de coagulación. Probablemente hayas oído hablar del trastorno de coagulación *hemofilia*, pero hay varios otros incluyendo la común *enfermedad de von Willebrand*.

Si has sufrido periodos intensos toda la vida, por favor pídele a tu médica que te haga una prueba para la enfermedad de von Willebrand. Esta afección representa al menos el 20% de los casos de sangrado menstrual intenso,[277] que es a veces el único síntoma.

Tu médica puede descartar un trastorno de la coagulación con un simple análisis de sangre. Si tu resultado es positivo, entonces ella lo remitirá a una hematóloga o especialista en sangre.

Enfermedad de la tiroides

La tiroides hipoactiva o hipotiroidismo es una causa común del sangrado menstrual abundante y ha sido reconocida como tal desde 1840. Curiosamente, tu médica puede no considerarlo. Según el Dr. Andrew Weeks, un médico experimentado que escribe en el BMJ: "El hipotiroidismo puede ser muy poco diagnosticado como causa de la menorragia... y todas las mujeres con menorragia inexplicable deben analizarse la tiroides".[278]

¿Cómo es que el hipotiroidismo causa periodos intensos? Por un lado, priva a los folículos ováricos de la hormona tiroidea que necesitan para ovular y producir progesterona. Y recuerda que la progesterona es la hormona que "aligera el periodo".

El hipotiroidismo también disminuye los factores de la coagulación,[279] que deterioran la capacidad de coagulación de la sangre. Y, finalmente, el hipotiroidismo aumenta la exposición al estrógeno ya que ayuda a disminuir el metabolismo de los estrógenos y reduce la SHBG, "proteína que se fija al estrógeno".

Si tienes la enfermedad de la tiroides, la hormona tiroidea es el mejor tratamiento para el sangrado menstrual abundante. Te invito a leer más en la sección sobre la enfermedad de la tiroides en el capítulo 11.

Otras razones médicas para periodos intensos

Otras razones médicas para el sangrado menstrual abundante incluyen la enfermedad hepática, infección pélvica, aborto espontáneo, pólipos uterinos, fibromas, DIU de cobre, adenomiosis y endometriosis. De estas posibilidades, la adenomiosis y endometriosis son las más comunes. Analizaremos estas dos afecciones importantes más adelante en este capítulo.

¿Cuándo estás bajo un mayor riesgo?

Puedes sufrir un sangrado menstrual abundante a cualquier edad, pero corres un mayor riesgo cuando eres adolescente y nuevamente cuando tienes más de 40 años (perimenopausia). Esta sección trata sobre periodos intensos durante la adolescencia y durante la segunda y tercera década de vida. Si estás en tu cuarta década, por favor, lee primero esta sección y luego ve a la sección de "Sangrado menstrual abundante durante perimenopausia" en el capítulo 10.

Periodos intensos en adolescentes

¿Por qué es posible que sufras periodos abundantes durante la adolescencia? Existen dos razones.

- Tus receptores de estrógeno todavía se están acostumbrando a los estrógenos, por lo que reaccionan con más fuerza. La sensibilidad al estrógeno persistirá durante un año o dos mientras se forma el "sistema del río hormonal", descripto en el capítulo 1.
- Todavía no produces suficiente progesterona porque no ovulas regularmente.

Con el tiempo, tus receptores de estrógeno se ajustarán a los estrógenos y se volverán menos sensibles. También empezarás a ovular y a producir progesterona, por lo que tus periodos deberían aligerarse.

Si eres adolescente, los periodos abundantes probablemente sean temporales. No necesitas la píldora. En cambio, puedes utilizar tratamientos naturales como el hierro, la cúrcuma y una dieta libre de lácteos, como veremos a continuación. Mientras esperas que los tratamientos naturales hagan su efecto, puedes administrar el flujo con ibuprofeno.

Tratamiento convencional para periodos intensos

Ibuprofeno

El medicamento antiinflamatorio convencional ibuprofeno (Advil® o Nurofen®) reduce el flujo menstrual *a la mitad*.[280] Funciona al disminuir las prostaglandinas que contribuyen al flujo abundante. Toma 200 mg cada seis horas durante el primer y/o segundo día de sangrado.

El ibuprofeno es una solución sencilla y práctica para el sangrado abundante. Sí, es un fármaco, pero solo lo tomas un par de días al mes. En mi opinión, es una opción mucho mejor que los anticonceptivos hormonales.

Anticonceptivos hormonales

Los anticonceptivos hormonales son la prescripción estándar para periodos abundantes, pero por los motivos que expliqué en el capítulo 2, no son una gran solución.

DIU Mirena®

Mirena® es una opción mejor que otros tipos de anticonceptivos hormonales. Proporciona una dosis más pequeña de progestina que la píldora, por lo que no suprime completamente la ovulación. Además, Mirena® reduce el flujo en un *90%*, lo que ofrece un gran alivio para los periodos abundantes. Lamentablemente, una vez que retires Mirena®, el sangrado abundante regresa.

Por supuesto, espero que los tratamientos naturales te funcionen bien para que no necesites un DIU hormonal. Si te sientes atascada y *debes* elegir un tratamiento convencional como la píldora o Mirena®, te recomiendo Mirena®.

Dieta y estilo de vida para prevenir periodos abundantes

Los tratamientos naturales funcionan para *prevenir* periodos intensos. No pueden detener un periodo abundante una vez que está en marcha.

Evita los lácteos de vaca

Mi observación clínica es que los productos lácteos producen periodos más intensos. La consistencia de esta idea se apoya en una investigación reciente que encontró que los lácteos pueden alterar las hormonas y afectar la ovulación.[281]

Evitar los productos lácteos es una solución simple y segura para probar unos meses. Y recuerda que puedes consumir productos lácteos de oveja y cabra.

Una dieta libre de productos lácteos puede funcionar particularmente bien para los periodos abundantes en la adolescencia.

Mantén la insulina baja

La insulina es una hormona del crecimiento que aumenta el grosor del revestimiento uterino. Y como vimos en el capítulo 7, demasiada insulina puede deteriorar la ovulación y causar deficiencia de progesterona. Tienes un mayor riesgo de periodos intensos si tienes resistencia a la insulina y SOP resistente a la insulina. Consulta las secciones sobre resistencia a la insulina en los capítulos 7 y 11 para tener una mejor idea acerca de los tratamientos.

Ejercicio

El ejercicio mejora la sensibilidad a la insulina, reduce la inflamación y promueve la eliminación saludable de estrógeno a través de la transpiración.

Mantén las bacterias intestinales sanas

Las bacterias intestinales sanas escoltan al estrógeno de manera segura fuera de tu cuerpo. Las bacterias intestinales poco saludables hacen lo contrario. Afectan al metabolismo del estrógeno y provocan que este sea reabsorbido en el cuerpo. Una de las mejores maneras de mantener un microbioma saludable es evitar tanto como sea posible los fármacos como antibióticos que dañan la bacteria intestinal.

Come fitoestrógenos

Los fitoestrógenos se encuentran en alimentos vegetales como nueces, legumbres y semillas de lino. Reducen la exposición al estrógeno al bloquear sus receptores y promover su metabolismo saludable.

Suplementos y hierbas medicinales para prevenir periodos intensos

El **hierro** es un nutriente crucial para periodos abundantes.

Cómo funciona: el hierro corrige la deficiencia de hierro causada por los periodos abundantes, pero también puede aliviar la menstruación. Esto se debe a que la deficiencia de hierro es tanto una causa como un efecto de los periodos abundantes.[282]

Qué más necesitas saber: pídele a tu médica un análisis de ferritina sérica (ver la sección "Análisis de hierro" en el capítulo 8). Si tienes deficiencia, toma de 15 a 50 mg de bisglicinato de hierro (una forma de hierro suave y altamente absorbible). Las mejores fuentes de hierro en alimentos son los productos de origen animal como las carnes rojas y los huevos.

> **(CONSEJO)** **¿No logras aumentar tus niveles de hierro?**
> Podría deberse a que estés consumiendo demasiados lácteos. Los lácteos inhiben la absorción del hierro.

La **cúrcuma** es una especia amarilla utilizada en el curry indio. Contiene el ingrediente activo *curcumina*. La cúrcuma y curcumina están disponibles en forma de cápsulas concentradas.

Cómo funciona: reduce la inflamación y las prostaglandinas, lo cual disminuye el flujo menstrual de forma similar al ibuprofeno. La cúrcuma también baja el estrógeno bloqueando una enzima llamada aromatasa.

Qué más necesitas saber: a diferencia del ibuprofeno (el cual tomas solamente durante tu periodo), puedes consumir cúrcuma cada día de tu ciclo y luego aumentar la dosis durante tu periodo. También alivia el dolor del periodo.

Toma cúrcuma después de la comida para una mejor absorción. La cantidad exacta depende de la concentración de la fórmula, así que por favor tómala como se indica en el envase. La cúrcuma es generalmente segura y no tóxica incluso en una alta dosis. Esto hace que sea una opción excelente para las adolescentes. La única precaución es que puede interactuar con la medicación anticoagulante.

Otros suplementos para periodos intensos incluyen el calcio D-glucarato y la progesterona micronizada. Analizaremos los tratamientos en el capítulo 10.

Lista de control para periodos abundantes

- Descartar una causa médica como la enfermedad de la tiroides.
- Pensar en tomar ibuprofeno en tus días de flujo intenso.
- Evitar los lácteos de vaca.
- Pensar en tomar hierro y cúrcuma.
- Si eres mayor de 40, entonces también consulta la sección sobre periodos abundantes en el capítulo 10.

Periodos ligeros

Se puede perder tan solo 25 ml de flujo menstrual, lo cual es normal. Equivale a cinco tampones regulares llenos, repartidos a lo largo del periodo.

Si ves menos de 25 ml de líquido menstrual, pregúntate: ¿es un periodo verdadero o es una hemorragia por anovulación?

Recuerda, un periodo verdadero es el que sigue una fase folicular, ovulación y fase lútea. Un sangrado anovulatorio es el que sigue un ciclo en el cual no ovulas. En este caso, no hablamos de un periodo real sino de un sangrado intermenstrual.

Si tienes ciclos anovulatorios, entonces tu mejor estrategia es encontrar una manera de ovular. Para una mejor orientación, consulta el capítulo 7.

Si estás segura de que *sí* ovulas, entonces tu siguiente pregunta es; ¿es un periodo verdadero o es otro tipo de sangrado, como un sangrado irregular a mitad del ciclo?

Eso es lo que le sucedió a mi paciente Sam.

Sam: Un ciclo corto y ligero

Sam estaba bastante preocupada por algo que ella describió como periodos muy ligeros que vienen cada dos o tres semanas.

—¿Sabes si ovulas? —pregunté.

Con un ciclo de dos semanas, era posible tanto que Sam no estuviera ovulando como que estuviera notando un sangrado irregular a mitad del ciclo y que lo confundiera con un periodo.

Sam no tenía idea si había ovulado ni cuándo, así que le pedí que realizara un seguimiento de su moco fértil y temperaturas durante un par de meses. (Consulta la sección "Signos físicos de la ovulación" en el capítulo 3.)

Nos alegró descubrir que Sam estaba ovulando normalmente. Una vez que supo qué buscar, Sam notó moco fértil justo antes de su primer "periodo", que en realidad era solo medio día de sangrado ligero causado por la ovulación. Después de eso, su temperatura subió durante los once días de la fase lútea y luego disminuyó durante su periodo real de dos días más de sangrado leve.

—El primer sangrado es la ovulación —le dije—. El segundo sangrado después de la disminución de la temperatura es tu periodo. Cuenta el primer día de ese sangrado como tu "día 1".

Contando adecuadamente desde el "día 1" al "día 1" Sam tenía un ciclo de alrededor de 37 días. Sí, su periodo era ligero, pero era porque era vegetariana y comía muchos fitoestrógenos en frijoles y granos.

—Los fitoestrógenos en tu dieta están bloqueando el estrógeno y hacen que tu periodo sea más ligero —expliqué —. No me preocupa el periodo leve, pero me preocupa que tu ciclo de 37 días sea un poco largo. Sería bueno que puedas ovular un poco antes en tu fase folicular. Una forma es reducir los fitoestrógenos. La otra es pensar en un suplemento de zinc y yodo, dos nutrientes que son esenciales para la ovulación y son probablemente deficientes con tu dieta vegetariana.

Ordené un análisis de sangre para comprobar los niveles de zinc, que fueron bajos, por lo que prescribí mi "cóctel de ovulación para vegetarianas", 30 mg de zinc más 200 mcg de yodo.

Sam también diversificó su proteína al incluir huevos y queso de cabra, que no contienen fitoestrógenos.

Unos meses más tarde, el ciclo de Sam se había reducido a 32 días, y ella dejó de ver el sangrado intermitente de mitad del ciclo.

Un periodo ligero es un signo de estrógeno *inferior al promedio*, pero siempre y cuando ovules, probablemente no necesites tratamiento. Si no tienes el estrógeno suficiente no puedes ovular. Simplemente no tienes tanto estrógeno como otras mujeres. En otras palabras, tu estrógeno es *relativamente* bajo. No es exactamente bajo, como sería si no ovularas, o si estuvieras en la menopausia.

El estrógeno relativamente bajo de los ciclos ovulatorios generalmente no requiere tratamiento.

Lista de control para periodos ligeros

- ¿Son periodos verdaderos o son ciclos anovulatorios?
- Si son ciclos anovulatorios, entonces hay que encontrar una manera de ovular. Consulta las estrategias en el capítulo 7.

Fibromas uterinos

Si tu médica te mandó una ecografía pélvica para investigar el sangrado menstrual intenso o el dolor, podría haber descubierto uno o más fibromas. ¿Y eso qué significa?

Un fibroma uterino (también llamado leiomioma o mioma) es un crecimiento benigno del músculo uterino. Los fibromas son comunes después de los 35 años, y la mayoría de nosotras tenemos al menos uno o dos fibromas pequeños. En la mayoría de los casos, no causan síntomas y pueden ser simplemente un *hallazgo fortuito* que no requiere tratamiento.

Los fibromas y el sangrado abundante a menudo se presentan juntos porque ambas condiciones son causadas por el exceso de estrógeno. Pero los fibromas en sí mismos raramente son la *causa* del sangrado intenso porque la mayoría de los fibromas se encuentran dentro del músculo o en el exterior del útero donde no afectan al flujo. Solo el 10% de los fibromas crecen dentro de la cavidad uterina donde pueden causar sangrado intenso.[283]

Sin embargo, los fibromas pueden causar otros síntomas, como dolor u otras molestias pélvicas, y micción frecuente debido a que el útero presiona la vejiga.

Los factores de riesgo para los fibromas uterinos incluyen cualquier cosa que aumente tu exposición de por vida al estrógeno. Por ejemplo, tomar la píldora a una edad temprana aumenta el riesgo de fibromas.[284] También el consumo crónico de alcohol aumenta el estrógeno. Por último, la exposición a productos químicos alteradores del sistema endocrino aumenta la posibilidad de que eventualmente puedan diagnosticarte un fibroma.[285]

Los fibromas crecen lentamente durante muchos años y tienden a suceder en la misma familia, lo cual significa que también tienen un componente genético.[286]

 Los fibromas son más fáciles de prevenir que de tratar.

Tratamiento convencional para fibromas uterinos

A menos que sea especialmente grande o que esté creciendo dentro de tu útero, un fibroma generalmente no requiere tratamiento médico. El enfoque médico estándar es observar y esperar. Los fibromas naturalmente reducen su tamaño con la menopausia.

Si tus fibromas requieren tratamiento, se te ofrecerá un procedimiento como una histerectomía, miomectomía o embolización de la arteria uterina.

Miomectomía

La miomectomía es la extirpación quirúrgica del fibroma sin remover el útero.

La miomectomía conlleva un riesgo de hemorragia, razón por la cual algunas médicas son reacias a intentarlo. El riesgo de hemorragia depende del tamaño y la ubicación de tu fibroma. Los fibromas en el exterior del útero son más fáciles de extirpar.

Embolización de la arteria uterina

La embolización de la arteria uterina es una opción de tratamiento no quirúrgico para los fibromas. Se realiza bajo anestesia local en un ambulatorio. Guiada por una imagen de rayos X, una radióloga inserta un catéter en la pierna e inyecta pequeños granos o partículas en la arteria uterina para bloquear el suministro de sangre al fibroma. Con el tiempo, el fibroma se reducirá.

La embolización de la arteria uterina conlleva un pequeño riesgo de infección y dolor. Es un procedimiento más seguro que la histerectomía o la miomectomía.

Dieta y estilo de vida para los fibromas uterinos

El tratamiento natural *no puede* reducir sustancialmente los fibromas, pero puede prevenir un mayor crecimiento. Eso puede ser suficiente para pasar a la menopausia cuando tus fibromas naturalmente se reducirán de todos modos.

Reduce el alcohol

El alcohol deteriora la capacidad del hígado para metabolizar o desintoxicar estrógeno. Existe una fuerte asociación entre el consumo de alcohol y los fibromas.[287]

Mantén las bacterias intestinales sanas

Como comentamos en la sección de periodos intensos, la bacteria intestinal saludable escolta al estrógeno de forma segura hacia el exterior de tu cuerpo.

Mantén un peso corporal saludable

Mantén un peso corporal saludable, ya que la grasa corporal produce un tipo de estrógeno llamado estrona.

Evita productos químicos alteradores del sistema endocrino

Los productos químicos alteradores del sistema endocrino tales como plásticos y pesticidas afectan tu capacidad de metabolizar el estrógeno. También pueden hiperestimular tus receptores de estrógeno. Ve la sección "Toxinas ambientales" en el capítulo 11.

Suplementos y hierbas medicinales para fibromas uterinos

El **yodo** puede ayudar a frenar el crecimiento de los fibromas.

Cómo funciona: regula los receptores del estrógeno, reduciendo la estimulación del estrógeno.

Qué más necesitas saber: el yodo puede dañar la glándula tiroides. No excedas los 500 mcg (0,5 mg) diarios excepto bajo recomendación profesional. Ver la sección yodo en el capítulo 6.

El **calcio D-glucarato** ayuda en el metabolismo sano o desintoxicación de los estrógenos.

Cómo funciona: el glucarato contribuye a la desintoxicación de estrógenos al inhibir la *beta-glucuronidasa*, que es una enzima producida por las bacterias del intestino que provoca que los estrógenos sean reabsorbidos.

Qué más necesitas saber: toma 1000 a 1500 mg por día. También puede ayudar a prevenir el cáncer de mama.[288]

La **combinación de canela y peonía** es una hierba medicinal tradicional china que contiene *Paeonia lactiflora, Cinnamomum cassia* y otras hierbas. El uso regular ha demostrado prevenir el crecimiento del fibroma.[289]

Me gusta la combinación de canela y peonía, pero prefiero comenzar con cambios de estilo de vida menos costosos, dosis bajas de yodo y calcio D-glucarato.

Lista de control para los fibromas

- Mantener el estrógeno bajo reduciendo el alcohol y el manteniendo la bacteria intestinal saludable.
- Considerar la toma de calcio D-glucarato y dosis bajas de yodo.

- Saber que los fibromas se encogen naturalmente con la menopausia.

Adenomiosis

La adenomiosis es un tipo diferente de crecimiento anormal en la pared uterina. Es similar a los fibromas uterinos y, hasta hace poco, a menudo se confundía con fibromas.

Según el profesor Edward Lyons de la Universidad de Manitoba, la adenomiosis es poco diagnosticada. Dice que la mayoría de las mujeres con úteros agrandados o con bultos tienen adenomiosis —no fibromas.[290]

Por favor, busca un diagnóstico preciso. El tratamiento de la adenomiosis es diferente del tratamiento de los fibromas.

Con la adenomiosis, los crecimientos uterinos no son musculares como son con los fibromas. En cambio, son trozos de revestimiento uterino que han crecido en el músculo uterino. Es similar a otra condición llamada endometriosis, que trataremos más adelante.

Los síntomas de adenomiosis incluyen distensión abdominal, dolor pélvico y periodos muy intensos. La adenomiosis es más común después de los 35 años, pero puede ocurrir a cualquier edad. Se diagnostica por ecografía pélvica o imagen por resonancia magnética (IRM).

Tratamiento convencional de adenomiosis

El tratamiento convencional incluye la histerectomía, los anticonceptivos orales o el DIU Mirena®.

El DIU hormonal reduce el sangrado en un 90%, que puede ser bastante útil para una afección como la adenomiosis. A mis pacientes con adenomiosis severa recomiendo a veces que recurran a un DIU.

Es posible tratar la adenomiosis con miomectomía o embolización de la arteria uterina pero conllevan un riesgo más alto de complicaciones comparadas con los fibromas uterinos.

Muchas mujeres que se someten a la embolización en última instancia terminan requiriendo una histerectomía de todos modos.[291]

Al igual que los fibromas, la adenomiosis se reducirá con menopausia.

Dieta y forma de vida para adenomiosis

El enfoque natural para la adenomiosis es una combinación del tratamiento de endometriosis (discutido abajo) y del tratamiento de los periodos intensos de la perimenopausia (tratado en el capítulo 10). Consulta ambas secciones para ideas adicionales de tratamiento.

El tratamiento natural puede ayudar a la afección, pero no la cura.

Evita los lácteos de vaca

Los productos lácteos producen periodos más intensos y también pueden empeorar la inflamación subyacente o disfunción inmune que causan adenomiosis y endometriosis.

Considera evitar el gluten

Como los productos lácteos, el gluten empeora la disfunción inmune que se encuentra en el centro de adenomiosis y endometriosis.

Reduce el alcohol

El alcohol deteriora la capacidad del hígado para metabolizar o desintoxicar estrógeno.

Mantén las bacterias intestinales sanas

Como comentamos anteriormente en este capítulo, la bacteria intestinal saludable escolta al estrógeno de forma segura fuera de tu cuerpo.

Suplementos y hierbas medicinales para adenomiosis

La **cúrcuma** aligera periodos y reduce el estrógeno, el dolor y la inflamación. Para instrucciones de dosificación, consulta la sección "Periodos intensos" en este capítulo.

El **zinc** es útil para la adenomiosis y endometriosis y dolor menstrual. Reduce el dolor y la inflamación.[292] Recomiendo 30 mg por día después de la cena. No tomes zinc con el estómago vacío o podría causarte náuseas.

La **combinación de canela y peonía** es útil para la adenomiosis y los fibromas (véase arriba).

La **progesterona micronizada** o **progesterona natural** hace que los periodos sean más ligeros. Es tan eficaz como una progestina sintética, pero sin los efectos secundarios. Por favor, consulta la sección "Periodos intensos" en el próximo capítulo.

Cómo funciona: reduce el grosor del revestimiento del útero y reduce la inflamación.

Qué más necesitas saber: una cápsula de progesterona funciona mejor que una crema tópica para la adenomiosis. Consulta el capítulo 10.

Lista de control para adenomiosis

- Evitar los lácteos de vaca.
- Considerar tomar cúrcuma, zinc y progesterona micronizada.
- Consultar las secciones sobre la endometriosis y los periodos intensos en la perimenopausia.

Endometriosis

La endometriosis es una condición común que afecta a por lo menos una de cada diez mujeres. Su síntoma principal es el *dolor*, que puede ser grave. Como recordarás de la sección de dolor menstrual en el capítulo 5, hay una gran diferencia entre dolor menstrual *normal* y el dolor menstrual *severo* de endometriosis o adenomiosis.

El **dolor menstrual normal** se manifiesta en unos pocos calambres en la parte inferior de la pelvis o la espalda. Ocurre justo antes o durante tu periodo. Mejora con ibuprofeno y no interfiere con tus actividades diarias. Discutiremos el tratamiento natural para el dolor normal del periodo más adelante en el capítulo.

El **dolor menstrual severo** es un dolor palpitante, ardiente, abrasador o punzante que dura muchos días y puede ocurrir incluso entre periodos. No mejora con ibuprofeno, y puede ser tan que malo que te provoque vómitos o te obligue a faltar al trabajo.

El dolor de endometriosis puede ocurrir en el útero durante tu periodo. Puede ocurrir en otros *lugares* tales como el recto, la vejiga, las piernas, o a través de la pelvis. Y puede ocurrir en otras *momentos* tales como la ovulación y durante el sexo. Con endometriosis, podrías tener dolor *todo el tiempo* o, extrañamente, podrías no tener ningún dolor.

Otros síntomas de la endometriosis:

- problemas de la vejiga como incontinencia o frecuencia urinarias y evacuación dolorosa
- problemas intestinales como diarrea y estreñimiento
- distensión abdominal
- náuseas y vómitos
- dolores de cabeza
- fatiga
- fiebre baja
- sangrado intermenstrual
- infertilidad y abortos espontáneos recurrentes

Como se puede ver, la endometriosis no es solo un problema de la menstruación. Es una *enfermedad inflamatoria de todo el cuerpo* y tu médica puede haberla pasado por alto. La endometriosis, por lo general, tarda diez años en ser diagnosticada.

Un artículo concluyó que el 70% de las adolescentes que reportaron dolor pélvico crónico con el tiempo serán diagnosticadas con endometriosis.[293]

¿Qué es la endometriosis?

La endometriosis es una afección en la que pequeños fragmentos de tejido que son *similares al endometrio* (revestimiento uterino) crecen fuera del útero. Estos fragmentos de tejido se denominan *lesiones de endometriosis* y pueden ocurrir en cualquier parte del cuerpo, incluyendo el intestino y la vejiga. Los sitios más comunes para la endometriosis son el útero y los ovarios y las trompas de Falopio. Cuando la endometriosis ocurre en los ovarios, la lesión se llama *endometrioma* o quiste de chocolate.

Las investigadoras todavía no saben qué causa la endometriosis. La teoría más ampliamente aceptada es la *menstruación retrógrada*, que significa que el flujo menstrual retrocedió a través de las trompas de Falopio y entró en la cavidad pélvica. Esta vieja teoría está dejando de utilizarse porque la menstruación retrógrada se produce en la mayoría de las mujeres, sin embargo, solo el 10% desarrollan endometriosis. En cambio, algunas investigadoras piensan que el tejido endometrial se establece antes del nacimiento y se encuentra inactivo hasta que es activado por hormonas en la pubertad.

Sea cual sea el origen de las lesiones de endometriosis, tu sistema inmunológico desempeña un papel importante en lo que sucede a continuación. Produce citocinas inflamatorias y otros factores inmunes que agravan las lesiones de la endometriosis y promueven su crecimiento.

El creciente consenso es que la endometriosis es causada por *disfunción inmune*[294] Por ejemplo, la endometriosis comparte muchas características con otras enfermedades inmunes como el lupus y la artritis reumatoide, incluyendo la *angiogénesis*, que es la capacidad que tienen las lesiones para establecer un suministro de sangre.[295]

También hay un fuerte componente genético en la endometriosis. Si tienes una hermana o madre con la enfermedad, eres más propensa a desarrollarla.[296]

Finalmente, la endometriosis se ha vinculado a la exposición de dioxinas en el vientre,[297] lo cual significa que puedes haber estado predispuesta a la enfermedad antes de que nacieras. Por un lado, esto es frustrante porque la causa estaba fuera de tu control. Por otro lado, significa que la enfermedad no fue causada por algo que hiciste o algo que comiste. La endometriosis *no* es una enfermedad vinculada a tu estilo de vida.

Otros productos químicos alteradores del sistema endocrino pueden jugar un papel en la endometriosis.[298] Hablaremos más sobre las toxinas medioambientales en la sección "Toxinas ambientales" en el capítulo 11.

El enlace con problemas digestivos

Los problemas digestivos y la endometriosis van de la mano. Por un lado, adherencias y lesiones de endometriosis pueden ocurrir en el intestino y causar directamente problemas digestivos. Hasta el 90% de las mujeres con endometriosis también experimentan síntomas intestinales.[299]

---

adherencias

Las adherencias son bandas de tejido conectivo o tejido cicatricial que unen estructuras pélvicas y causan dolor. Son el resultado tanto del proceso de la enfermedad de la endometriosis como de la cirugía para tratarla.

Así pues, la endometriosis puede causar síntomas digestivos pero, al mismo tiempo, los problemas digestivos pueden empeorar la endometriosis. ¿Por qué? Porque los problemas digestivos pueden afectar al sistema inmune y la endometriosis es, sobre todo, una enfermedad de *disfunción inmune*.

Como vimos en el capítulo 6, tu digestión y tu sistema inmune son, en un sentido, una entidad continua. Cualquier cosa que trastorna tu digestión trastornará tu sistema inmune y lo llevará a producir más citocinas inflamatorias. Un ejemplo es la presencia de demasiadas bacterias de la clase incorrecta durante la digestión. Producen una toxina llamada LPS (lipopolisacárido) que promueve la enfermedad inflamatoria[300] y la endometriosis.[301][302]

 La endometriosis también puede ser promovida por bacterias productoras de LPS en el revestimiento del útero y la cavidad pélvica.[303]

Los problemas digestivos también pueden conducir a una permeabilidad intestinal que comentábamos en el capítulo 6. Esto ocurre cuando la pared intestinal llega a ser demasiado permeable y permite que las toxinas bacterianas y otras proteínas se incorporen a tu cuerpo y activen tu sistema inmune. La permeabilidad intestinal puede empeorar la enfermedad inflamatoria y sostengo que desempeña un papel en la endometriosis. Discutiremos Permeabilidad intestinal más detalladamente en el capítulo 11.

Dado que la digestión desempeña un papel en promover la endometriosis, mejorar la digestión puede ser muy exitoso para aliviar la endometriosis, como veremos.

El papel del estrógeno y de la progesterona

La endometriosis es fundamentalmente una enfermedad inflamatoria, no una afección hormonal. Dicho esto, las hormonas juegan un papel importante.

El estrógeno estimula fuertemente el crecimiento de las lesiones de la endometriosis, razón por la cual la solución convencional actual es desactivar el estrógeno. Desactivar el estrógeno tiene un montón de efectos secundarios, así que espero que ese enfoque cambie una vez que las investigadoras descubran nuevos tratamientos antiinflamatorios y de modulación inmune.

 El estrógeno empeora la endometriosis, pero no la causa.

Tanto la progesterona como las progestinas frenan el crecimiento de las lesiones de endometriosis.

Diagnóstico de endometriosis

Actualmente, la única forma de diagnosticar la endometriosis es con la cirugía laparoscópica, que parece terriblemente obsoleta.

Una ecografía pélvica generalmente no puede detectar las lesiones de endometriosis, pero a veces puede detectar endometriomas y una forma más severa de endometriosis llamada *endometriosis de infiltración profunda*.[304]

 La endometriosis no se puede descartar con una ecografía.

Está en curso la búsqueda de una prueba simple que utilice un *biomarcador* encontrado en sangre, saliva, orina, sangre menstrual o el revestimiento del útero.[305] Un biomarcador es un indicador medible como una proteína o componente inmune. Una vez desarrollado, significará que la endometriosis puede ser diagnosticada por una prueba sencilla y no invasiva.[306][307]

Antes de pasar a la sección de tratamiento, es importante aclarar algo. La endometriosis es una enfermedad grave y actualmente no tiene cura. Los tratamientos convencionales y naturales pueden aliviar síntomas de endometriosis, pero no pueden curarla.

Tratamiento convencional de endometriosis

Cirugía

Así como es la técnica de diagnóstico estándar para la endometriosis, la cirugía es actualmente el principal tratamiento convencional. La cirugía no cura la endometriosis, sino que alivia el dolor y mejora la fertilidad. Además, reduce las citocinas inflamatorias en la pelvis, lo que hace que la endometriosis sea más fácil de tratar con otros tratamientos, tanto convencionales como naturales.

El procedimiento se realiza a través de la cirugía laparoscópica para eliminar físicamente las lesiones de la endometriosis. El éxito de la cirugía depende de la habilidad y el entrenamiento de la cirujana y de que logre eliminar todas las lesiones. Un tipo de cirugía llamada *cirugía de escisión* es más exitosa a largo plazo[308] y puede convertirse en lo más cercano a una cura para algunas mujeres.

Si estás considerando una cirugía, busca a una cirujana que entienda la endometriosis y haga cirugías de escisión. Me gusta cómo lo explica la Dra. Iris Orbuch, experta en endometriosis: "la endometriosis no debería ser un camino de quince cirugías. Debería ser una sola cirugía bien hecha".[309]

Hay algunas desventajas con la cirugía. La primera, por supuesto, es que es una cirugía y requiere anestesia general y recuperación. Otra desventaja potencial es que, como la misma enfermedad, la cirugía puede causar *adherencias* o tejido cicatricial, que causan dolor *a posteriori*. Finalmente, la cirugía no cura la endometriosis, aunque para algunas mujeres supone casi una cura. La tasa de recurrencia después de la cirugía es de 21% después de dos años y de 40 - 50% después de cinco años. [310] La recurrencia puede llevar a más cirugías. La solución médica es administrar medicamentos supresores de hormonas para tratar de prevenir eso.

Yo *sí* recomiendo la cirugía a algunas de mis pacientes. Consulta la historia de Hannah más adelante en este capítulo.

Tratamiento médico

Las medicaciones que suprimen el estrógeno incluyen la píldora anticonceptiva, Depo-Provera®, Lupron® y Danazol®. Tienen muchos efectos secundarios, incluyendo depresión y osteoporosis.

Otra solución médica es administrar una dosis baja de progestina, como dienogest en la píldora Visanne® o levonorgestrel en el DIU Mirena®. Los fármacos de progestinas en dosis bajas son más suaves porque no suprimen la ovulación o los estrógenos. En cambio, trabajan directamente suprimiendo el crecimiento de las lesiones de endometriosis. Creo que estas son soluciones *razonables*, pero, en mi experiencia, las cápsulas de progesterona natural funcionan igual de bien —si no mejor— con menos efectos secundarios. Observa la historia de Hannah.

Las investigadoras buscan activamente nuevos tratamientos *no hormonales* para la endometriosis incluyendo los siguientes.[311]

- Inhibidores de la angiogénesis (medicamentos que inhiben la *angiogénesis* o el crecimiento de nuevos vasos sanguíneos).
- Antiinflamatorios (medicamentos que reducen la inflamación).
- Inmunomoduladores (fármacos que alteran la actividad del sistema inmune).

¡Una nueva opción no hormonal del tratamiento sería un desarrollo muy bienvenido!

Mientras tanto, hay muchos tratamientos *naturales* antiinflamatorios e inmunomoduladores.

Dieta y estilo de vida para la endometriosis

La dieta es la parte más importante del tratamiento natural para la endometriosis. Funciona mediante la reducción de las citocinas inflamatorias como se explica en el capítulo 6.

Evita los productos lácteos (lácteos A1)

El primer paso es evitar los lácteos de vaca. Mi observación clínica es que dejar de consumir lácteos de vaca es eficaz para casi todas las pacientes. No es una cura, pero pueden reducir significativamente el dolor y la inflamación. Como lo describí en otras secciones del libro, es probable que aún puedas consumir productos lácteos de cabra y oveja.

Considera evitar el gluten

También puedes intentar evitar el gluten. Un estudio encontró que la endometriosis mejora después de doce meses con una dieta libre de gluten.[312] Como víctima de la endometriosis, puedes estar entre una de cada diez mujeres que tienen un grave problema con el gluten (ver capítulo 6).

Considera evitar los huevos

Por último, puedes intentar evitar los huevos, que forman parte de una sensibilidad alimentaria común y por lo tanto pueden ser un alimento inflamatorio para algunas de ustedes. Calculo que la sensibilidad al huevo es un factor en aproximadamente una de cada tres de mis pacientes con endometriosis.

Hasta hace poco, pocas investigadoras habían mirado las intervenciones en la dieta para la endometriosis. Posteriormente en 2017, un ensayo clínico llevado a cabo en Nueva Zelanda encontró que los síntomas de la endometriosis mejoran con la dieta baja en FODMAP, normalmente prescrita para el síndrome del intestino irritable.[313] (FODMAPs, como vimos en el capítulo 6, son "carbohidratos fermentables" como los que se encuentran en el trigo, las legumbres y algunos tipos de productos lácteos). Dicho estudio es un primer paso muy bueno y apoya la idea de que mejorar la digestión puede ayudar a reducir la inflamación de la endometriosis.

Solo una nota sobre la dieta baja en FODMAP. Puede ser muy útil a corto plazo, pero no la recomiendo a largo plazo porque puede robarte la valiosa fibra dietética. En cambio, te recomiendo que identifiques y trates una afección llamada *sobrecrecimiento bacteriano del intestino delgado* (SIBO), que voy a describir en la sección de "Salud digestiva" en el capítulo 11. Entonces deberías poder tolerar FODMAP, aunque probablemente todavía quieras evitar los lácteos y el trigo.

Suplementos y hierbas medicinales para endometriosis

Los mejores suplementos para la endometriosis son los que normalizan la función inmune y reducen la inflamación.

La **cúrcuma** reduce el tamaño y la actividad de las lesiones de endometriosis.[314] Prescribo cápsulas de cúrcuma para casi todas mis pacientes con endometriosis.

Cómo funciona: la cúrcuma o curcumina trabaja por varios mecanismos posibles.

- Regula un factor de transcripción proinflamatoria llamado NF-kappa B y acelera la muerte o apoptosis de las células sanas en las lesiones.[315]
- Suprime la producción local de estrógeno en las lesiones de endometriosis.[316]
- Inhibe la angiogénesis o el crecimiento de los vasos sanguíneos nuevos.[317]

Qué más necesitas saber: si tus síntomas de endometriosis son severos, necesitarás una dosis bastante alta de cúrcuma. Toma una o más cápsulas de dosis alta después de cada comida.

El **zinc** es un potente regulador inmunitario y antiinflamatorio y las investigadoras han propuesto que la deficiencia de zinc desempeña un papel en el desarrollo de la endometriosis.[318]

Cómo funciona: repara la permeabilidad intestinal,[319] mejorando la función inmune. Además, es antiinflamatorio[320] y reduce el dolor.[321] Recomiendo al menos 30 mg por día tomado directamente después de una comida abundante.

(CONSEJO) **No deberías necesitar una gran cantidad de suplementos.** Comienza con una dieta sin lácteos, con cúrcuma y zinc. Y solo entonces considera suplementos adicionales.

La **berberina** es otra hierba medicinal antiinflamatoria que actualmente está siendo investigada como un tratamiento para la disfunción inmune y la enfermedad inflamatoria.[322] Aún no ha sido probada para endometriosis, pero la he incluido aquí porque he visto buenos resultados con mis pacientes.

Cómo funciona: reduce la inflamación al proteger al sistema inmune de la toxina bacteriana LPS,[323] repara la permeabilidad intestinal[324] y regula los genes proinflamatorios.[325]

Qué más necesitas saber: hay algunas precauciones con la berberina, incluyendo interacciones con varios medicamentos. Para un uso seguro, consulte la sección "Berberina" en el capítulo 7. En caso de duda, habla con tu médica.

El **resveratrol** es un fitonutriente que se encuentra en las uvas, bayas y otras frutas. Se ha mostrado prometedor como tratamiento para la endometriosis y se presentó en una encuesta reciente de tratamientos farmacológicos nuevos y futuros para la enfermedad.[326]

Cómo funciona: reduce las citocinas inflamatorias e inhibe la angiogénesis.[327] El resveratrol también regula la aromatasa, que es la enzima que produce el estrógeno.[328]

Qué más necesitas saber: suelo recomendar de 100 a 400 mg al día con las comidas. Es seguro para uso a largo plazo.

La **N-acetilcisteína** (NAC) es un aminoácido. Mostró buenos resultados en un reciente ensayo clínico para la endometriosis. De las 47 mujeres en el grupo de tratamiento con NAC, 24 cancelaron sus laparoscopías debido a la desaparición de los quistes del endometrioma, la reducción del dolor o el embarazo. [329]

> **Cómo funciona:** la NAC es el precursor del glutatión, que es el antioxidante primario del organismo y el *regulador inmunitario*. Reduce la inflamación.

> **Qué más necesitas saber:** la NAC tiene el agradable beneficio secundario de reducir la ansiedad. Demasiada NAC puede reducir el revestimiento del estómago, así que no lo tomes si tienes gastritis o úlceras estomacales. Te recomiendo de 500 a 2000 mg por día.

El **selenio** es antiinflamatorio y tener niveles suficientes de selenio se ha correlacionado con un menor riesgo de endometriosis.[330]

> **Cómo funciona:** el selenio modula y normaliza la función inmune. También es esencial para la producción de progesterona.

> **Qué más necesitas saber:** la dosis terapéutica es de 100 a 150 mcg por día. Cantidades más elevadas pueden ser tóxicas, por lo que no excedas 200 mcg al día de todas las fuentes, incluyendo alimentos de alto contenido de selenio, como las nueces de Brasil.

La **progesterona micronizada** o progesterona natural es otra opción de buen tratamiento para la endometriosis.

> **Cómo funciona:** la progesterona inhibe el crecimiento de las lesiones de endometriosis.[331]

> **Qué más necesitas saber:** recientemente he tenido la oportunidad de ver cuánto han ayudado las cápsulas de progesterona a algunas de mis pacientes con endometriosis. Es realmente una alternativa viable a los medicamentos

convencionales de progestina como Visanne® (dienogest). Para más información, consulta la sección Progesterona natural en el capítulo 10.

Tu resultado a largo plazo con la endometriosis depende de muchas cosas, entre ellas:

- ubicación y severidad de las lesiones de endometriosis;
- efectividad de la cirugía;
- presencia de adherencias;
- condiciones coexistentes como adenomiosis, cistitis intersticial y la disfunción del suelo pélvico.

cistitis intersticial

La cistitis intersticial también se llama síndrome de vejiga dolorosa. Es la sensación constante de presión o dolor en la vejiga y la pelvis.

Los **tratamientos físicos** como la fisioterapia pueden ser útiles para adherencias, dolor y disfunción del suelo pélvico.

No hay una solución fácil para la endometriosis, pero un tratamiento natural puede darte una oportunidad de combatirlo.

Hannah: Segunda cirugía para la endometriosis

Hannah siempre había tenido periodos dolorosos, pero tuvo su primer ataque real de endometriosis cuando tenía 23 años. El dolor, las náuseas y la diarrea fueron lo suficientemente graves como para ir al hospital. Allí le dijeron que podría tener un quiste en el ovario y le dieron antibióticos. En ese momento, los médicos no le mencionaron como posibilidad la endometriosis.

Luego, Hannah sufrió dos años consecutivos de dolor abdominal crónico e hinchazón y fue diagnosticada con el síndrome del intestino irritable (SII). Intentó varios tratamientos naturales incluyendo dejar de consumir lácteos y trigo, lo cual parecía ayudar.

Cuando Hannah tenía 25 años, tuvo su segundo ataque grave, que resultó ser un endometrioma o quiste de chocolate. Se sometió a una cirugía de emergencia durante la cual le descubrieron una endometriosis extensa y le quitaron una parte. Le prescribieron el medicamento de progestina Visanne® para tratar de prevenir la recurrencia.

Para cuando conocí a Hannah, ella ya tenía 27 años y no se encontraba bien. Tenía ansiedad e infecciones por levaduras causadas por Visanne® y sentía dolor casi todos los días. Sentía dolor al despertar por la mañana y tanto dolor durante el sexo que no podía tener relaciones sexuales con su novio.

—Ya no me reconozco —dijo.

Hannah había hablado con su médico de cabecera, quien le aconsejó que "esperara hasta que estuviera lista para tener un bebé" y luego se sometiera a una segunda cirugía. El razonamiento del médico fue que dado que la cirugía mejora la fertilidad durante seis a doce meses, Hannah no debía "desperdiciar" la cirugía por someterse a ella demasiado pronto.

—Pero este tipo de dolor es inaceptable —dije—. No puedes seguir así. Creo que al menos deberías considerar hacerte la segunda cirugía pronto, pero esta vez debe ser realizada correctamente por un médico que se tome el tiempo de eliminar todas las lesiones. Luego usaremos un tratamiento natural para prevenir la recurrencia.

Le recomendé a Hannah un ginecólogo que hace la cirugía de escisión. También le pedí que le hablara acerca de usar las cápsulas de progesterona micronizada Prometrium® en lugar de Visanne® porque la progesterona natural tiene pocos efectos secundarios.

Al mismo tiempo, animé a Hannah a que continuara evitando terminantemente los lácteos y el gluten, cosa que ella ya estaba haciendo. También le prescribí 30 mg de zinc y de un líquido concentrado de cúrcuma que libera 340 mg de curcumina por dosis. Incluso antes de someterse a la cirugía cinco semanas después, el dolor de Hannah ya había mejorado en un 20%.

Hannah se sometió a la "cirugía de escisión" con el nuevo cirujano, quien pasó dos horas quitando la gran cantidad de lesiones. Su médico también estuvo de acuerdo en prescribir Prometrium®.

Hannah sufrió algo de dolor durante las semanas después de la cirugía, pero luego empezó a mejorar. Tres meses después de la cirugía, el dolor era en un promedio un 60% mejor.

Espero que Hannah continúe mejorando en los próximos años. Si no, le voy a recomendar algunos de los tratamientos adicionales antes mencionados.

Lista de control para la endometriosis
- Buscar una derivación para una ginecóloga.
- Considerar cirugía de escisión.
- Evitar estrictamente los lácteos de vaca y tal vez el gluten y los huevos.
- Pensar en tomar zinc, cúrcuma y NAC.

Dolor menstrual

Esta sección es sobre el dolor menstrual *normal*, no el dolor de la adenomiosis o del la endometriosis mencionados más arriba. El dolor menstrual normal es dolor leve por un día o dos cuando comienza tu periodo. Responde a los calmantes y no te impide asistir a la escuela o al trabajo.

El dolor menstrual normal también responde bien al tratamiento natural. Esencialmente, debe *desaparecer* con el tratamiento natural. Si no es así, entonces no es dolor menstrual normal.

Por dolor menstrual "normal", me refiero a un dolor *común* que no es causado por una afección subyacente. No quiero decir que el dolor menstrual sea *normal*. De acuerdo con el mensaje de este libro, te diré que tienes derecho a tener *periodos sin problemas y sin dolor*.

¿Qué causa el dolor menstrual?

Cuando tu revestimiento uterino empieza a desprenderse al final de tu ciclo, libera prostaglandinas que estimulan al músculo uterino para que se contraiga y ayude a liberar el revestimiento. Las prostaglandinas son una parte normal del proceso, pero *demasiadas* prostaglandinas pueden causar dolor. El tratamiento consiste en reducir las prostaglandinas.

Tratamiento convencional para el dolor menstrual

Ibuprofeno

El ibuprofeno (Advil® o Nurofen®) bloquea las prostaglandinas y alivia el dolor menstrual. No tengo problema con que mis pacientes tomen ibuprofeno ocasionalmente si eso es lo que deben hacer. De hecho, anteriormente en este capítulo, recomendé el ibuprofeno como un tratamiento para los periodos abundantes.

Dicho esto, una vez que se empieza con el tratamiento natural, probablemente te darás cuenta de que no necesitas ibuprofeno.

Dieta y estilo de vida para el dolor menstrual

Evita los productos lácteos de vaca

Mi observación clínica es que evitar los lácteos de vaca puede eliminar el dolor menstrual. Lo descubrí por primera vez hace 25 años durante mi formación como médica naturista. Cuando dejé de consumir lácteos, dejé de tener dolor menstrual. Desde entonces, he visto el mismo resultado con miles de pacientes.

Como se explica en la sección de productos lácteos en el capítulo 6, igualmente puedes consumir productos lácteos de cabras y ovejas.

Identifica y trata la intolerancia a la histamina

La intolerancia a la histamina es otra causa de dolor menstrual. Recordemos de los capítulos 6 y 8 que la intolerancia a la histamina es la condición de tener demasiado del compuesto inflamatorio histamina. La intolerancia a la histamina puede causar o empeorar los dolores de cabeza, ansiedad, insomnio, lagunas mentales, urticaria y congestión nasal. También puede causar o empeorar problemas del periodo ya que aumenta la inflamación y el estrógeno. El síndrome premenstrual y el dolor menstrual son los dos problemas del periodo más asociados con la intolerancia a la histamina.

Suplementos y hierbas medicinales para el dolor menstrual

El **magnesio** es tu suplemento número uno para el dolor menstrual.

Cómo funciona: reduce las prostaglandinas[332] y relaja el útero.

Qué más necesitas saber: el magnesio se utiliza tanto para prevención como para cuidados agudos para el dolor menstrual. Puedes tomar magnesio durante el mes para prevenir la formación de demasiadas prostaglandinas. También puedes tomar más magnesio durante el periodo para aliviar el dolor agudo. Recomiendo 300 mg de glicinato de magnesio por día.

El **zinc** previene el dolor menstrual. Es un tratamiento inmunomodulador para la endometriosis, pero también ayuda con el dolor normal del periodo. El zinc se ha desempeñado bien en un par de ensayos clínicos.[333][334]

Cómo funciona: inhibe las prostaglandinas y la inflamación. Consulta las secciones anteriores para instrucciones de dosificación.

La **cúrcuma** fue enumerada como tratamiento para los periodos abundantes, adenomiosis y endometriosis. Aquí está de nuevo para el dolor menstrual. Puedes ver que prescribo cúrcuma con mucha frecuencia para problemas del periodo.

Cómo funciona: reduce las prostaglandinas.

Qué más necesitas saber: la cantidad exacta de la hierba depende de la concentración de la fórmula, así que por favor tómala como se indica en el envase. Para mejor efecto, toma la dosis mínima recomendada cada día a lo largo de tu ciclo y, cuando tengas tu periodo, puedes tomar hasta la dosis máxima recomendada.

Se ha demostrado que **el aceite de pescado** reduce el dolor menstrual en un 30% después de dos meses.[335]

Cómo funciona: los ácidos grasos omega-3 reducen las prostaglandinas y la inflamación.

Qué más necesitas saber: la dosis estándar es de 2000 mg por día. También puedes reducir la ingesta de ácidos grasos inflamatorios omega-6, como se analizó en el capítulo 6.

 No necesitas *todos* los suplementos. Generalmente empiezo con una simple receta de dieta libre de lácteos e incorporando zinc.

Lista de control para el dolor menstrual

- Evitar los lácteos de vaca.
- Identificar y tratar la intolerancia a la histamina.
- Considerar tomar magnesio y zinc, y posiblemente uno de los otros suplementos mencionados anteriormente.

Sangrado intermenstrual

El sangrado o manchado entre periodos puede ocurrir por

muchas razones diferentes.

Sangrado irregular por ovulación

El sangrado irregular por ovulación es típicamente rojo y ocurre porque el estrógeno baja un poco antes del aumento de la HL y la liberación del óvulo. El sangrado por ovulación es normal y no requiere tratamiento.

Sangrado irregular premenstrual

El sangrado premenstrual es de un color más oscuro. Puede significar que no tienes suficiente progesterona para sostener el revestimiento del útero. En ese caso, la solución es apoyar la progesterona con todos los tratamientos mencionados anteriormente en este libro. Y como vimos en la sección "Hoja de ruta para mejorar la progesterona" en el capítulo 4, la progesterona en cualquier ciclo es el resultado de la salud del cuerpo lúteo, el cual es el resultado de la salud de los folículos ováricos a lo largo de sus 100 días de viaje hacia la ovulación.

El sangrado premenstrual también puede ser un signo de un problema subyacente de la tiroides. Por favor, primero lee la sección Enfermedad de la tiroides en el capítulo 11, y luego habla con tu médica acerca de realizarte una prueba de tiroides. Si tienes tiroides hipoactiva o hipotiroidismo, entonces el mejor tratamiento puede ser un suplemento de hormona tiroidea.

Por último, el sangrado irregular puede significar que tienes ciclos anovulatorios, como ocurre con el SOP. Tu mejor solución es restablecer la ovulación regular como se describe en el capítulo 7.

Otras causas de sangrado irregular

Hay otras razones para sangrar entre periodos. Por ejemplo: embarazo, infecciones, endometriosis, DIU, quistes ováricos (discutidos abajo) y pólipos uterinos como vimos con Historia de Theresa en el capítulo 5. Si el sangrado irregular es un síntoma nuevo para ti o si notas otros cambios tales como sangrado, coagulación o dolor, entonces consulta con tu médica.

Quistes ováricos

Los ovarios siempre tienen "quistes" o sacos llenos de líquido de alguna forma o tamaño. La mayoría de las veces, son tus folículos ováricos en crecimiento y el cuerpo lúteo.

Cada mes, los quistes normales crecen, estallan y se reabsorben. En ocasiones, hay un error y uno de los folículos llega a ser anormalmente grande y se llena de líquido, formando un quiste ovárico anormal. Si tu médica sospecha que se trata de un quiste ovárico, puede pedirte que te hagas un análisis de sangre y una ecografía pélvica para determinar qué tipo de quiste es.

Quistes ováricos funcionales

El tipo más común de quiste ovárico anormal es el quiste funcional. Se forma cuando el folículo ovárico no llega a romperse y a liberar su óvulo. En cambio, el folículo sigue creciendo e hinchándose. La mayoría de los quistes funcionales alcanzan unos 2 cm, pero algunos pueden crecer hasta 10 cm (4 pulgadas) o más.

Cuando son pequeños, los quistes funcionales son inofensivos y asintomáticos. Puedes tenerlos sin saberlo hasta que te los descubren casi por accidente en una ecografía. Los quistes funcionales pequeños generalmente se reabsorben y desaparecen solos. No requieren tratamiento.

Cuando son grandes, los quistes funcionales pueden causar síntomas como hinchazón pélvica, dolor, náuseas y sangrado irregular entre periodos menstruales. Raramente pueden romperse o torcerse y causar dolor severo, lo que requeriría atención médica inmediata.

Algunos quistes funcionales son el resultado de la enfermedad de tiroides o hipotiroidismo.[336] Si tienes quistes ováricos recurrentes, pídele a tu médica que descarte un problema de la tiroides. Si tienes baja actividad de la tiroides o hipotiroidismo, entonces la hormona tiroides puede prevenir la formación de quistes ováricos futuros.

Quiste de chocolate

Los quistes de chocolate son lesiones de la endometriosis. Véase la sección "Endometriosis" anteriormente en el capítulo.

Quiste dermoide

Los quistes dermoides son tumores ováricos sólidos y generalmente benignos. Son extraños porque pueden incluir porciones de pelo y dientes. El tratamiento es la extirpación quirúrgica, generalmente, aunque algunas médicas podrán decidir observar y esperar.[337] Una vez retirados, los quistes dermoides raramente vuelven a crecer.

Aunque parezcan extraños, los quistes dermoides son bastante comunes. He tenido varias pacientes con quistes dermoides a lo largo de los años.

Ovarios poliquísticos

Los "quistes" múltiples pequeños del SOP no son quistes verdaderos en el sentido de que *no* son folículos anormalmente grandes. En cambio, son folículos anormalmente *pequeños* que están en un estado de desarrollo parcial. No requieren el tratamiento discutido en esta sección. En su lugar, ve a la sección "SOP" en el capítulo 7.

Tratamiento convencional para quistes ováricos

Observar y esperar

Para los quistes menores de 5 cm, el enfoque médico es observar y esperar. Generalmente desaparecen por sí solos.

Cirugía

Los quistes más grandes de 5 cm *pueden* requerir la extirpación quirúrgica, pero te recomiendo que busques una segunda opinión antes de pasar por el bisturí. Según la endocrinóloga Dra. Jerilynn Prior, los quistes ováricos son raramente la causa de dolor severo y raramente requieren extirpación.

Anticonceptivos hormonales

Los anticonceptivos hormonales suprimen la ovulación, impidiendo la formación de cualquier tipo de quiste, sea normal o no. Pueden prevenir la formación de quistes funcionales, pero no pueden tratarlos una vez que se han formado.[338] Un estudio encontró que el DIU Mirena® causa quistes ováricos en un 5% de las usuarias.[339]

Dieta y estilo de vida para prevenir los quistes ováricos

Los tratamientos naturales funcionan para *prevenir* los quistes ováricos. No pueden reducir un quiste grande una vez que ya existe.

Evita los productos lácteos de vaca

Mi observación clínica es que los lácteos hacen que las mujeres sean más propensas a los quistes ováricos. Puede ser que la inflamación haga que los folículos sean hipersensibles al estrógeno o puede relacionarse otra vez con la intolerancia a la histamina que algunas mujeres experimentan a productos lácteos de vaca. La histamina juega un papel de señalización en el ovario.[340]

Identifica y trata la intolerancia a la histamina

Hablamos de intolerancia a la histamina en varias secciones en el libro, incluyendo el capítulo de SPM y la sección dolor menstrual anteriormente en este capítulo. Si la intolerancia a la histamina también desempeña un papel en los quistes ováricos, entonces tu mejor estrategia es identificar y tratar la intolerancia a la histamina. Consulta las secciones de la "Intolerancia a la histamina" en los capítulos 6 y 8.

Suplementos y hierbas medicinales para prevenir quistes ováricos

El **yodo** puede ayudar a prevenir los quistes ováricos. Esa es mi observación clínica, pero, desafortunadamente, no hay estudios que la avalen.

Cómo funciona: como hemos visto en las secciones anteriores, el yodo puede regular y estabilizar los receptores del estrógeno. Esto puede prevenir potencialmente la hiperestimulación de los folículos ováricos por el estrógeno.

Qué más necesitas saber: demasiado yodo puede dañar la tiroides, por lo que no debes exceder los 500 mcg (0,5 mg), excepto bajo recomendación de un profesional.

El **selenio** debe ser otra alternativa a considerar para los quistes ováricos.

Cómo funciona: promueve la ovulación sana y ayuda con la formación del cuerpo lúteo. El selenio también hace que sea más seguro tomar yodo.

Qué más necesitas saber: la dosis terapéutica es de 100 a 150 mcg por día. Cantidades más elevadas pueden ser tóxicas, por lo que no excedas 200 mcg al día de todas las fuentes, incluyendo alimentos de alto contenido de selenio, como las nueces de Brasil.

Lista de control para quistes ováricos

- Considerar evitar los lácteos de vaca y tomar una dosis baja de yodo y selenio.
- Los ovarios poliquísticos son diferentes. Consulta el capítulo 7.

Unas últimas palabras sobre los periodos menstruales dolorosos o difíciles

Mereces tener periodos sin problemas, sin dolor, sin síntomas. Con el tratamiento adecuado, deberías lograrlo —o al menos estarías mucho más cerca de lo que estás ahora.

Si tienes periodos abundantes o dolor menstrual normal, podrías alcanzar la resolución completa de los síntomas en pocos meses.

Si tienes endometriosis o adenomiosis, puede no ser tan fácil. Como hemos comentado, la endometriosis es una enfermedad inflamatoria grave, que afecta a todo el cuerpo. Requiere un tratamiento serio que en algunos casos incluye cirugía. De todos modos, la endometriosis puede responder muy bien a tratamientos naturales.

Si tienes menorragias propias de la perimenopausia, estás enfrentando una batalla aún más difícil. Lee el capítulo siguiente.

Capítulo 10

➤————————►

LO QUE OCURRE EN TUS 40

¿Estás en la década de los 30 o 40? Puedes experimentar los síntomas que no esperabas ver hasta la década de los 50: sofocos, problemas de sueño, cambios de humor y periodos increíblemente intensos. ¿Esto ya es la menopausia y solo tienes 42 años? No necesariamente. La menopausia aún puede estar a una década de distancia. Esto se llama *perimenopausia* y sucede una década o más previas a la menopausia.

¿Nunca has oído hablar de la perimenopausia? No eres la única. Investigadoras, periodistas e incluso médicas usan la palabra "menopausia" cuando, en realidad, se refieren a la perimenopausia.

La menopausia y la perimenopausia *no* son lo mismo. Por ejemplo, la menopausia es una etapa en la que tienes niveles de estrógeno bajos. La perimenopausia es una etapa en la que tienes "una montaña rusa de estrógeno" y puedes, ocasionalmente, tener *más* estrógeno de lo que has tenido en toda tu vida.

Aun así, tu médica puede ofrecerte un reemplazo de estrógeno durante la perimenopausia. ¿Realmente quieres más estrógeno cuando el tuyo ya está aumentando demasiado?

Aclaremos nuestras definiciones primero.

La **perimenopausia** sucede de dos a doce años antes de la menopausia y es cuando eres más propensa a experimentar síntomas.

La **menopausia** es la fase de la vida que comienza un año después de tu último periodo[341] y es cuando muchos síntomas se estabilizan.

Puedes esperar estar sana y libre de síntomas durante la menopausia, lo cual es bueno porque esta etapa durará un tercio de tu vida. Podrías enfrentar algunos problemas, que veremos en la sección de "La vida después de los periodos menstruales", más adelante en este capítulo.

> **Es más probable que la perimenopausia empiece a tus 40**, pero puedes notarla al final de tu tercera década.

¿Cuáles son los cambios de la perimenopausia? Según la endocrinóloga canadiense Dra. Jerilynn Prior, una mujer de mediana edad tiene probabilidades de estar en la perimenopausia si tiene tres de los siguientes nueve cambios, a pesar de disfrutar de ciclos menstruales regulares:[342]

- nuevo comienzo de flujo abundante y/o de mayor duración
- ciclos menstruales más cortos (menos de 25 días)
- nuevos dolores, hinchazón o bultos en las mamas
- nuevos episodios de sueño interrumpido
- calambres menstruales más intensos
- inicio de sudores nocturnos, particularmente premenstruales
- migrañas nuevas o claramente más intensas
- altibajos emocionales nuevos o más intensos
- aumento de peso sin cambios en ejercicio o alimentación

> (CONSEJO) **Por favor, consulta el libro (en inglés) de la Dra. Jerilynn Prior** *Estrogen's Storm Season: stories of perimenopause* (*Temporada de tormentas de estrógeno: historias de perimenopausia*), disponible en el sitio web CeMCOR.[343]

Los cambios de la perimenopausia no son divertidos y pueden aparecer muy rápidamente. Quizás todo va bien en tu vida ajetreada y, de repente, te encuentras con que simplemente no te reconoces. Si buscas la ayuda de tu médica, es posible que te recomiende que lo aguantes o te ofrezca la píldora, estrógenos o un antidepresivo. Ninguno de estos es de mucha ayuda.

"¡Tiene que haber una mejor manera!" —piensas. Y afortunadamente sí, la hay. Todo comienza con la comprensión de lo que están haciendo tus hormonas.

El estrógeno va en una montaña rusa

Contrariamente a lo que has escuchado, el estrógeno no sufre una disminución lenta y gradual a tus 40 años. Sería mucho más agradable si así fuera porque entonces podrías experimentar una transición lenta y gradual hacia la menopausia. En cambio, tu estrógeno está haciendo lo peor posible: está fluctuando salvajemente. Se dispara al doble de lo que era antes[344] y luego estrepitosamente desciende hasta casi la nada misma. Y lo está haciendo una y otra vez, ciclo tras ciclo.

Yo lo llamo la *montaña rusa de estrógeno* de la perimenopausia.

Los síntomas de estrógeno elevado incluyen dolor en las mamas, periodos abundantes, retención de líquidos y estado de ánimo irritable. Los síntomas de la disminución de estrógeno incluyen depresión, sudores nocturnos, palpitaciones y sofocos.

Si tienes ovarios, pasarás por la perimenopausia — incluso si has tenido una histerectomía y no tienes útero.

Podrías estar bien

No todas ustedes experimentarán síntomas malos. La Dra. Prior estima que solo el 20% de las mujeres atraviesan altibajos de estrógeno tan dramáticos. Muchas notarán solo unos cambios suaves no muy molestos.

Otras pueden ser lo suficientemente afortunadas como para vivir la perimenopausia como un aligeramiento gradual de sus periodos. En ese caso, tanto el estrógeno como la progesterona sí están en declive, pero definitivamente se pueden adaptar a su nuevo nivel *normal* de hormonas.

La progesterona se convierte en una deficiencia grave

Al mismo tiempo que el estrógeno está sufriendo altibajos, la progesterona está saliendo tranquilamente de la escena. Es lamentable porque los efectos calmantes de la progesterona habrían hecho mucho más fácil de tolerar la montaña rusa de estrógeno. Recuerda, la progesterona contrarresta los estrógenos previniendo síntomas de exceso de estrógenos tales como los periodos abundantes. La progesterona también protege el sistema nervioso de las caídas en picada del estrógeno.

Ya fue muy difícil producir progesterona a tus 20 y 30 años. Es aún más difícil en la década de los 40 porque tus folículos ováricos no están activos o receptivos.[345] El cambio de tus folículos es un proceso genéticamente programado, natural y normal. No es porque hayas hecho algo mal, y probablemente no es porque te estás quedando sin óvulos.

Tema especial: Es posible que a las mujeres no se les acaben los óvulos

Solíamos pensar que las mujeres nacen con unos 400 000 óvulos inactivos que se gastan y finalmente se terminan. Las nuevas investigaciones sugieren que esto puede ser incorrecto.

De hecho, puedes tener células madre ováricas que podrían continuar produciendo óvulos nuevos y viables de manera indefinida,[346] lo cual biológicamente tendría mucho más sentido. Según el investigador Jonathan Tilly: "No hay ninguna razón concebible por la cual una mujer habría evolucionado para llevar óvulos en mal estado durante décadas antes de intentar quedar embarazada, mientras que los hombres evolucionaron para tener esperma fresco siempre disponible".[347]

Si tienes células madre ováricas, entonces no dejas de ser fértil simplemente porque envejezcas. *Podrías* seguir reproduciéndote, pero no lo haces y los científicos creen que saben por qué. La razón es porque estás genéticamente programada para dejar de reproducirte cuando todavía eres relativamente joven, por lo que puedes dedicar tiempo y recursos a tus descendientes. Se llama "teoría de la abuela"[348] y se ha demostrado en orcas, una de las pocas especies que atraviesan la menopausia.[349]

Sí, es triste perder la progesterona, pero al mismo tiempo fue grandioso tenerla durante esas pocas décadas.

Así es cómo lo veo: el hecho de que tenemos que perder la progesterona finalmente debe hacernos sentir más agradecidas de haberla tenido. Y más decididas a *no* desactivarla con anticonceptivos hormonales.

¿Qué puedes hacer para suavizar tu paso por la perimenopausia? Resulta que tu mejor estrategia es la que hemos utilizado una y otra vez en todo el libro:

- Apoyar a la progesterona
- Metabolizar el estrógeno
- Reducir la inflamación

La diferencia principal con la perimenopausia es que posiblemente necesites trabajar un poco más duro. También podrías necesitar suplir la progesterona.

Echemos un vistazo.

Estado de ánimo, sueño y sofocos en la perimenopausia

Los síntomas que más preocupan durante la perimenopausia son los cambios de humor, las alteraciones del sueño y los sofocos. Los tres síntomas provienen de la misma desestabilización subyacente del eje HHA. Y, afortunadamente, los tres síntomas responden a los mismos tratamientos.

Vamos a empezar con estado de ánimo y sueño. Estás bajo mayor riesgo de depresión e insomnio durante la perimenopausia y sucede por un par de razones diferentes. En primer lugar, estás probablemente muy ocupada. Tiene más obligaciones laborales y familiares que en cualquier otro momento en tu vida y eso significa que estás lidiando con más estrés que en nunca. Como si eso no fuera suficiente, tus cambios hormonales te hacen menos capaz de hacer frente al estrés. Todo se resume en la pérdida de progesterona, que es una pérdida de estabilidad para el sistema de respuesta al estrés o eje HHA.[350] Recuerda del capítulo 6 que la progesterona te ayudó cada mes a regular el eje HHA y tu sistema nervioso estaba *acostumbrado* a ella.

Ahora, a tus 40, estás perdiendo la progesterona y por eso eres más vulnerable a la ansiedad, la depresión y el insomnio.[351]

La buena noticia es que no durará para siempre. Con el tiempo, llegarás a la menopausia, y entonces tu humor debería ser por lo menos tan bueno como cuando eras más joven y puede que incluso mejor.[352] Como lo expone la Dra Jerilynn Prior: "Las mujeres necesitan saber que la perimenopausia termina en una fase de vida más amena y tranquila adecuadamente llamada menopausia".[353]

Por ejemplo, un estudio australiano realizó un seguimiento a 400 mujeres menopáusicas durante 20 años y descubrió que el estado de ánimo mejora constantemente con la edad.[354] Las investigadoras concluyeron que "las mujeres declaran sentirse fantásticas después de la menopausia".[355]

Los sofocos y las palpitaciones cardíacas son otros síntomas de la misma desregulación temporal de tu eje HHA. Responden al mismo tratamiento que voy a describir a continuación.

Tema especial: La perimenopausia y la intolerancia a la histamina

Durante la perimenopausia, puedes notar otros síntomas extraños de alergia como lagunas mentales, urticaria y congestión nasal. O puedes experimentar un empeoramiento de las alergias existentes como la alergia al polen. No estás imaginando cosas. La combinación de estrógeno elevado y progesterona baja puede empeorar la *intolerancia a la histamina*[356] expuesta en los capítulos 6 y 8.

Tratamiento convencional para el estado de ánimo, el sueño y los sofocos durante la perimenopausia

Los tratamientos convencionales son los antidepresivos, la píldora o el tratamiento con estrógeno —ninguno de los cuales es muy eficaz.[357] No aconsejo tomar la píldora y/o estrógeno durante la perimenopausia porque ya es un momento en el que tienes los niveles de estrógeno elevados. Además, no hay evidencia de que tomarlo puede prevenir los picos de estrógeno que caracterizan a la perimenopausia. La progesterona es una mejor opción, como veremos.

Las dosis bajas de estrógeno pueden ser apropiadas después de que tus periodos finalmente terminen. Consulta la sección de "La vida después de los periodos", más adelante en este capítulo.

Dieta y estilo de vida para el estado de ánimo, el sueño y los sofocos durante la perimenopausia

Descanso y autocuidado

Estás en un momento vulnerable. Tienes permiso para tomarte las cosas con calma y ocuparte de ti, por lo menos hasta que llegues con seguridad a la menopausia. Por ejemplo, puede ser que consideres reducir tus jornadas laborales temporalmente o que busques más ayuda en casa. Regístrate en una clase de yoga. Reserva un masaje. Estar al final de mis 40 años finalmente me convenció para meditar regularmente.

Reduce el alcohol

El alcohol perjudica el metabolismo saludable del estrógeno, y eso puede ser un problema cuando tu estrógeno ya se está elevando al doble de lo que tenías antes. El alcohol también disminuye la progesterona[358] e interfiere con la acción relajante de la progesterona en el cerebro.[359] Podrías eludir las consecuencias con cuatro o cinco bebidas estándar por semana, pero mi experiencia con la perimenopausia es que me siento mejor sin alcohol.

Suplementos y hierbas medicinales para el estado de ánimo, el sueño y los sofocos durante la perimenopausia

El **magnesio** es un poderoso calmante del estrés. Si tomas un suplemento durante la perimenopausia, que sea de magnesio.

Cómo funciona: calma el cerebro, regula el eje HHA y promueve el sueño.

Qué más necesitas saber: recomiendo 300 mg de glicinato

de magnesio con la comida. Prescribo magnesio para casi todas las pacientes perimenopáusicas y, generalmente, lo prescribo junto con el aminoácido taurina.

La **taurina** es un aminoácido que calma el cerebro y estabiliza el eje HHA.

Cómo funciona: tiene un efecto tranquilizador similar al neurotransmisor GABA.

Qué más necesitas saber: la taurina solo puede obtenerse de productos animales, por lo que corres el riesgo de deficiencia si eres vegetariana. Además, se agota por los estrógenos, por lo que, como mujer, necesitas más taurina que los hombres. [360] Puede que necesites complementarla. Te recomiendo 3000 mg por día junto con magnesio.

La **vitamina B6** es el increíble tratamiento de SPM que analizamos en el capítulo 8. Tiene beneficios similares para los síntomas del estado de ánimo de la perimenopausia.

Cómo funciona: promueve el metabolismo sano del estrógeno y realza el GABA.

Qué más necesitas saber: recomiendo de 20 a 150 mg diarios.

La **ashwagandha o bufera** *(Withania somnifera)* es una hierba medicinal que reduce la respuesta al estrés.

Cómo funciona: estabiliza el eje HHA y también tiene efectos ansiolíticos directos y promotores del sueño (por eso el nombre latino *somnifera* o "inductor del sueño").

Qué más necesitas saber: la cantidad exacta de dosis de la hierba depende de la concentración de la fórmula, así que por favor tómala como se indica en el envase. Las dosis se extienden de 300 a 3000 mg y se pueden tomar en una fórmula que contenga otros adaptógenos tales como la Rhodiola.

El *Ziziphus* es una hierba sedante prescrita tradicionalmente para la perimenopausia.

Cómo funciona: es un sedante no adictivo.[361]

Qué más necesitas saber: a menudo se combina con magnolia (*Magnolia officinalis*) para un efecto más fuerte.[362] Tómala como se indica en su envase.

La **progesterona micronizada o natural** es útil para el insomnio y los sofocos de la perimenopausia.[363]

Cómo funciona: mejora significativamente el sueño reduciendo la ansiedad[364] y actuando directamente sobre los centros de sueño del cerebro.[365] La progesterona también puede aliviar sofocos al modular la actividad del hipotálamo.

Qué más necesitas saber: puedes utilizarla en crema o en cápsula, pero la cápsula funciona mejor para dormir. La ingesta de progesterona implica que una mayor cantidad de esta hormona se convierta en el metabolito sedante alopregnanolona (ALLO). Las cápsulas de progesterona se llaman progesterona micronizada y pueden prescribirse como una cápsula compuesta o la marca Prometrium®.

Tómala durante las últimas dos semanas de tu ciclo a la hora de acostarte porque te dará sueño. Para obtener más información, consulta el trabajo de la Dra Prior, "Progesterone for Symptomatic PerimenopauseTreatment" (progesterona para el tratamiento sintomático de la perimenopausia).[366]

Lista de control para el estado de ánimo, sueño y sofocos de la perimenopausia

- Hacer tiempo para ti.
- Reducir o eliminar el alcohol.
- Considerar tomar magnesio, taurina y progesterona micronizada.

Mi *"receta de rescate"* para el estado de ánimo perimenopáusico y problemas de sueño es magnesio más taurina más progesterona micronizada.

Lori: Receta de rescate para la perimenopausia

Lori tenía 47 años cuando se chocó contra lo que llamó "la pared".

—Empecé a sentirme ansiosa —me dijo—. De la nada. Y de repente, no puedo dormir. Logro dormirme pero me despierto sobresaltada unas pocas horas más tarde.

Lori tenía una vida ocupada, así que pronto empezó a desesperarse. Fue a ver a su médica y le recetó un antidepresivo.

—No creo que esté depresiva —dijo—. Nunca antes he tenido un problema. Siento que algo realmente ha cambiado en mi cuerpo.

Le pregunté a Lori acerca de sus periodos y ella dijo que venían muy seguidos y que eran más abundantes de lo que solían ser. Tuve una idea bastante clara de lo que estaba sucediendo.

Pedí un par de análisis de sangre. El primero fue de tiroides, que dio normal, el segundo fue la prueba del día 3 para medir la FSH u hormona folículo-estimulante. Es la prueba de la menopausia y dio un valor normal de 18 mUI/mL.

Hablamos un poco más sobre sus síntomas. Lori tenía un nuevo síntoma de dolor mamario antes de sus periodos y comenzó a notar un ligero aumento de peso.

—Estás en la perimenopausia —dije—. Tus hormonas están fluctuando de forma muy drástica, pero la menopausia en sí misma no llegará hasta dentro de cinco años.

Lori: —No puedo pasar por esto cinco años más.

Lori comía bien; hacía ejercicio e incluso meditaba quince minutos al día. Sentí que Lori ya estaba haciendo todo bien, pero necesitaba algo más. Le ofrecí mi "receta de rescate", que es un polvo con magnesio y taurina, y le pedí que hable con su médica para tomar Prometrium® de acuerdo con las pautas de la Dra. Prior para la perimenopausia. La primera noche que Lori tomó Prometrium® durmió profundamente durante ocho horas y continuó sintiendo un constante retorno a su estado normal.

¿Notaste que el análisis de sangre de la FSH para la menopausia de Lori fue "normal"? Ella no estaba en la menopausia, sino en la perimenopausia, que no se puede detectar con un análisis de sangre. Si la FSH de Lori hubiera sido alta, de 80 mUI/mL, entonces habría predicho que pronto su menstruación dejaría de venir. Dadas las circunstancias, el análisis de FSH era normal, así que supe que Lori probablemente iba a seguir menstruando por unos cuantos años más. Pero eso no significaba que todo estaba bien. Tenía síntomas de perimenopausia y tenía 47 años. Necesitaba ayuda.

La razón principal por la que pedí los análisis de sangre de Lori era para comprobar su tiroides.

¿Es perimenopausia, tiroides o ambas?

La enfermedad de tiroides puede parecerse y sentirse de forma muy similar a la perimenopausia. Por ejemplo, ambas afecciones pueden causar depresión, insomnio, aumento de peso, periodos irregulares, periodos intensos, sofocos y sobre todo lagunas mentales o dificultad para concentrarse.

Podrías tener perimenopausia, enfermedad de la tiroides o puede que ambas. Alrededor del 26% de las mujeres perimenopáusicas también tienen enfermedad tiroidea autoinmune.[367]

Si piensas que estás sufriendo síntomas de la perimenopausia, necesitas también descartar tiroides.

Rae: ¿Estoy en la menopausia precoz?

Pude ver que Rae estaba preocupada. Ella había traído a su pareja Sam a nuestra cita y él también parecía bastante preocupado.

—Mis periodos se han vuelto locos —me dijo, es decir, sus periodos eran ahora muy irregulares—. Estoy perdiendo pelo y tengo sudores nocturnos.

Rae hizo una pausa, y finalmente me preguntó— ¿Estoy en la menopausia precoz?

Rae tenía sólo 34 años.

—Probablemente no —dije, porque la menopausia prematura no es común—. Pero vamos a hacer un análisis de sangre para averiguarlo.

Como sospeché, la FSH de Rae estaba muy bien, en 8 mUI/mL. Su TSH, por el contrario, era de 45 mUI/L lo cual significaba que tenía hipotiroidismo o tiroides hipoactiva.

Expliqué a Rae que el hipotiroidismo era la causa de sus periodos irregulares y los sudores nocturnos, por lo que le recomendé que consultara a su médica, que le recetó tiroxina u hormona tiroidea. Después de dos semanas con medicamentos para la tiroides, los sudores nocturnos de Rae desaparecieron. Después de tres meses, recuperó el periodo regular.

TSH

TSH (hormona estimulante de la tiroides) es la hormona pituitaria que estimula la glándula tiroides. Es la prueba estándar para la disfunción de la tiroides y debe estar entre 0,5 y 4 mUI/L.

A Rae le fue bien con las pruebas básicas de tiroides y la medicación tiroxina. Dependiendo de tu situación, es posible que necesites pruebas adicionales de tiroides y un tipo diferente de medicamento para la tiroides. Consulta a la sección de "Enfermedad de la tiroides" en el capítulo 11.

> **La progesterona apoya a la tiroides.** Si estás perimenopáusica y tu tiroides está un poco baja, puedes beneficiarte de la progesterona natural, que aumenta la hormona tiroidea.[368]

El sangrado menstrual abundante de la perimenopausia

El sangrado menstrual intenso se define como una pérdida de sangre superior a 80 ml (dieciséis tampones regulares) o que dura más de siete días. Puede ocurrir a cualquier edad, pero puede empeorar especialmente durante la perimenopausia y convertirse en *inundaciones menstruales*, que es un sangrado tan abundante que traspasa la compresa o el tampón.

¿Tienes una condición médica?

El sangrado menstrual abundante puede ser secundario a una condición médica como la enfermedad de tiroides, trastornos de la coagulación, fibromas o adenomiosis. Hablamos de esa afecciones comunes en el capítulo 9 y es común que sean poco diagnosticadas.

Vale la pena preguntarle directamente a tu médica; "¿Me has hecho análisis para la enfermedad de la tiroides? ¿Y para un trastorno de coagulación?" Y finalmente, "¿Tengo adenomiosis? ¿Podría ver una copia de mi informe de ecografía?"

Véase la sección "Cómo hablar con tu médica" en el capítulo 11.

Hay mucho en juego

El sangrado menstrual abundante de la perimenopausia puede llegar a agravarse y, si no se trata, puede incrementarse al punto de requerir cirugía. Cuando comencé a ejercer hace veinte años, muchísimas de mis pacientes en sus cuarenta años habían perdido sus úteros por histerectomía como tratamiento para el sangrado abundante.

Afortunadamente, hoy en día hay opciones mejores —tanto convencionales como naturales.

Tratamiento convencional para el sangrado menstrual abundante de la perimenopausia

Ibuprofeno

Como vimos en la sección "Periodos intensos" del último capítulo, el ibuprofeno puede reducir el flujo menstrual a la mitad. Es una solución simple y práctica y un buen primer paso mientras trabajas en los otros tratamientos. Tómalo en los días intensos junto con la comida para disminuir el riesgo de irritación estomacal.

Anticonceptivos hormonales

El tratamiento convencional incluye la píldora y el DIU Mirena®. Funcionan porque las progestinas reducen el grosor del revestimiento uterino. Cabe destacar que la progesterona micronizada o natural hace lo mismo, pero sin los muchos efectos secundarios de las progestinas sintéticas.

> (CONSEJO) **La combinación de ibuprofeno más progesterona micronizada** es altamente efectiva para los periodos abundantes de la perimenopausia y funcionará para la mayoría de ustedes. Consulta "Managing Menorrhagia without Surgery" (Lidiar con la menorragia sin cirugía) en la plataforma CeMCOR de la Dra Prior.[369]

Deberías ver los resultados con progesterona micronizada y el tratamiento natural incluidos más adelante en el capítulo. Si no es el caso y crees que necesitas algún tipo de anticonceptivo hormonal, entonces considera el DIU Mirena®. Es mejor que la píldora por las razones que se discuten en el capítulo 2. La Dra Jerilynn Prior recomienda evitar el anticonceptivo oral durante la perimenopausia.

D y C (dilatación y curetaje)

D y C es la extirpación quirúrgica de una parte del revestimiento uterino. Se realiza bajo anestesia general.

La idea es que quitar el revestimiento del útero engrosado reducirá el flujo, pero no da ningún beneficio duradero. Tan pronto como el revestimiento del útero vuelva a crecer, el flujo aumentará de nuevo. Por este motivo no lo recomiendo.

Ácido tranexámico (Lysteda®)

El ácido tranexámico es un medicamento que aumenta la coagulación de la sangre. Tu médica puede dártelo como medicina de emergencia durante el flujo muy abundante o puede pedirte que lo tomes cada periodo. Lleva un pequeño riesgo de embolia pulmonar y trombosis venosa profunda (coágulos sanguíneos).

Ablación endometrial

La ablación endometrial es la destrucción quirúrgica del revestimiento uterino. Se realiza bajo anestesia general y destruye la fertilidad, por lo que solo es una opción si no quieres tener más hijos.

Tus hormonas todavía funcionan normalmente en los ciclos después de la ablación, pero no se desarrolla el revestimiento uterino, así que tendrás muy poco o nada de sangrado. No funciona para todas las mujeres y el efecto dura solo unos cinco años. Después, el revestimiento puede volver a crecer. Alrededor del 22% de las mujeres tienen que repetir la intervención y muchas de ellas llegan a requerir una histerectomía igualmente. [370]

La ablación puede atrapar la sangre detrás del tejido cicatricial, lo que puede causar dolor pélvico a largo plazo. Esa complicación es más probable que ocurra después de la ligadura de trompas y se estima que afecta hasta un 10% de mujeres que se someten a la ablación. [371]

La ablación endometrial no es ideal, pero, en mi opinión, es preferible a la histerectomía.

Histerectomía

La histerectomía (extirpación quirúrgica del útero) ha sido el tratamiento médico estándar para el sangrado abundante durante generaciones. Sigue siendo a veces necesario, pero animo a mis pacientes a conservar su útero en la medida de lo posible.

Un estudio indica que la histerectomía duplica el riesgo a largo plazo de prolapso vaginal e incontinencia urinaria.[372] También puede afectar negativamente tu respuesta sexual y tu capacidad para alcanzar el orgasmo, especialmente si también te extirparon los ovarios.

Por otro lado, si una histerectomía alivia el dolor y el sangrado, entonces puede mejorar tu disfrute sexual.

Recuerda que hay dos tipos de histerectomía: *histerectomía total*, cuando la cirujana extirpa el útero y cuello del útero y posiblemente los ovarios, e *histerectomía parcial* cuando la cirujana quita el útero pero deja el cuello uterino.

La extirpación de los ovarios causa la menopausia quirúrgica, que analizaremos más adelante en este capítulo. Es diferente de la menopausia normal y puede ponerte en riesgo de depresión, enfermedades del corazón y muchas otras complicaciones a largo plazo. La Clínica Mayo recomienda que *no* se extirpen los ovarios excepto en casos de muy alto riesgo.

La extirpación del útero, pero no de los ovarios, *no* altera tus hormonas ni provoca menopausia. También podrás beneficiarte con la reparación natural del periodo

> ## Tema especial: Seguimiento de los "periodos virtuales" después de una histerectomía
>
> Si todavía tienes tus ovarios, entonces todavía tienes un ciclo y tienes un "periodo virtual".
>
> Por ejemplo, todavía puedes ovular y pasar por una fase premenstrual en la que te sientes un poco irritable y con dolores de cabeza. Luego llegará un *día de alivio*, que es cuando caen tus hormonas, y sangrarás como si tuvieras útero.
>
> Ese día de alivio es el "día 1" y puedes tratar de rastrearlo con tu *app* para la menstruación.

En algún momento después de una histerectomía, llegará la menopausia. Probablemente sucederá a la edad en que habrías pasado la menopausia de todos modos.

Dado que ya no menstrúas, no puedes reconocer que has llegado a la menopausia. Vigila los síntomas como sofocos y sequedad vaginal, y pídele a tu médica un análisis de FSH. Una FSH mayor de 40 UI/L marca el inicio de la menopausia.

Está bien recurrir al tratamiento convencional

Aun realizando tus mejores esfuerzos, puedes requerir cirugía o tratamiento médico para el sangrado menstrual abundante. No es un fracaso tuyo. No se puede pretender que soportes periodos muy intensos por mucho tiempo. Aún vale la pena probar el tratamiento natural porque hay muchas posibilidades de que funcione y, aunque no lo haga, igualmente te beneficiarás de sus efectos de equilibrio hormonal.

Ahora echemos un vistazo a las opciones de tratamiento natural. Muchos son los mismos que discutimos en la sección "Periodos intensos" del capítulo anterior.

El **tratamiento natural para periodos menstruales intensos** funciona como prevención, no como un tratamiento de urgencia. Una vez que un sangrado abundante está en proceso, no hay nada natural que pueda detenerlo. Se puede tomar ibuprofeno para reducirlo y la mayoría de las veces el sangrado se detiene solo.

Si te sientes mareada o con malestar, consulta a tu médica. Puede que necesites el medicamento para la coagulación ácido tranexámico (Lysteda$^{\circledR}$).

Dieta y estilo de vida para el sangrado menstrual de la perimenopausia

Evita los lácteos de vaca

Como ya comentamos en el capítulo 9, los lácteos pueden provocar periodos más intensos.

Reduce el alcohol

El alcohol aumenta la exposición a los estrógenos, deteriorando la capacidad del hígado para metabolizarlo. Más estrógeno significa un periodo más intenso.

Mantén las bacterias intestinales sanas

Las bacterias intestinales sanas escoltan el estrógeno de manera segura fuera de tu cuerpo. Necesitas un metabolismo del estrógeno saludable, no solo para reducir el flujo menstrual sino también para aliviar otros síntomas de exceso, como irritabilidad y dolor mamario.

 Para una discusión completa sobre dolor mamario y mamas fibroquísticas, consulta el capítulo 8.

Consume fitoestrógenos

Los fitoestrógenos te protegen del estrógeno al bloquear los receptores de estrógeno y promover el metabolismo saludable del estrógeno.

Corrige la resistencia a la insulina

La resistencia a la insulina aumenta el riesgo de los periodos abundantes de dos maneras.

- La insulina elevada espesa directamente el revestimiento del útero.
- La insulina elevada puede deteriorar la ovulación y por lo tanto para causar progesterona baja.

Consulta la sección sobre resistencia a la insulina en el capítulo 7 para obtener más información sobre tratamientos.

 Si tuviste resistencia a la insulina y SOP cuando eras más joven, es probable que todavía las tengas ahora. El SOP no termina con la menopausia.

Haz ejercicio

El ejercicio mejora la sensibilidad a la insulina, promueve la eliminación saludable de estrógeno a través de la transpiración.

Suplementos y hierbas medicinales para el sangrado menstrual de la perimenopausia

La **cúrcuma** aligera la menstruación, como se explica en el capítulo 9.

El **hierro** corrige la deficiencia de hierro causada por los periodos abundantes, y también puede *aligerar* la menstruación.

El **calcio D-glucarato** promueve el metabolismo saludable del estrógeno. Lo vimos en el capítulo 8 como tratamiento para el SPM.

Cómo funciona: el glucarato contribuye a la desintoxicación de estrógenos al inhibir la *beta-glucuronidasa*, que es una enzima producida por las bacterias del intestino que provoca que los estrógenos sean reabsorbidos.

Qué más necesitas saber: te recomiendo de 1000 a 1500 mg por día. También puede ayudar a prevenir el cáncer de mama. [373]

La **progesterona micronizada o natural** hace que los periodos sean más ligeros.

Cómo funciona: reduce el grosor del revestimiento del útero, igual que las progestinas sintéticas como norestisterona (Primolut®) y medroxiprogesterona (Provera®). Pero la progesterona es un tratamiento mucho más agradable porque también es calmante para el estado de ánimo y el sueño.

Qué más necesitas saber: una cápsula de progesterona como Prometrium® funciona mejor que una crema tópica. La dosis estándar según la Dra. Jerilynn Prior es tomar una cápsula de progesterona a la hora de acostarse durante las últimas dos semanas de tu ciclo. Para obtener más información, consulta el trabajo de la Dra Prior, "Progesterone for Symptomatic PerimenopauseTreatment" (progesterona para el tratamiento sintomático de la perimenopausia).[374]

Lista de control para reglas abundantes o menorragia de la perimenopausia

- Descartar una causa médica como la enfermedad de la tiroides o adenomiosis.
- Pensar en tomar ibuprofeno en tus días de flujo intenso.
- Reducir o eliminar el alcohol.
- Evitar los lácteos de vaca.
- Considerar tomar hierro, cúrcuma y calcio D-glucarato.
- Considerar tomar progesterona micronizada o natural.
- Consultar la sección de "Periodos abundantes" en el capítulo 9.

La vida después de la menstruación

Si tienes la impresión de que la menopausia es difícil, es porque *la transición* a la menopausia puede ser difícil. La menopausia en sí misma puede ser fácil y puede no requerir ningún tratamiento en absoluto.

Durante la menopausia, tendrás mucho menos estrógeno y progesterona que antes —aunque igualmente tendrás *algo*. Por ejemplo, producirás una cantidad pequeña de estrógeno y de progesterona de ambos ovarios y de las glándulas suprarrenales. También vas a producir estradiol procedente de la hormona suprarrenal DHEA *dentro de tus células.*[375]

En conjunto, deberían ser suficiente hormonas para mantenerte bien, especialmente una vez que hayas tenido la oportunidad de adaptarte.

No puede decirse lo mismo de la menopausia precoz o menopausia quirúrgica. Son circunstancias que casi siempre requieren tratamiento hormonal.

Menopausia precoz

La menopausia precoz, también llamada *una falla ovárica prematura* o *insuficiencia ovárica primaria,* se define como la pérdida de la función ovárica antes de los 40 años. Se diagnostica a través del análisis de sangre de la FSH y afecta a aproximadamente una de cada 100 mujeres.[376]

Los factores que contribuyen a la insuficiencia ovárica primaria son la genética, la enfermedad autoinmune y la endometriosis. [377] En la mayoría de los casos, la causa es desconocida.

Si has entrado en la menopausia prematura, es probable que necesites terapia hormonal para la menopausia.

Menopausia quirúrgica

Perder los ovarios en una cirugía no supone una menopausia normal. Por un lado, experimentarás un rápido descenso hormonal que es muy diferente de la menopausia y puede causar síntomas fuertes, tales como sofocos.

También, con la menopausia quirúrgica tendrás bajos niveles de hormonas en comparación con las mujeres en la menopausia natural. Eso te pondrá bajo mayor riesgo a largo plazo de una enfermedad cardíaca,[378] demencia,[379] osteoporosis,[380] y algunos tipos de cáncer.[381] También es probable que sufras una mayor reducción de la libido y de la función sexual en comparación a las mujeres menopáusicas con ovarios.[382] La terapia hormonal puede ayudar, pero no puede compensar por completo.[383]

Conserva tus ovarios, si puedes. Sé que no siempre es posible. Consulta con tu médica.

Problemas que pueden surgir en la menopausia

Sofocos

Los sofocos pueden empezar durante la perimenopausia o después de tu última regla. Si tus sofocos comienzan durante la perimenopausia, entonces podrían durar hasta diez años.[384] Si se inician después de tu último periodo menstrual, probablemente durarán solo un par de años. De cualquier manera, es posible que necesites tratamiento.

La combinación de magnesio y taurina más progesterona funciona bien para los sofocos menopáusicos,[385] como las hierbas medicinales cohosh negro y salvia. Si los sofocos son bastante intensos, puede que necesites una dosis baja de un suplemento de estrógeno como un parche de estradiol natural (véase abajo).

Sequedad vaginal, disminución de la libido e infecciones de la vejiga

Después de la menopausia, es posible que experimentes algo llamado *atrofia vaginal,* lo que significa que el tejido de la pared vaginal se vuelve más delgado y seco. Puede causar una gama de síntomas incluyendo:

- disminución del deseo, excitación y orgasmo
- coito doloroso
- mayor frecuencia de infecciones vesicales
- emisión involuntaria de orina
- prolapso pélvico.

El tratamiento convencional es un pesario vaginal de baja dosis de estradiol (Vagifem®), el cual recomiendo. También existe la opción de una crema vaginal con la hormona DHEA.[386]

Un tratamiento no hormonal para la atrofia vaginal es el suplemento nutricional de aceite de espino que se toma por vía oral.[387]

Aumento de peso

En la menopausia, puedes aumentar de peso en la zona de la cintura. Es porque has perdido el efecto sensibilizante de insulina del estradiol y por lo tanto tienes un mayor riesgo de resistencia a la insulina.[388] Para combatir esto, por favor, implementa las estrategias de tratamiento en la sección "Resistencia a la insulina" del capítulo 7. También puedes probar un parche de estradiol de baja dosis (véase abajo) para mejorar la sensibilidad a la insulina.

> (CONSEJO) La **resistencia a la insulina después de la menopausia** también puede causar síntomas de exceso de andrógenos similares al SOP. Para ideas de tratamiento, consulte el Tratamiento antiandrógeno en el capítulo 7.

Osteoporosis

El riesgo de osteoporosis se incrementará durante el último año de la perimenopausia y los cinco primeros años de la menopausia. Durante ese tiempo, podrías perder hasta el 10% de tu densidad ósea y correr un mayor riesgo de fractura osteoporótica.[389]

Por favor, ten en cuenta, sin embargo, que el *riesgo absoluto* de osteoporosis depende de muchas cosas incluyendo un antecedente de cualquiera de los siguientes:

- enfermedad celíaca (sensibilidad de gluten)
- fumar
- consumo elevado de alcohol
- medicamentos corticosteroides
- antidepresivos ISRS
- medicamentos para la acidez IBP
- trastornos alimentarios
- amenorrea
- histerectomía total incluyendo la extirpación de los ovarios
- deficiencia de vitamina D, zinc, vitamina K2, magnesio y proteínas.

Muchos de estos factores aumentan el riesgo de osteoporosis al menos al igual que la menopausia, si no más. Por ejemplo, un antidepresivo ISRS puede duplicar el riesgo de fractura osteoporótica.[390]

La osteoporosis es un diagnóstico aterrador, pero piénsalo bien antes de tomar un medicamento como Fosamax® o la inyección Prolia®. Tienen importantes efectos secundarios y riesgos.

Lo primero que debes considerar es si tienes osteoporosis o solo *osteopenia*, que no es una enfermedad pero se puede interpretar como el envejecimiento saludable y normal de los huesos.[391]

Lo siguiente que hay que entender es que el riesgo de fractura osteoporótica *no puede* predecirse con precisión mediante una exploración de densidad ósea,[392] así que no confíes demasiado en esta prueba.

La mejor manera de mantener los huesos sanos es abordar cualquier factor de riesgo subyacente, como fumar o tomar antidepresivos. Más allá de eso, puedes obtener resultados al comer bien, hacer ejercicio y tomar los suplementos de vitamina

D, vitamina K2, calcio y magnesio.

También puedes considerar complementar las hormonas estrógeno y progesterona que intervienen en la formación de los huesos.

Una análisis completo sobre la osteoporosis está fuera del alcance de este libro. Pide consejo a tu médica.

Terapia de hormonas bioidénticas

Es posible que no necesites hormonas suplementarias en la menopausia. En el caso de que sí las necesites, asegúrate de que sean bioidénticas.

Las hormonas bioidénticas se derivan de esteroles vegetales como el ñame, pero también lo son muchos tipos de fármacos hormonales. De todos modos, este *no* es el motivo por el cual las hormonas bioidénticas son mejores.

Las hormonas bioidénticas son mejores porque son estructuralmente idénticas a tus propias hormonas humanas. De esta manera, son diferentes de la pseudohormonas u "hormonas de caballo" de los anticonceptivos hormonales o viejos métodos de terapia hormonal. Hasta hace poco tiempo, las hormonas bioidénticas estaban disponibles solamente en farmacias de composición. Ahora, están disponibles como prescripción convencional. Las prescripciones bioidénticas incluyen los productos Estradot®, Climara®, Estraderm® y Prometrium®.

 Bioidéntico significa "cuerpo idéntico" o "naturaleza idéntica".

Progesterona micronizada o natural

La progesterona natural también se llama progesterona bioidéntica o progesterona micronizada. Tu médica prefiere este último término. Te recomiendo *no* utilizar las palabras natural o bióidentico al hablar con tu médica. En el caso de la progesterona, puedes decir *la progesterona micronizada oral* o referirte a la marca Prometrium®.

La progesterona micronizada es la misma progesterona que tu cuerpo produciría normalmente después de la ovulación. Si no puedes producir suficiente progesterona, entonces puedes suplirla. Tomar progesterona es una manera de compensar la deficiencia de progesterona y de aliviar los síntomas. No puede aumentar la producción de tu *propia* progesterona. Para hacer eso, necesitas seguir las muchas pautas discutidas en este libro.

La progesterona micronizada es diferente de la progestina norestisterona en Primolut® y del levonorgestrel en el DIU Mirena® y muchos otros tipos de anticonceptivos hormonales.

He mencionado la progesterona micronizada varias veces en el libro. Es útil para el SOP, el síndrome premenstrual, las migrañas, los periodos abundantes, la adenomiosis, la endometriosis, la perimenopausia, la menopausia y la osteoporosis.[393]

Crema versus cápsula

Se puede utilizar la progesterona como una crema o cápsula. Una crema funciona bien para problemas leves, como el SPM. Una cápsula es mejor para los periodos abundantes, la adenomiosis, la endometriosis y los síntomas perimenopáusicos tales como estado de ánimo y sueño. La progesterona también está disponible como pesario vaginal, que generalmente se administra como parte del tratamiento de fertilidad.

Dosis y tiempo de aplicación

Una crema de progesterona de venta libre tiene 2% de progesterona, por lo que un gramo (un cuarto de cucharadita) proporciona 20 mg de progesterona. Esa es una buena dosis inicial para condiciones como el SPM. Se debe aplicar, antes de acostarse, en la cara, parte interna de los brazos o detrás de las rodillas —todos los lugares donde los vasos sanguíneos están cerca de la superficie. Así, la hormona va directamente a la sangre y no se almacena en la grasa.

Una cápsula de progesterona suele ser de 100 mg, que es adecuada para periodos intensos y perimenopausia. Tomar solo a la hora de acostarse ya que puede ser muy sedante.

Si ovulas regularmente, toma progesterona después de la ovulación durante la fase lútea. Si no ovulas, entonces habla con tu médica sobre el mejor momento para tomar progesterona. (Y también para encontrar una manera de ovular, si es posible).

Seguridad y precauciones

En una dosis adecuada, la progesterona micronizada no debería tener efectos secundarios. En una dosis elevada, puede causar somnolencia, hinchazón abdominal y sensibilidad en las mamas. Si experimentas tales efectos secundarios, reduce la dosis o deja de tomarla.

A diferencia de las progestinas sintéticas, la progesterona micronizada *no* aumenta el riesgo de cáncer de mama o enfermedades cardíacas. En cambio, puede reducir el riesgo de ambas condiciones.[394][395]

La progesterona por sí sola es útil para la mayoría de los síntomas, incluso una vez que estás en la menopausia. Sin embargo, es posible que necesites agregar estrógeno.

Estrógeno

Tomar estrógeno puede ser un salvavidas para el estado de ánimo, el sueño, los sofocos y la sequedad vaginal propios de la menopausia.

Sí, la estrogenoterapia lleva cierto riesgo, pero no tanto como podrías llegar a creer. El mayor riesgo de la terapia hormonal se dio con los fármacos Premarin® y Provera® en la década de 1980 y 1990. Estos medicamentos *no* eran hormonas bioidénticas. En cambio, eran una mezcla de los estrógenos equinos sulfato de estrona, sulfato de equilina, sulfato de equilenina y la progestina medroxiprogesterona. Esos medicamentos causaron numerosos efectos secundarios y problemas.

Todo ha cambiado ahora.

Hoy, la mayoría de las prescripciones de estrógeno (no todas) son estradiol bioidéntico en bajas dosis, que es mucho más seguro que Premarin®.

¿Qué tipo de estrógeno?

Para los síntomas de atrofia vaginal, recomiendo el pesario vaginal de estradiol Vagifem®. Alivia la sequedad, y he observado que puede aliviar otros síntomas de menopausia tales como el insomnio. Como es una dosis tan baja, puedes utilizar Vagifem® solo, sin progesterona.

Para los sofocos severos y el insomnio menopáusico, recomiendo un parche de estradiol como Estradot® o Climara®. Si utilizas un parche de estradiol, también necesitarás progesterona. Esto es así incluso si no tienes útero.

Tema especial: Por qué tu médica dice que no necesitas progesterona si no tienes útero.

La medicina convencional no necesariamente reconoce los muchos beneficios de la progesterona natural. En el pensamiento convencional, la única finalidad de una progestina es evitar el desarrollo no deseado del revestimiento uterino. Eso es cierto para las progestinas sintéticas, porque no tienen ningún beneficio adicional. La progesterona es diferente. Protege el revestimiento uterino *y* ayuda al estado de ánimo, los huesos, al cerebro, y a la tiroides. Incluso puede ayudar a prevenir el cáncer de mama.

Observa los signos de otro periodo

En los primeros tiempos de la transición a la menopausia, puedes experimentar varios meses de deficiencia de estrógeno mientras estás tomando estrógeno. Pero entonces, repentinamente, las cosas pueden cambiar. Tu cuerpo comienza a moverse hacia un nuevo periodo y produce su propio estrógeno.

Si sucede eso, experimentarás la hinchazón en las mamas y algo que se percibe como una nueva irritabilidad premenstrual. Eso significa que ahora tienes demasiado estrógeno y que debes dejar de usar parches de estrógeno hasta que las cosas se calmen de nuevo. También puedes tomar progesterona.

 Es normal que tu periodo se detenga y vuelva a comenzar durante la transición a la menopausia.

En resumen, la progesterona natural y otras hormonas bioidénticas son posibles opciones de tratamiento para la perimenopausia y más. Algunos productos bioidénticos están disponibles sin prescripción en Estados Unidos, pero requieren receta médica en otros países.

Las hormonas bioidénticas no pueden utilizarse para prevenir el embarazo.

Una última consideración sobre la vida después de la menstruación

Debido a que nuestra sociedad valora a las mujeres jóvenes en edad reproductiva, algunas de nosotras podemos sentir una pérdida de poder y valor al entrar en la menopausia.

Pero no tiene que ser de esta manera. Mientras yo misma me acerco a la menopausia, estoy despertando un nuevo tipo de poder una sabiduría y un fuerte deseo de ayudar a las demás. También me siento en sororidad con otras mujeres mayores. Para el año 2030, habrá 1.200 millones de mujeres menopáusicas en el mundo[396] —más que nunca.

Sin lugar a dudas, finalmente seremos una fuerza.

Capítulo 11

———➤

RESOLUCIÓN AVANZADA DE PROBLEMAS

Recapitulando

E S TIEMPO PARA UN REPASO.

¿Cómo debería ser tu periodo menstrual? Debe ser regular. Debe llegar sin síntomas premenstruales y sin dolor. No debe exceder los 80 mL (dieciséis tampones llenos) a lo largo de tus días de flujo menstrual.

Tienes derecho a tener una menstruación fácil. Sin dolor. Sin menorragia. Sin SPM. *Es* posible.

Tu regla es tu boletín mensual. Tus síntomas son tus pistas.

¿Cuáles son *tus* pistas? ¿Qué intentan comunicarte sobre de tu salud subyacente?

Al interpretar las pistas del periodo menstrual, por favor siempre vuelve sobre las siguientes preguntas.

- ¿Ovulas regularmente? Si *no* ovulas, entonces ¿por qué

no?

- ¿Metabolizas o desintoxicas bien el estrógeno? De no ser así, ¿por qué no? ¿Y qué puedes hacer para mejorar eso

- ¿Sufres una inflamación crónica que está interfiriendo con tu comunicación hormonal? ¿Qué puedes hacer para reducir la inflamación?

Estas son las preguntas que debes hacerte. No son preguntas para que le hagas a tu médica, porque es posible que ella no esté tan familiarizada con conceptos tales como metabolismo del estrógeno o inflamación crónica. Más adelante en este capítulo, te proporciono una lista de preguntas especiales para hablar con tu médica.

¿Ovulas?

Hemos hecho esta pregunta una y otra vez a lo largo del libro. La ovulación es esencial para la salud del periodo porque es tu manera de producir progesterona.

No ovular ni producir progesterona es la causa principal de muchos problemas menstruales, como periodos irregulares, SOP y periodos intensos.

¿Cómo sabes si ovulas y produces progesterona?

Los signos de una *posible* ovulación incluyen la aparición de moco fértil y un ciclo regular. La evidencia *definitiva* de una ovulación incluye un aumento en la temperatura basal del cuerpo y un aumento en la progesterona medido por una análisis de sangre en la fase lútea media. Un periodo en sí mismo no es un signo definitivo de ovulación porque es posible que el ciclo sea anovulatorio. Para obtener más información, consulta la sección Signos físicos de la ovulación en el capítulo 3 y Análisis de progesterona en el capítulo 5.

¿Por qué no ovulas?

Estas son algunas posibilidades:

- SOP

- resistencia a la insulina
- deficiencia de zinc, selenio, yodo o vitamina D
- alimentación insuficiente
- dieta baja en carbohidratos
- demasiados fitoestrógenos, tales como la soja
- estrés
- prolactina elevada
- perimenopausia
- enfermedad celíaca
- enfermedad de la tiroides (ver abajo).

Esta no es una lista exhaustiva, pero es un buen punto de partida. Debe ayudarte a hacerle preguntas mejor orientadas a tu médica.

Una vez que hayas identificado *por qué* no ovulas, tu mejor tratamiento es corregir *ese* problema. Hemos explorado una variedad de tratamientos en el capítulo 7.

¿Metabolizas bien los estrógenos?

El exceso de estrógeno es un factor clave en el síndrome premenstrual, fibromas y periodos abundantes.

¿Cómo sabes si tienes exceso de estrógeno?

Busca síntomas como la irritabilidad premenstrual, sensibilidad en las mamas, periodos abundantes y a fibromas. Pídele a tu médica que compruebe tus niveles de estrógeno mediante un análisis de sangre en la fase lútea cuando el estrógeno y la progesterona son altos.

¿Por qué no metabolizas bien los estrógenos?

Razones comunes para un metabolismo o desintoxicación defectuoso del estrógeno incluyen:

- alcohol
- problemas digestivos
- toxinas ambientales
- deficiencia nutricional
- inflamación crónica.

Para una discusión completa, revisa la sección "Exceso de estrógenos" en el capítulo 5.

¿Sufres inflamación crónica?

En muchas secciones de este libro, vimos cómo la inflamación distorsiona la comunicación hormonal. Por ejemplo, la inflamación crónica bloquea los receptores hormonales. También deteriora el metabolismo del estrógeno y previene la ovulación y la producción de progesterona.

 La **inflamación crónica** podría ser la razón principal de los problemas de tu periodo menstrual.

¿Cómo sabes si tienes inflamación crónica?

Busca síntomas tales como dolores de cabeza, dolor en las articulaciones o afecciones crónicas de la piel como el eczema y la psoriasis. Esas son tus pistas.

La fatiga es otro síntoma de la inflamación, pero debes tener cuidado al interpretarla porque la fatiga puede tener varias causas diferentes. El primer paso es ver a tu médica para descartar causas comunes tales como la deficiencia de hierro y la enfermedad de la tiroides. Luego, te pido que pienses si duermes lo suficiente. Una vez que has descartado los problemas comunes, cabe la posibilidad de que la inflamación crónica sea la causa de tu fatiga.

No hay ningún análisis de sangre simple para medir la inflamación. Tu médica puede realizar exámenes para detectar marcadores inflamatorios como el PCR, el ESR, los anticuerpos tiroideos y los anticuerpos contra el gluten. Pero también podrías tener inflamación crónica *incluso si esas pruebas son normales*.

La inflamación crónica puede ser el resultado de estrés, resistencia a la insulina, infección, toxinas ambientales y problemas digestivos. Tu estrategia consiste en abordar esos problemas subyacentes.

Toxinas ambientales

Ojalá no tuviera que incluir esta sección. Me da pena solo pensar en ello. Sin embargo, debe afrontarse: las toxinas ambientales pueden desempeñar un papel importante en los problemas del periodo.

Environmental Working Group (EWG) (Grupo de trabajo sobre el medioambiente)

El mejor recurso para obtener información acerca de las toxinas medioambientales es la organización sin fines de lucro Environmental Working Group (www.ewg.org). Las personas involucradas han estado trabajando en este campo durante más de dos décadas y proporcionan actualizaciones periódicas sobre las toxinas ambientales en nuestros alimentos, cosméticos y productos para el hogar. También publican nuevas investigaciones.

Tóxico en dosis baja

Solíamos pensar que las toxinas ambientales solo son un problema cuando están presentes en una dosis lo suficientemente alta como para matar a un ratón en un estudio de laboratorio. Ahora sabemos que las toxinas ambientales pueden ser un problema en una dosis alarmantemente baja. ¿Por qué? Porque muchas toxinas ambientales son *disruptores endocrinos* o *productos químicos disruptores endocrinos* (EDCs por sus siglas en inglés).

 productos químicos alteradores del sistema endocrino

Los disruptores endocrinos (EDCs) son sustancias que causan efectos adversos a la salud mediante la alteración de la función del sistema endocrino u hormonal. Incluyen pesticidas, metales, contaminantes industriales, solventes, aditivos alimentarios y productos de cuidado personal.

Tu cuerpo está *acostumbrado* a responder a las hormonas en dosis bajas. Por lo tanto, es lógico que tu cuerpo responda a los disruptores endocrinos en una dosis baja. Incluso en una pequeña porción por millón, las toxinas medioambientales pueden alterar tu sistema hormonal. Por ejemplo, pueden estimular más a ciertas hormonas y menos a otras. Directamente pueden dañar tejidos glandulares como la tiroides y los ovarios. Finalmente, pueden deteriorar el metabolismo del estrógeno, bloquear y alterar los receptores hormonales.

No todas las toxinas medioambientales son disruptores hormonales, pero muchas sí lo son.

Los doce peores disruptores endocrinos

Según un informe del EWG del 2013, los productos químicos alteradores del sistema endocrino más preocupantes son los siguientes:[397]

1. El **bisfenol A (BPA)** se utiliza para hacer algunos tipos de plástico. Imita los estrógenos y altera su metabolismo. Otros bisfenoles (tales como el bisfenol S) pueden ser igualmente dañinos.
2. Las **dioxinas** son un derivado industrial y se acumulan en los alimentos de origen animal como la carne, el pescado, la leche, los huevos y la mantequilla. Interfieren con la señalización hormonal y están implicadas en las causas de la endometriosis.[398] También pueden tener un efecto devastador sobre el esperma.
3. La **atrazina** es un herbicida ampliamente utilizado. Ha sido vinculado a cánceres reproductivos.
4. Los **ftalatos** se utilizan en la fabricación de plástico, envases de alimentos, champús y otros productos para el hogar. Alteran muchas hormonas incluyendo la tiroides. Un estudio reciente relacionó la exposición al ftalato con el hipotiroidismo en niñas.[399]
5. El **perclorato** es un componente del combustible de los cohetes que puede terminar en alimentos y agua potable. Altera la función tiroidea.

6. Los **retardantes de fuego** se aplican a los muebles, colchones y alfombras. Alteran la función tiroidea.

7. El **plomo** es una poderosa toxina nerviosa y también reduce las hormonas sexuales y altera el eje HHA.

8. El **arsénico** es un producto de descomposición de algunos pesticidas y también se encuentra de forma natural en algunos suelos. Puede terminar en el arroz y el agua potable y puede causar acné y resistencia a la insulina.

9. El **mercurio** es una toxina nerviosa potente. También altera directamente los niveles de FSH, HL, estrógenos, progesterona, andrógenos y hormona tiroidea.[400] Es el máximo disruptor endocrino.

10. Los **compuestos perfluorados (PFC)** se utilizan para hacer utensilios antiadherentes y ropa impermeable. Parece que son "completamente resistentes a la biodegradación", lo que significa que nunca se pueden descomponer o salir del cuerpo. Pueden alterar los niveles de hormonas tiroideas y ováricas.

11. Los **pesticidas organofosforados** son el tipo más común de pesticidas. Afectan a las hormonas tiroideas y ováricas.

12. Los **éteres glicólicos** son disolventes comunes en pinturas, productos de limpieza y cosmética. Pueden producir daños en la fertilidad.

Problemas del periodo menstrual

¿Pueden todos esos efectos de alteración hormonal realmente contribuir a los problemas del periodo? Las investigaciones recientes indican que sí.

Las investigaciones han vinculado el BPA, los ftalatos y el mercurio con el SOP;[401][402] y las dioxinas, los ftalatos y los policlorodifenilos (PCB) con la endometriosis. Se ha demostrado también que los ftalatos, pesticidas y dioxinas adelantan el inicio de la menopausia hasta cuatro años.[403]

Las expertas están preocupadas. En 2013, dos de las principales organizaciones médicas plantearon una cautelosa alarma. Juntos, el Colegio de Obstetras y Ginecólogos de Estados Unidos

(ACOG) y la Sociedad Estadounidense de Medicina Reproductiva (ASRM por sus siglas en inglés) declararon:

> "La evidencia científica en los últimos 15 años demuestra que la exposición a agentes ambientales tóxicos... puede tener efectos significativos y duraderos en la salud reproductiva". [404]

Poco más de un año después, basándose de una revisión de más de 1300 estudios, la Sociedad de Endocrinología declaró que "es hora de que los médicos comiencen a hablar con sus pacientes sobre los productos químicos disruptores endocrinos".[405]

La Sociedad de Endocrinología dejó de recomendar a las personas que tomaran medidas específicas para protegerse. Dicen que la responsabilidad de reducir los contaminantes y proteger al público recae en el gobierno y en la industria. Estoy totalmente de acuerdo en que la industria debería hacer cambios para protegernos. Ojala que esto mejore la salud de las generaciones futuras. Mientras tanto, ¿qué puedes hacer para ayudarte a ti misma, ahora?

¿Te afectan las toxinas ambientales?

Si vives en el mundo moderno, tienes toxinas ambientales en el cuerpo. Todos las tenemos. Pero eso no significa necesariamente que sean la mayor causa de los problemas de tu menstruación. Por ejemplo, si tienes SOP resistente a la insulina, entonces es más probable que el azúcar sea lo que necesitas cambiar.

Pero si sospechas que las toxinas ambientales te afectan, aquí hay algunas cosas a considerar.

Ten en cuenta la exposición

¿Trabajas en un entorno como una peluquería, un estudio de artesanía o el consultorio de un dentista, en el que respiras regularmente vapores químicos? ¿Vives cerca de un campo de golf o de un área agrícola donde estás expuesta a pesticidas? Por último, ¿comes mucho atún, que contiene mercurio?

Estos son solo algunos ejemplos donde podrías tener una exposición más elevada de lo habitual.

Considera tus síntomas

¿Tienes cansancio inexplicable, dolores de cabeza, ansiedad o dolor en las articulaciones? Esos podrían ser signos de la exposición a toxinas ambientales.

Observa tus análisis de sangre estándar

Tu médica podría haberte pedido algo que se llama prueba de la función hepática y conteo de células sanguíneas completo. Obsérvalo atentamente. ¿Tienes un número elevado de glóbulos blancos que no puede explicarse por una infección u otra condición? Podría ser un signo de exposición a pesticidas. ¿Tienes plaquetas bajas? Podría ser un signo de exposición al mercurio.

---

plaquetas

Las plaquetas son células sanguíneas cuya función es detener el sangrado.

También, observa el panel de función hepática y en particular, algo llamado GGT (*gamma-glutamil transpeptidasa*). La GGT debe ser menos de 30 UI/L. Si es superior a 30, esto significa que estás agotando el glutatión, que es la principal molécula de desintoxicación de tu cuerpo. La GGT elevada puede significar que has estado expuesta a una toxina, como el alcohol o una toxina ambiental.

Análisis para detectar toxinas ambientales

Metales tóxicos

Si has estado expuesta a metales tóxicos, habla con tu médica para hacerte un análisis de sangre para detectar mercurio, plomo o cadmio. Al interpretar el resultado, ignora el rango de referencia. El propósito es evaluar la *exposición industrial*, pero eres una persona en un entorno no industrial, por lo que el resultado no debería mostrar esencialmente nada de mercurio, cadmio o plomo. Si se muestra algún resultado, podrías tener un problema con los metales tóxicos.

Lamentablemente, una prueba de sangre negativa no es una garantía de que los metales no sean un problema. Un análisis de sangre solo detecta metales tóxicos que están flotando libremente en la sangre ese día. No puede detectar metales recluidos en tus órganos, cerebro y huesos, ya que comúnmente lo están.

También hay un análisis para el mercurio, que se realiza inyectando primero una sustancia para liberarlo del almacenamiento y luego analizando la orina. No recomiendo estos análisis porque pueden exponerte a una gran cantidad de mercurio en una sola vez. Espero que en el futuro haya métodos mejores, más confiables y más seguros para analizar el metal.

Plásticos, pesticidas y otras toxinas

Algunas médicas realizan pruebas de plásticos, pesticidas, PCB y retardantes de fuego. Tal prueba podría ser útil si te alerta sobre una fuente de exposición de la cual no estabas al tanto. Pero si ya *sabes* que tienes exposición tóxica, entonces no ganas mucho con conocer el nivel exacto.

Para todo tipo de toxinas, es más sencillo proceder solo con un estilo de vida de desintoxicación gradual como el que se describe a continuación. Eso es lo que recomiendo a mis pacientes.

Minimizar la exposición

Todos estamos expuestos a toxinas, por lo que todos tenemos que hacer lo mejor de una mala situación. Hasta que nuestros gobiernos legislen restricciones más estrictas, solo podemos minimizar nuestra exposición individual. No podemos evitar las toxinas completamente.

Con esto en mente, por favor, toma decisiones sensatas y razonables *siempre que puedas*. Por ejemplo, elige productos orgánicos si te los puedes permitir. Si no puedes pagarlo, no pasa nada. No debes temer a los alimentos no orgánicos. Es mejor comer verduras no orgánicas que no comer ninguna verdura.

Plásticos, solventes y pesticidas

Evita lo máximo posible los químicos tóxicos que se utilizan en la agricultura, jardinería y materiales de construcción. Por ejemplo, rechaza los productos domésticos innecesarios, como los desodorantes de ambiente, las toallitas para la secadora y los limpiadores químicos de alfombras. Y si puedes, utiliza un filtro de agua de carbón activo para eliminar los pesticidas del agua potable, especialmente si vives en un área rural y agrícola.

Elige cosméticos y productos corporales que no incluyan ftalatos, arsénico u otras toxinas (consulta el sitio web de EWG para obtener más información). Y siempre lávate las manos después de manipular recibos de caja registradora, ya que tienen niveles elevados de BPA.

Mercurio

El mercurio viene del pescado y las amalgamas dentales.

Reduce la ingesta de pescados grandes. El mercurio en el pescado básicamente proviene de la contaminación del carbón procedente de centrales eléctricas en todo el mundo. El mercurio entra en el aire y luego cae al agua. Allí, las bacterias convierten el mercurio en metilmercurio, que entra en la alimentación de los peces. Los peces pequeños comen mercurio y los peces grandes se comen a los peces pequeños. Así es como el mercurio se vuelve más concentrado, ya que va subiendo en la cadena alimentaria. Y es por eso que los peces grandes como el atún, el pez espada y el marlín tienen la mayor cantidad de mercurio. Los peces pequeños como el salmón, las ostras, las sardinas, el lenguado, el calamar, las anchoas y el arenque tienen la *menor* cantidad de mercurio. Los peces pequeños son un alimento saludable.

Considera quitarte los empastes de amalgama. No necesariamente tienes que quitarte cada amalgama. Es solo algo a tener en cuenta si tienes más de dos amalgamas y si tus problemas de salud no mejoran con otros tratamientos. Es mejor que la eliminación de amalgamas la realice un dentista que conoce el protocolo correctamente. Hecho de manera incorrecta, el retiro de la amalgama puede exponerte a una mayor cantidad de mercurio que si la dejaras en tus dientes.

Pesticidas en los alimentos

Los alimentos con los mayores residuos de pesticidas incluyen grasa animal, granos y ciertos tipos de productos frescos.

Cada año, el EWG publica una lista de productos con mayor nivel de contaminación.

Dieta y estilo de vida para contribuir a la desintoxicación

Tu cuerpo está preparado para desintoxicarse. La desintoxicación es la actividad más importante y de mayor consumo de energía a la que las células se comprometen y lo hacen *a cada minuto de cada día.*

¿Cómo puedes ayudar a la desintoxicación saludable de forma continua?

- **Mantén las bacterias del intestino sanas,** porque juegan un papel clave al escoltar las toxinas fuera de tu cuerpo. Consulta la sección sobre la salud digestiva más abajo.
- **Evita los alimentos que causan intolerancia**, como el gluten y los productos lácteos de vaca. Crean inflamación en el intestino, que puede deteriorar la desintoxicación saludable.
- **Reduce o elimina el alcohol** para mantener el hígado sano. Recuerda que el hígado es el centro primario de desintoxicación.
- **Debes dormir lo suficiente**, porque el sueño profundo es el momento en el que tu cuerpo recicla el glutatión en su forma activa.
- El **sudor** en un sauna o durante el ejercicio moviliza y elimina las toxinas almacenadas. Asegúrate de tomar mucha agua.

Suplementos y medicamentos a base de hierbas para ayudar a la desintoxicación

Los mejores suplementos para la desintoxicación son aquellos que apoyan la producción del glutatión. Ya lo tratamos en glutatión en el capítulo 6. Es la principal molécula antioxidante y desintoxicante de tu cuerpo. También regula el sistema inmunitario y reduce la inflamación. Cuanto más glutatión tienes, más sana te sentirás y estarás mejor equipada para desintoxicarte del mercurio, los pesticidas y otras toxinas.

Los mejores suplementos para aumentar el glutatión son los siguientes.

El **glutatión liposomal** es una preparación absorbible del glutatión en sí.

> **Qué más necesitas saber:** tomar glutatión de esta manera ha demostrado elevar el nivel de glutatión en la sangre y reducir el estrés oxidativo.[406] La dosis estándar es de 100 a 400 mg al día y se debe tomar con el estómago vacío.

El **cardo mariano** (*silimarina*) es una hierba medicinal utilizada tradicionalmente para la salud del hígado.

> **Cómo funciona:** aumenta el glutatión y protege las células del hígado contra el daño tóxico.

> **Qué más necesitas saber:** la cantidad exacta de la hierba depende de la concentración de la fórmula, así que por favor tómala como se indica en la botella.

Cúrcuma o **curcumina**. Ya he recomendado la cúrcuma por sus propiedades antiinflamatorias y su eficacia durante los periodos menstruales abundantes y endometriosis (capítulo 9). He aquí su poder oculto: también aumenta el glutatión.[407]

> **Cómo funciona:** reduce la inflamación, aumenta el glutatión y protege las células del hígado contra el daño tóxico.

> **Qué más necesitas saber:** la cúrcuma se absorbe mejor cuando se toma inmediatamente después de una comida.

La **N-acetilcisteína**(NAC) es uno de mis complementos

favoritos para promover la desintoxicación saludable. Ya lo hemos visto como tratamiento para el SOP inflamatorio y endometriosis.

Cómo funciona: aumenta el glutatión y también se adhiere al mercurio para sacarlo de tu cuerpo.

Qué más necesitas saber: el NAC tiene el agradable beneficio secundario de reducir la ansiedad. Demasiado NAC puede reducir el revestimiento del estómago, así que no lo tomes si tienes gastritis o úlceras estomacales. Te recomiendo de 500 a 2000 mg por día.

El **ácido alfa lipoico** es útil para la desintoxicación. Lo hemos visto también como un tratamiento para el SOP resistente a la insulina en el capítulo 7.

Cómo funciona: mejora la sensibilidad a la insulina y aumenta el glutatión.

Qué más necesitas saber: el ácido alfa lipoico es seguro, pero una dosis mayor de 1000 mg por día puede disminuir la hormona de tiroides. Te recomiendo de 300 a 600 mg al día con las comidas.

El **selenio** es un mineral importante antiinflamatorio y desintoxicante. Ya lo hemos visto varias veces para el síndrome premenstrual, quistes ováricos y endometriosis.

Cómo funciona: aumenta el glutatión.

Qué más necesitas saber: la dosis terapéutica es de 100 a 150 mcg por día. Cantidades más elevadas pueden ser tóxicas, por lo que no excedas 200 mcg al día en total, incluyendo alimentos de alto contenido en selenio, como las nueces de Brasil.

El **magnesio** ayuda con la desintoxicación.

Cómo funciona: ayuda a las vías de desintoxicación a través del hígado y los riñones. También empuja activamente a metales tóxicos como el plomo y el cadmio. Consulta las secciones anteriores sobre el magnesio para instrucciones de dosificación.

Salud digestiva

No puedes tener periodos menstruales realmente sanos hasta que tengas un sistema digestivo sano. Es así de simple. Una forma en la que los problemas digestivos afectan al ciclo menstrual es forzándote a comer menos, lo cual, como vimos en el capítulo 7, puede hacer que pierdas el periodo. La otra forma en que los problemas digestivos afectan a la menstruación es dañando tu microbioma intestinal.

Microbioma intestinal

Hay que recordar que el microbioma intestinal es el material genético de las bacterias que viven en tu intestino. Si tu microbioma intestinal es bueno, este produce muchos beneficios para tu salud hormonal. Por ejemplo, regula el eje HHA, activa la hormona tiroidea, reduce la inflamación y metaboliza el estrógeno.

Cuando tienes un microbioma hostil, tienes una afección llamada *disbiosis*, que significa un cambio dañino en tu ecología bacteriana normal. La disbiosis puede alterar el eje HHA, interferir con la hormona tiroidea y alterar el metabolismo del estrógeno.

La disbiosis es una razón común de muchos problemas del periodo menstrual. También puede afectar el microbioma vaginal, que veremos más adelante en este capítulo.

Afortunadamente, hay muchas cosas que puedes hacer para mejorar tu salud intestinal.

Cómo mantener un microbioma intestinal saludable

- **Evita, cuanto sea posible, medicamentos que dañen las bacterias del intestino.** Aquí se incluyen los anticonceptivos hormonales, medicación para el ácido estomacal y *antibióticos*. Nunca dejaré de insistir en este punto. Mira la historia de Kate a continuación.
- **Evita el azúcar concentrada** porque alimenta las bacterias dañinas.

- **Evita los alimentos que causan intolerancia**, como el trigo y los lácteos porque producen inflamación.
- **Come verduras y almidones saludables** porque alimentan a las bacterias amistosas.
- **Reduce el alcohol** porque el alcohol causa disbiosis.
- **Duerme lo suficiente**, ya que la falta de sueño produce disbiosis.
- **Reduce tus niveles de estrés** porque el estrés causa disbiosis.
- **Come alimentos fermentados** como el yogur natural y el chucrut, porque apoyan las bacterias amistosas.
- **Garantiza un ácido estomacal adecuado** porque necesitas ese ácido estomacal para matar las bacterias dañinas y digerir las proteínas. Si experimentas hinchazón digestiva y ardor de estómago, puedes tener *tus niveles de ácido estomacal bajos*. Considera tomar una enzima digestiva que apoye tu ácido estomacal.
- **Considera tomar un probiótico**, que es una cápsula que contiene bacterias benéficas.

 ### Kate: Infecciones de pecho recurrentes y antibióticos

Kate vino a verme en busca de ayuda para combatir la fatiga, el síndrome premenstrual y las infecciones crónicas por levaduras.

—Las infecciones por levaduras provienen de los antibióticos —me dijo—. Tengo que tomarlos cada pocos meses para la bronquitis.

Yo: —¡Cada pocos meses!

Kate: —Sí, mi médico dice que los necesito porque una vez mi pecho estuvo tan mal que me dio neumonía. No quiero que eso suceda otra vez, así que tomo los antibióticos. Pero siempre tomo un probiótico después.

—Un probiótico puede ayudar —le dije—. Pero no es suficiente. No puede reemplazar las especies de bacterias buenas que pierdes cada vez que tomas antibióticos.

Luego pasé a explicar cómo la *disbiosis* (un problema con sus bacterias intestinales) podría estar contribuyendo a su fatiga y SPM.

—La disbiosis deteriora tu capacidad para metabolizar y desintoxicar el estrógeno —dije—. Eso significa que terminas teniendo *demasiado* estrógeno. La disbiosis también genera mucha inflamación, que puede interferir con la progesterona y otras hormonas.

—¿Hay algún probiótico mejor que pueda tomar? —preguntó Kate.

—Tengo un plan diferente —dije—. Vamos a encontrar una forma que *no* requiera que tomes antibióticos.

Kate nunca había considerado esa posibilidad.

Sugerí que trabajáramos en su sistema inmunológico para prevenir el uso futuro de antibióticos y, por lo tanto, le damos a su microbioma intestinal la oportunidad de recuperarse.

—Considero que un tratamiento inmunológico es la clave de tu tratamiento hormonal.

Le pedí a Kate que dejara de consumir leche normal de vaca porque sentí que estaba interrumpiendo su función inmune y la estaba poniendo en riesgo de infecciones respiratorias. Le receté zinc, vitamina D y un extracto de hongo medicinal para mejorar su inmunidad. También le prescribí un probiótico con las cepas *Lactobacillus rhamnosus* (LGG®) y *Lactobacillus plantarum* (HEAL 9), que se ha demostrado clínicamente que apoyan la inmunidad y reducen la severidad de las infecciones virales agudas.[408]

Kate tuvo una infección suave más en el pecho pero logró evitar los antibióticos. Para cuando nos reunimos seis meses más tarde, no había tenido más infecciones de pecho. Su energía y su SPM también habían mejorado.

Kate detuvo el extracto de hongos y el probiótico, pero continuó con el zinc, la vitamina D y la dieta sin lácteos como apoyo inmunitario continuo.

Los antibióticos son increíbles medicamentos que salvan vidas. Pero si estás sana, no deberías necesitarlos más de tres o cuatro veces *en tu vida.*

Como puedes ver, receté un probiótico para Kate, pero elegí uno con el propósito particular de apoyar su función inmunológica para que pudiera evitar futuros antibióticos. Más adelante en este capítulo, me referiré a otras cepas específicas de bacterias probióticas que son útiles para la permeabilidad intestinal y el microbioma vaginal.

En este momento de mi actividad clínica, me inclino más hacia la elección de un probiótico que contenga una o más cepas de microorganismos que han sido clínicamente probados para un propósito particular. Atrás quedaron los días de las doce cepas probióticas por la fuerza.

Cómo elegir un probiótico

Nuestra comprensión del microbioma intestinal todavía está en su etapa más precoz.

A estas alturas, sabemos que *ciertas cepas* de probióticos funcionan para *ciertas afecciones*, pero *no podemos* decir que hay un probiótico mejor que funciona para todos. Y la investigación se está moviendo tan rápido que vamos a poder ver innumerables cepas nuevas de probióticos en los próximos años. Mi selección de los mejores probióticos cambia a medida que salen a la luz nuevas investigaciones.

A continuación, algunas cosas que hay que entender:

- Las especies de probióticos *no* colonizan el intestino. En otras palabras, no se establecen como residentes permanentes en el intestino. Por el contrario, ejercen efectos beneficiosos sobre el microbioma, la pared intestinal y el sistema inmune a medida que *los atraviesan.*

- Se han demostrado beneficios clínicos de las *cepas* específicas (o subtipos) de bacterias. Es posible que no obtengas el mismo beneficio de otra cepa de la misma especie.
- Las cepas probióticas diferentes funcionan para diferentes afecciones. Por ejemplo, la cepa probiótica *Lactobacillus plantarum 299v* está clínicamente probada para tratar el síndrome del intestino irritable (ver más abajo). Las cepas *Lactobacillus rhamnosus* GR-1 y *Lactobacillus reuteri* RC-14 pueden normalizar el microbioma vaginal y aliviar las infecciones por levaduras (véase abajo).
- Es mejor elegir un producto con muchas bacterias individuales pero *menos* cepas o tipos de bacterias. Así, cada cepa puede tener un efecto más específico.
- Los probióticos funcionan mejor en combinación con un prebiótico o un suplemento de fibra. Tales productos se llaman *simbióticos.*
- La dieta tiene un efecto más poderoso sobre el microbioma que cualquier probiótico.
- Si experimentas hinchazón digestiva por un probiótico, entonces podría ser una señal de que tienes SIBO. Si tienes SIBO, puedes obtener más beneficios de un antimicrobiano de hierbas que de un probiótico.

Permeabilidad intestinal

Ya mencionamos la permeabilidad intestinal cuando hablamos de sensibilidad alimentaria en el capítulo 6 y de endometriosis en el capítulo 9. Es un tema importante porque es una causa potencial de inflamación.

La permeabilidad intestinal es una condición en la que diminutos huecos microscópicos o fugas se forman entre las células de la pared intestinal. Normalmente, las células intestinales deben estar firmemente unidas para crear una barrera que evite que las bacterias y las proteínas de los alimentos entren en tu cuerpo. La permeabilidad intestinal se produce cuando esa barrera se rompe por infección, antibióticos, anticonceptivos hormonales, SIBO o alimentos inflamatorios como el gluten.

Cuando desarrollas la permeabilidad intestinal, las proteínas de los alimentos y las toxinas bacterianas entran en tu cuerpo y pueden estimular tu sistema inmunológico para producir citocinas inflamatorias.

Cómo tratar la permeabilidad intestinal

- Considera evitar el gluten, ya que puede causar o empeorar la permeabilidad intestinal.
- Mejora la salud de tu microbioma intestinal (ver más arriba) y trata el SIBO (ver más abajo).
- Considera un tratamiento de corta duración con la hierba medicinal berberina (véase las secciones SII y SIBO más abajo).
- También puedes suplementar zinc porque repara la integridad de la barrera intestinal.[409]
- Complementa con una cepa de probiótico como *Lactobacillus rhamnosus* (LGG®) ya que puede ayudar a reparar la integridad de la barrera intestinal.[410]

Enfermedad intestinal inflamatoria (EII)

El problema digestivo más grave es la *enfermedad intestinal inflamatoria*, que incluye la enfermedad de Crohn, colitis ulcerosa y la enfermedad celíaca. El tratamiento de la EII está fuera del alcance de este libro. Por favor busca asesoramiento profesional.

Síndrome del intestino irritable (SII) y sobrecrecimiento bacteriano en el intestino delgado (SIBO)

Un problema digestivo menos grave es el *síndrome del intestino irritable* (SII), que causa dolor, hinchazón, diarrea y estreñimiento. El SII puede ser el resultado de SIBO, que es el crecimiento excesivo de bacterias normales en el intestino delgado.

Se supone que las bacterias del intestino viven en su intestino *grueso*. Varias perturbaciones pueden hacer que se muevan hacia el intestino delgado, causando SIBO. Las perturbaciones comunes incluyen infección, antibióticos, medicamentos para la acidez estomacal, enfermedad de la tiroides,[411] y la píldora anticonceptiva oral.

Una vez que las bacterias pasan al intestino delgado, pueden causar SII, permeabilidad intestinal e inflamación. Esa inflamación puede causar o empeorar los problemas del periodo.

Tratamiento natural para SII y SIBO

Deberías **considerar una dieta baja en FODMAP a corto plazo**. Como vimos en el capítulo 6, FODMAP son carbohidratos fermentables. Las bacterias fermentan los FODMAP, lo cual está muy bien si las bacterias están en el intestino grueso, donde supone que deben estar. Si hay bacterias en el intestino delgado (SIBO), la fermentación de los FODMAP puede causar hinchazón e inflamación.

Una dieta baja en FODMAP puede aliviar a corto plazo, pero no lo veo como una solución a largo plazo. Por un lado, una dieta baja en FODMAP es restrictiva y puede causar insuficiencia alimentaria. Además, una dieta baja en FODMAP puede privar a las bacterias del intestino grueso de la fibra que necesitan para mantenerse sanas.

Un mejor plan es hacer una dieta baja en FODMAP a corto plazo, y también tratar el SIBO subyacente con un antimicrobiano de hierbas.

La **berberina** es una de las distintas hierbas medicinales antimicrobianas que se utilizaban en un estudio de la Universidad John Hopkins para el tratamiento de SIBO.[412] Las investigadoras concluyeron que la combinación de berberina es tan efectiva como los antibióticos para el tratamiento de SIBO.

Cómo funciona: la berberina es antimicrobiana y reduce el crecimiento excesivo de bacterias en el intestino delgado. También repara la permeabilidad intestinal.[413]

Qué más necesitas saber: generalmente prescribo un tratamiento de ocho semanas de berberina en combinación con otros antimicrobianos naturales, como el aceite de orégano. Metagenics® Candibactin-BR es un ejemplo de un producto con berberina y orégano. Por favor no tomes berberina durante más de ocho semanas seguidas excepto bajo recomendación profesional. Consulta la sección de berberina en el capítulo 7 para precauciones e instrucciones de dosificación. A veces, un tratamiento con un antimicrobiano es suficiente para resolver el SIBO. Pero a veces es necesario un segundo tratamiento.

Incluso una vez que has tratado el SIBO y resuelto los síntomas SII, estás en riesgo de recurrencia. Aquí hay algunas maneras de evitarlo.

- Evita los alimentos que provocan sensibilidad alimentaria, como el trigo y los productos lácteos, ya que pueden crear una inflamación que perjudica la motilidad intestinal.
- Identifica y trata un problema subyacente de la tiroides porque el hipotiroidismo puede causar SIBO.
- Evita en la medida de lo posible medicamentos causantes de SIBO. Se incluyen antibióticos, medicamentos para el ácido del estómago y la píldora anticonceptiva oral.
- Considera tomar una enzima digestiva para ayudar al ácido estomacal, porque el ácido del estómago promueve la motilidad intestinal saludable.
- Piensa en tomar el probiótico de cepa *Lactobacillus plantarum 299v*, que trata de SII.
- Piensa en tomar cardo mariano, ya que promueve la motilidad intestinal.

Algunos probióticos pueden *empeorar* la hinchazón digestiva asociada con SIBO.

La salud digestiva es un tema complejo. Una discusión completa está fuera del alcance de este libro. Si tus síntomas no mejoran, entonces busca asesoría profesional.

Infecciones por levaduras y vaginosis bacteriana

Como vimos en el capítulo 5, las infecciones por levaduras y la vaginosis bacteriana (VB) son causadas por una alteración del microbioma vaginal. Eso significa, básicamente, que están causadas por una alteración del microbioma intestinal. Las dos poblaciones de bacterias están conectadas. Visualízalo como un *ecosistema de todo tu cuerpo*.

La mejor manera de tratar las infecciones por levaduras y la vaginosis es seguir las indicaciones anteriores para mantener un microbioma intestinal saludable *más* estas recomendaciones adicionales para el microbioma vaginal:

- Suplementa con las cepas de probióticos *Lactobacillus rhamnosus*, GR-1 y *Lactobacillus reuteri*, RC-14 que han sido clínicamente probadas para mejorar la vaginosis bacteriana y las levaduras.[414] La combinación de probióticos funciona cuando se toma por vía oral, pero se puede también insertar por vía vaginal para beneficio adicional.
- No uses jabones íntimos porque agotan tus bacterias vaginales beneficiosas.
- No uses espermicida, ya que elimina tus bacterias vaginales buenas.
- Considera si el DIU podría estar contribuyendo al problema. El DIU de cobre duplica el riesgo de vaginosis bacteriana (VB).[415] El principal síntoma de la VB es el flujo vaginal con olor a pescado.

Enfermedad de la tiroides

Si prestas atención verás que he mencionado la enfermedad de tiroides en casi todos los capítulos del libro. No te sorprenderá cuando te diga que la salud de la tiroides es un factor importante en la salud del periodo menstrual.

La tiroides es una glándula en forma de mariposa situada en el frente de la garganta. Produce la hormona tiroidea, que es una pequeña hormona proteica hecha de tirosina y yodo. La hormona tiroidea es como el interruptor de encendido de todas y cada una de las células. Estimula la quema de calorías y la producción de proteínas.

La hormona tiroidea es esencial para la actividad metabólica, incluyendo la digestión sana, la desintoxicación y la ovulación.

Cómo es que la enfermedad de la tiroides causa problemas del periodo

El tipo más común de trastorno de la tiroides es el hipotiroidismo (tiroides poco activa), que se produce cuando la tiroides no produce suficiente hormona. El hipertiroidismo (tiroides hiperactiva) puede también afectar al ciclo menstrual, pero no es tan común.

El hipotiroidismo interfiere con la salud del periodo de las siguientes maneras.

- Estimula la prolactina, suprimiendo así la ovulación (capítulo 7).
- Empeora la resistencia a la insulina y aumenta el riesgo de SOP (capítulo 7).
- Deteriora el metabolismo saludable del estrógeno y por ello causa exceso de estrógeno.
- Roba a los ovarios la energía celular que necesitan para ovular, causando así la anovulación y baja progesterona.
- Disminuye los factores de coagulación y, por lo tanto, causa sangrado abundante (capítulo 9).

El hipotiroidismo afecta a por lo menos una de cada diez mujeres. A menudo se pasa por alto porque es difícil de detectar en un análisis de sangre estándar.

Diagnóstico

La prueba estándar para la enfermedad de la tiroides es un análisis de sangre para la hormona estimulante de la tiroides (TSH).

Cuando tu glándula tiroides está produciendo suficiente hormona tiroidea, le indica a la pituitaria que produzca *menos* TSH.

Cuando la glándula tiroides *no* produce suficiente hormona tiroidea, le indica a la pituitaria que produzca *más* TSH.

Por lo tanto, la insuficiencia de hormona tiroidea causa una lectura de TSH elevada en un análisis de sangre. La TSH alta significa que tienes tiroides hipoactiva o hipotiroidismo.

Controversia alrededor de la TSH

Existe cierto debate sobre lo que debe ser considerado como TSH "elevada". Bajo los parámetros actuales, tu médica no puede diagnosticar hipotiroidismo hasta que la TSH sea mayor de 5 o 6 mUI/L. En otras palabras, mientras la TSH no sobrepase los 5 mUI/L, se considera que tienes una función tiroidea *normal*.

Hace quince años, la Academia Nacional de Bioquímica Clínica de Estados Unidos bajó el límite superior de TSH a 2,5 mUI/L y la Asociación de Endocrinólogos Clínicos de Estados Unidos (AACE) les siguieron rápidamente el juego.[416] Bajo los lineamientos propuestos, tu médica podía diagnosticarte hipotiroidismo cuando la TSH era solamente 2,5 mUI/L. Fue un gran cambio porque, de repente, miles de personas con un problema inminente de tiroides podían ser tratadas con la hormona de tiroides.

Eso hubiera sido particularmente importante para las mujeres porque tienen mejores resultados con la fertilidad y el embarazo cuando su TSH es *menor* que 2,5 mIU/L.[417]

Lamentablemente, la nueva pauta de TSH 2,5 no fue adoptada ampliamente por laboratorios o médicos, y la mayoría de las médicas hoy se adhieren a la vieja medida de 5 mUI/L. Esto significa que las médicas de hoy se están perdiendo oportunidades para tratar la enfermedad de la tiroides y ayudar a las mujeres con problemas menstruales y de fertilidad.

Con mis propias pacientes, sospecho que la tiroides es un posible problema si la lectura de la TSH es sistemáticamente superior a 3 mIU/L.

Hay otro problema

Si tu TSH es menor de 3 mUI/L, debería significar que tienes una función normal. Sin embargo, la TSH puede suprimirse artificialmente por muchas cosas incluyendo el estrés y la inflamación crónica. En otras palabras, podrías tener una TSH normal pero seguir sufriendo tiroides hipoactiva.

Es necesario tener en cuenta los síntomas.

Los síntomas de la enfermedad de tiroides

Los síntomas más comunes de hipotiroidismo incluyen:

- fatiga
- irregularidad menstrual
- periodos intensos
- infertilidad
- pérdida del pelo
- piel seca
- talones agrietados
- retención de líquidos
- colesterol elevado en un análisis de sangre
- sensación de frío constante
- problemas digestivos incluyendo SIBO
- lagunas mentales
- depresión.

 Hasta un 20% de la depresión puede ser debido a un problema no diagnosticado de tiroides.

Por supuesto, muchos de esos mismos síntomas pueden deberse a otras causas. Por ejemplo, la fatiga podría ser el resultado de la deficiencia de hierro o problemas para dormir. Pero si padeces la mayoría de estos síntomas, y especialmente si tienes enfermedad de la tiroides en tu familia, habla con tu médica acerca de otra prueba para la enfermedad de la tiroides llamada *anticuerpos tiroideos*.

Anticuerpos tiroideos

Los anticuerpos de la tiroides son una respuesta autoinmune contra la glándula tiroides. Es un tipo de inflamación y es una de las mejores pruebas para identificar un problema de tiroides.

Si tu prueba de anticuerpos tiroideos da positivo, es posible que tengas una enfermedad autoinmune llamada enfermedad de la tiroides de Hashimoto, que representa el 90% del hipotiroidismo en los países occidentales.

La enfermedad de la tiroides de Hashimoto se manifiesta en familias, por lo que eres más propensa a sufrirla si tu madre o tu hermana la tuvo.

Tratamiento convencional para la enfermedad de la tiroides

Hormona tiroidea

El tratamiento convencional de la enfermedad de la tiroides consiste en administrar hormona tiroidea en forma de levotiroxina, que es una hormona T4 natural. La levotiroxina devolverá tu TSH al rango normal y, para la mayoría de ustedes, mejorará los síntomas. Para algunas, no mejorará los síntomas. Hasta el 10% de los pacientes de tiroides continúan teniendo síntomas aún con tiroxina, incluso cuando la TSH es normal.[418] Si te está sucediendo esto, pide a tu médica una combinación de hormonas T4 y T3. La T3 es la forma activa de la hormona tiroidea y cada vez hay más pruebas de que es mejor para los síntomas.[419] Cada vez más médicas están dispuestas a recetarla.

La glándula tiroides desecada (de cerdo) es otro tipo conocido de suplemento de hormona tiroidea y fue el tipo utilizado históricamente antes de la popularidad de la levotiroxina. Naturalmente contiene tanto T4 como T3. Un estudio clínico de 2013 concluyó que la tiroides desecada es segura y preferida por la mayoría de las pacientes.[420]

Considero que la hormona tiroidea (incluso la levotiroxina) es un tratamiento natural y altamente beneficioso. Si tu análisis de sangre dice que la necesitas, te aliento a que la tomes. También puedes implementar algunos de los tratamientos de tiroides naturales que se describen a continuación.

Todos los tipos de hormona tiroidea (incluyendo la tiroides desecada) deben ser prescritos por tu médica.

Dieta y estilo de vida para la enfermedad de la tiroides

Evita el gluten

El mejor tratamiento natural para la enfermedad de tiroides es reducir la autoinmunidad evitando alimentos inflamatorios, especialmente aquellos con gluten. Se ha demostrado que una dieta libre de gluten reduce los anticuerpos de la tiroides y mejora la función tiroidea en pacientes con la enfermedad celíaca.[421]

Corrige la permeabilidad intestinal

Al corregir la permeabilidad intestinal, puedes proteger tu sistema inmunológico de las toxinas bacterianas y otras proteínas que pueden empeorar la enfermedad tiroidea autoinmune. Consulta la sección "Permeabilidad intestinal" anteriormente en este capítulo.

Identifica y trata el virus de Epstein-Barr

La infección puede desempeñar un papel en la enfermedad de tiroides autoinmune. Por ejemplo, se ha identificado el virus de Epstein-Barr como una posible causa de la enfermedad de Hashimoto.[422] El virus de Epstein-Barr es común y se encuentra inactivo en la mayoría de nosotros por una infección previa. Si el virus se reactiva, puede desencadenar o empeorar la enfermedad de la tiroides. El mejor tratamiento para el virus de Epstein-Barr es apoyar el sistema inmune con tratamientos antivirales naturales como el zinc, el selenio y la vitamina D.

Suplementos y hierbas medicinales para la enfermedad de tiroides

La **ashwagandha** *(Withaniasomnifera)* es la hierba medicinal que consideramos previamente como un tratamiento para la amenorrea hipotalámica en el capítulo 7 y la perimenopausia en el capítulo 10. También ayuda a la tiroides.

Cómo funciona: la ashwagandha estimula la producción saludable de hormonas tiroideas.[423] También reduce la inflamación y estabiliza el sistema de respuesta del eje HHA.

Qué más necesitas saber: la cantidad exacta de la hierba depende de la concentración de la fórmula, así que por favor tómala como se indica en su envase. Las dosis se extienden de 300 a 3000 mg y se pueden tomar en una fórmula que contenga otros adaptógenos tales como la Rhodiola. La ashwagandha funciona mejor cuando se toma durante al menos tres meses.

El **selenio** es un nutriente clave para la tiroides.

Cómo funciona: reduce la inflamación y los anticuerpos tiroideos.[424][425] También ayuda a la activación de T4 a T3 y puede proteger a la tiroides del yodo.

Qué más necesitas saber: la dosis terapéutica es de 100 a 150 mcg por día. Tomar cantidades más elevadas puede ser tóxico, por lo que no excedas los 200 mcg al día de todas las fuentes, incluyendo alimentos de alto contenido en selenio, como las nueces de Brasil.

El **yodo** es polémico en el tratamiento de la enfermedad de la tiroides. La tiroides necesita yodo, y la deficiencia de yodo es la causa principal de la enfermedad tiroidea en algunas partes del mundo. La deficiencia de yodo no es la principal causa de enfermedad de la tiroides en los países occidentales —es la autoinmunidad. Y, desafortunadamente, demasiado yodo puede causar o empeorar la autoinmunidad tiroidea.

Si *no* tienes anticuerpos tiroideos, entonces puedes tomar una pequeña cantidad de yodo, lo que puede promover una función saludable de la tiroides. Consulta la sección de yodo en el capítulo 6 para instrucciones de dosificación seguras.

Si *tienes* anticuerpos tiroideos, entonces no debes tomar yodo para la tiroides.

Cómo funciona: el yodo es una parte esencial de la hormona tiroidea.

Qué más necesitas saber: no excedas los 500 mcg (0,5 mg) excepto bajo asesoramiento profesional.

La enfermedad tiroidea es un tema complejo. Una discusión completa está fuera del alcance de este libro. Por favor busca asesoramiento profesional.

Pérdida de cabello

La pérdida de cabello es un síntoma común y a veces resultado de un problema con las hormonas femeninas. Sin embargo, también puede generarse por multitud de causas diversas:

- posparto o puerperio
- enfermedad
- alimentación insuficiente
- dieta baja en carbohidratos
- enfermedad celíaca o sensibilidad al gluten
- estrés
- enfermedad de tiroides
- deficiencia de hierro
- deficiencia de zinc
- deficiencia proteica
- anticonceptivos hormonales
- haber dejado los anticonceptivos hormonales
- medicamentos antidepresivos
- alopecia areata (enfermedad autoinmune que causa la

pérdida de cabello en parches)
* SOP o exceso de andrógenos.

Sí, es larga la lista, pero la única esperanza para recuperar el cabello es identificar la causa (o causas) y *corregirlas*. Por ejemplo, si tienes deficiencia de hierro, debes tomar hierro. Tratar el SOP si tienes SOP.

A la hora de estimar la causa de la caída del cabello, ten en cuenta que primero viene la causa y, tres meses más tarde, la pérdida del cabello. Con mis propias pacientes, a menudo trazamos una línea de tiempo para averiguar lo que está sucediendo. Véase la sección de "Desfase temporal" más abajo.

Dependiendo de la causa y el tipo de pérdida de cabello, tu médica te diagnosticará *efluvio telógeno* o *alopecia androgenética*, o una combinación de ambos. De acuerdo con la Asociación Estadounidense para la Pérdida del Cabello, las primeras etapas de la alopecia androgenética son efectivamente efluvio telógeno.[426]

Efluvio telógeno significa "caída de cabello" debido a *algo*. Ese *algo* es una de las causas mencionadas anteriormente, como por ejemplo después del parto (posparto), estrés, enfermedad, dieta o haber dejado los anticonceptivos hormonales. Ese algo también podría ser la exposición a andrógenos u hormonas masculinas, en cuyo caso el efluvio telógeno se convertirá en alopecia androgenética.

La **alopecia androgenética** (calvicie de patrón femenino) es la pérdida de pelo progresiva causada por las hormonas masculinas o una *sensibilidad* a las hormonas masculinas. Provoca un ensanchamiento de la raya del pelo y un afinamiento disperso y miniaturización de los folículos pilosos. Puede durar años y no es fácil revertirla.

Hemos hablado de la alopecia androgenética en dos lugares en el libro. Primero, en el capítulo 2, donde vimos que los anticonceptivos hormonales con un índice alto de andrógenos pueden causar alopecia androgenética, y lo volvimos a mencionar en la sección "Tratamiento para la pérdida de cabello de patrón femenino" en el capítulo 7.

Por mis conversaciones con muchas pacientes, sé que la pérdida de cabello es estresante porque lleva mucho tiempo mejorarla y también porque es difícil de resolver con cualquier tratamiento, incluyendo tratamientos convencionales.

Tratamiento convencional para la pérdida de cabello

Anticonceptivos hormonales

Las progestinas con un índice bajo de andrógenos (ver capítulo 2), en teoría, pueden ayudar a la alopecia androgenética, ya que bloquean los andrógenos. Por desgracia, mi experiencia con las pacientes es que no funcionan tan bien, probablemente porque también suprimen la progesterona. Recuerda, ¡la progesterona es ideal para el cabello!

Espironolactona (Aldactone®)

Vimos este fármaco de supresión de andrógenos como tratamiento para el SOP en el capítulo 7. Es casi la misma droga que la progestina drospirenona utilizada en la píldora Yasmin®. Mi observación es que la suspensión del medicamento puede empeorar la pérdida de cabello.

Minoxidil (Rogaine®)

Es un medicamento para la presión arterial que ha sido "reutilizado" para aplicarse tópicamente y mejorar el suministro de sangre a los folículos pilosos. Paradójicamente, uno de sus efectos secundarios es la pérdida de cabello.

Tratamiento natural para la pérdida de cabello

La única manera de tratar la pérdida de cabello es identificar la causa (o causas) y tratarlas.

Sé que puede ser abrumador, por lo que lo he sintetizado en ocho preguntas sencillas.

¿Es la medicación?

Muchos medicamentos causan pérdida de cabello, incluyendo antibióticos, antifúngicos, medicamentos para el acné, antidepresivos y anticonceptivos hormonales. Y recuerda que tu pérdida de cabello habría comenzado al menos tres meses *después* de empezar a tomar la medicación. Habla con tu médica acerca de una alternativa.

¿Estás comiendo lo suficiente?

El pelo necesita estar nutrido de forma completa en todos los aspectos, incluyendo los macro y micronutrientes que vimos en el capítulo 6. Estás en riesgo de pérdida de cabello si sigues una dieta vegana o baja en carbohidratos.

¿Es tu tiroides?

Tanto la tiroides hipoactiva como la hiperactiva pueden causar la caída del cabello. Ten en cuenta que tu médica puede haber omitido un diagnóstico de tiroides. Consulta la sección de "Enfermedad de la tiroides" anteriormente en este capítulo.

¿Ovulas?

El pelo *ama* al estrógeno y la progesterona, y la única manera de producir esas hormonas es ovular cada mes y tener un ciclo menstrual sano y natural.

 Tu periodo es el boletín de tu salud. Tu pelo es *también* un boletín, en un grado aún mayor si cabe.

¿Necesitas zinc?

El zinc es ideal para el cabello porque promueve la ovulación, reduce la inflamación y bloquea los andrógenos. También estimula directamente el crecimiento del cabello. Causas comunes de deficiencia de zinc incluyen una dieta vegetariana y los anticonceptivos hormonales.

¿Necesitas hierro?

El cabello necesita hierro. Así, sin importar la causa de tu pérdida de cabello, vas a necesitar suficiente hierro para recuperarlo. Pídele a tu médica un análisis de ferritina del suero, que debe estar por lo menos en 50 ng/mL. Si es inferior a 50, entonces considera suplementar con 25 mg de un hierro suave como el bisglicinato de hierro.

¿Tienes SOP?

¿Tienes la afección de exceso de andrógenos SOP? ¿Estás segura? Recuerda, no se puede diagnosticar o *descartar* SOP con una ecografía. Si *tienes* el síndrome, necesitas tratar la causa de tu tipo de SOP, así como considerar tomar un suplemento de antiandrógeno como el DIM. También puedes utilizar un tratamiento tópico como el romero, que tiene un efecto antiandrógeno local,[427] o melatonina, que reduce la inflamación.[428] Para una discusión completa sobre el SOP y los tratamientos antiandrogénicos, consulta el capítulo 7.

¿Tienes inflamación crónica?

La inflamación crónica *hipersensibiliza* los folículos pilosos a los andrógenos, razón por la cual puede empeorar la hipersensibilidad androgénica y la alopecia androgenética. Tendrás un indicio de que la inflamación es un problema si sufres dermatitis crónica o irritación del cuero cabelludo. El tratamiento es eliminar alimentos inflamatorios de tu dieta y también corregir cualquier problema digestivo subyacente. También se puede considerar el tratamiento tópico de romero descrito en la sección "Tratamiento para la pérdida de cabello de patrón femenino" en el capítulo 7.

Desfase temporal

Incluso con el mejor tratamiento, no puedes esperar ver una mejora en menos de tres a seis meses. ¿Por qué? Porque el cabello tiene una fase telógena (reposo), que es como una "sala de espera del pelo". Una vez que el cabello ha entrado en la fase telógena, está destinado a caer de uno a cuatro meses más tarde —*sin importar lo que hagas.*

📖 fase telógena

En la fase telógena, el cabello está inactivo o descansando antes de caerse. La fase telógena tiene una duración fija de uno a cuatro meses. En cambio, el cabello en la fase anágena crece activamente. La fase anágena tiene una duración variable de años.

Por ejemplo, es posible que tengas mucho cabello en la fase telógena debido a algo que sucedió hace meses. Ese cabello se va a caer y no hay nada que puedas hacer para detenerlo. Solo puedes trabajar para evitar la pérdida de cabello con tres a seis meses de antelación a partir de ahora.

Mantén la calma, sé paciente y sigue con tu tratamiento.

Cómo dejar de los anticonceptivos hormonales

Como vimos en la sección "Dejar la píldora" en el capítulo 2, probablemente te sentirás mejor cuando dejes los anticonceptivos hormonales. Mejor humor, más energía, menos dolores de cabeza y ciclos regulares. Es la experiencia más común.

Sin embargo, puedes desarrollar problemas como el acné pospíldora, síndrome premenstrual, SOP, amenorrea, ansiedad, periodos abundantes, periodos dolorosos y vello facial.

¿Qué causa los síntomas pospíldora? No son las drogas en sí mismas porque estas son expulsadas del cuerpo muy rápidamente. En cambio, el síndrome de la pospíldora es el resultado de:

- el retiro del estrógeno sintético fuerte;
- aumento en los andrógenos (sobre todo si tienes tendencia al SOP);

- periodos reales por primera vez en años y
- retraso en el establecimiento de la ovulación regular.

Retiro de estrógenos

El estrógeno en la píldora (etinilestradiol) es cuatro veces más fuerte que tu propio y encantador estradiol.[429] Semejante cantidad de estrógeno tiene un efecto muy estimulante en la química cerebral, que se perderá cuando dejes de tomarla. Es como dejar una droga.

Qué hacer: encuentra una manera de ovular para poder producir tus propios estrógenos y progesterona. Consulta las estrategias de tratamiento en el capítulo 7. Asimismo puedes intentar con una pequeña cantidad de progesterona natural en crema por sus efectos calmantes en el cerebro. Consulta la sección de "Progesterona natural" en el capítulo 10.

Aumento de andrógenos

Tus andrógenos (hormonas masculinas) se incrementarán al dejar la píldora. Un pequeño aumento es beneficioso para el estado de ánimo y la libido, pero un gran aumento puede causar los síntomas androgénicos no deseados de hirsutismo, acné y caída del cabello. Hay varias razones por las que puedes terminar con un gran aumento de andrógenos pospíldora.

- Estabas bajo los efectos de *supresión de andrógenos* de una progestina como la drospirenona o la ciproterona, por lo que tu cuerpo tenía que compensar y regular la producción de andrógenos. (Para una discusión sobre el "índice de andrógeno" de anticonceptivos hormonales, ve el capítulo 2).
- Tenías una predisposición subyacente al SOP *antes* de tomar anticonceptivos hormonales.
- Desarrollaste resistencia a la insulina de anticonceptivos hormonales y ahora se convirtió en SOP resistente a la insulina.

Analizamos el problema de un aumento en los niveles de andrógenos pospíldora tanto en la sección "Acné pospíldora" en el capítulo 2 y la sección "SOP pospíldora" en el capítulo 7.

Qué hacer: si eres propensa al acné y otros síntomas de andrógenos entonces, inicia el tratamiento por lo menos un mes *antes de* dejar la píldora. Para la reducción de andrógenos e ideas de tratamiento de acné, consulta las secciones "Tratamiento de acné" y "Tratamiento antiandrógeno" en el capítulo 7.

Periodos reales por primera vez en años

Si quieres saber a qué atenerte cuando dejes los anticonceptivos hormonales, aquí tienes una pregunta simple; ¿cómo eran tus periodos antes de tomar anticonceptivos hormonales? No estoy hablando del sangrado provocado por la píldora —porque esos no son periodos menstruales. Estoy hablando de los periodos reales, los que tenías antes de empezar con la píldora hace diez años o más.

¿Esos periodos reales eran regulares? ¿Eran intensos o dolorosos? ¿Tenías acné? Porque esos problemas no han desaparecido. Simplemente han sido enmascarados por la píldora y lo más probable es que vuelvan a surgir.

Qué hacer: olvídate de que acabas de dejar los anticonceptivos hormonales y vuelve manos a la obra para tratar el problema del periodo *que siempre ha estado ahí.* Por ejemplo, para el síndrome premenstrual, consulta el capítulo 8. Para periodos abundantes o dolorosos, ve el capítulo 9.

CONSEJO

Si tienes antecedentes de endometriosis, te recomiendo que comiences con el tratamiento natural para la endometriosis al menos un mes antes de dejar de tomar la píldora.

Demora en el establecimiento de la ovulación regular

Si estás luchando con SOP o amenorrea después de dejar la píldora, no estás sola. A veces se llama "síndrome pospíldora" y como vimos con Christine en el capítulo 1, puede llevarte meses, incluso años, volver a ovular.

Qué hacer: trata de no entrar en pánico. Podrías tardar mucho tiempo en tener el periodo menstrual y no es un problema tuyo —sino más bien ¡de las drogas de supresión de la ovulación que te dieron!

Hay un montón de cosas que puedes hacer para promover la ovulación. Para ideas de tratamiento, consulta las secciones "SOP pospíldora" y "Amenorrea hipotalámica" en el capítulo 7.

Cómo hablar con tu médica

Si alguna vez has salido de la consulta de tu médica sintiéndote frustrada y confundida, entonces sabrás lo importante que es esta sección. Tu médica no quiere confundirte. Solo estaba tratando de ayudar y probablemente llegó a sentirse bastante confundida ella misma. Tú y ella estabais mezclando peras con manzanas.

Por ejemplo, tú querías hablar sobre el "predominio de los estrógenos", pero tu médica no estaba familiarizada con ese término. Lo único que sabía es que tienes periodos intensos y quiso tratarte con un tratamiento clínicamente probado como el DIU Mirena®. Tu médica no conoce las opciones de tratamiento natural y, claro, le sorprende que dudes o te demores en decidirte.

De cara al futuro, no tiene que ser así. Tu médica quiere ayudarte, y *lo hará* —solo si aprendes cómo hablarle.

Aquí hay una lista de preguntas y afirmaciones para mantener la conversación en el camino correcto.

Ausencia de periodos o periodos irregulares

- No estoy segura de estar alimentándome lo suficiente. ¿Puede ser por eso que no estoy teniendo mis periodos?
- Siento ansia por la comida y creo que podría tener un trastorno alimentario. ¿Puede ayudarme?
- ¿Me han hecho pruebas para la enfermedad celíaca? He escuchado que puede causar amenorrea.

- ¿Me han hecho análisis para la enfermedad de la tiroides? ¿Cuáles son mis niveles de TSH? He escuchado que idealmente debe estar por debajo de 3.
- ¿Me han hecho análisis de prolactina alta?
- ¿Podría ser que uno de mis medicamentos detenga mi periodo menstrual?
- Soy vegetariana. ¿Podrías revisar mis niveles de hierro, zinc y vitamina B12?
- ¿Hay alguna posibilidad de que esté en la menopausia? ¿Ha examinado mis niveles de FSH?
- ¿Cuál es mi diagnóstico real? ¿Es SOP? ¿Es amenorrea hipotalámica?

Te dicen que tienes SOP

- ¿Este diagnóstico se basó únicamente en una ecografía? Entiendo que el SOP no puede ser diagnosticado de esa manera.
- Mis síntomas han existido solo desde que dejé la píldora. Nunca antes tuve este problema. ¿Es posible que sea solo un ajuste posterior a la píldora y que pueda mejorar por sí solo?
- ¿Ha descartado una condición llamada hiperplasia suprarrenal?
- ¿Tengo resistencia a la insulina? Entiendo que no puede ser diagnosticada por una prueba de glucosa. ¿Podría realizarme una prueba de "insulina en ayunas" o una "prueba de tolerancia a la glucosa con insulina"?
- ¿Tengo la testosterona u otro andrógeno como la androstenediona o la DHEAS elevados?
- ¿Tengo la HL elevada?
- ¿Se me pueden hacer análisis ver para la deficiencia de zinc y vitamina D?
- ¿Me podría hacer exámenes para medir mi progesterona? Quiero saber si ovulo. (Recuerda, un examen de progesterona debe hacerse cerca de una semana *después* de la ovulación o una semana *antes de* tu siguiente periodo).
- Sé que solía tener SOP pero todo está bien ahora. Mis

periodos llegan regularmente y no tengo síntomas. Ya no creo cumplir con los criterios de diagnóstico.

Pérdida de cabello

- ¿Me han hecho análisis para la enfermedad de la tiroides? ¿Cuáles son mis niveles de TSH? He escuchado que debería estar por debajo de 3.
- ¿Me han hecho análisis para medir el hierro? ¿Cuáles son mis niveles de ferritina? He escuchado que idealmente debe ser mayor de 50 ng/mL.
- ¿Me han hecho análisis para la enfermedad celíaca?
- ¿Podría ser que los anticonceptivos hormonales estén causando mi pérdida de cabello? (Tu médica puede equivocadamente decir "no" a esto. Pídele que lo investigue.)
- Mi pérdida de cabello comenzó unos meses después de ___. ¿Podría ser esa la causa?

Estás siendo presionada para tomar anticonceptivos hormonales

- Quiero probar otro método anticonceptivo como el método de observación de la fertilidad, Daysy®, el DIU de cobre, condones, capuchón cervical o diafragma.
- Quiero el DIU de cobre. Entiendo que es seguro y conveniente para las mujeres jóvenes, incluso antes de tener niños.
- Quiero el DIU de cobre. Entiendo que provoca periodos más intensos, pero solo en un 20 a un 50%.
- ¿Por qué necesito la píldora exactamente?
- He oído que el sangrado provocado por la píldora no es un sangrado real. ¿Podría ser que tomar la píldora ahora me traiga problemas para tener un periodo menstrual real más adelante? (La respuesta es sí).
- ¿Está diciéndome que necesito la píldora para mi salud ósea? Entiendo que la nueva investigación dice que la píldora en realidad no ayuda con los huesos.
- Mis periodos estaban bien antes de tomar la píldora.

Entiendo que podría tomar tiempo hasta volver a tener la regla. Me gustaría darle unos meses más.

- He escuchado que la pastilla anticonceptiva hormonal empeora la resistencia a la insulina y el SOP. ¿Es realmente la opción correcta para mí?
- Voy a cambiar mi dieta y tomar suplementos nutricionales para mejorar mi resistencia a la insulina y al SOP. Me gustaría tomarme un tiempo para hacer eso.

Tu médica es escéptica sobre el método de observación de la fertilidad (MOF)

- Usted podría estar pensando en el método del ritmo, que no tiene una alta eficacia. Estoy haciendo algo diferente. Estoy usando el método sintotérmico de anticoncepción en el que realizo un seguimiento de mi temperatura por la mañana. La investigación muestra que cuando se hace correctamente, puede ser tan eficaz como la píldora.
- Estoy usando el monitor de fertilidad Daysy®, que es un dispositivo médico certificado con una eficacia del 99,4%.

Descubres que no estás ovulando

- Estoy teniendo periodos menstruales pero creo que no estoy ovulando. Creo que se llaman ciclos anovulatorios.
- ¿Podría comprobarlo y hacer un análisis de mi progesterona? (Recuerda, un examen de progesterona debe hacerse cerca de una semana *después* de la ovulación o una semana *antes* de tu siguiente periodo).
- ¿Usted piensa que puedo tener SOP? ¿Me puedo hacer un examen de insulina y testosterona?
- ¿Podría examinar mi tiroides?

Periodos menstruales intensos

- Pierdo__ mL de flujo menstrual por ciclo, que es más del límite superior aceptable de 80 mL.
- ¿Me han hecho análisis para la enfermedad de la tiroides? Entiendo que es una causa común para las reglas

abundantes.

- ¿Cuáles son mis niveles de TSH? He escuchado que debe estar por debajo de 3.
- Mi madre y/o mi hermana tienen la enfermedad de tiroides autoinmune. ¿Me podría hacer un análisis de anticuerpos tiroideos?
- Mi tiroides parece estar un poco al límite. ¿Podría por favor probar algún medicamento para la tiroides durante unos meses para ver si aligera mis periodos?
- ¿Podría tener algún trastorno de coagulación como la enfermedad de von Willebrand? Entiendo que la causa de uno de cada cinco casos de periodos abundantes.
- ¿Me han hecho análisis para medir el hierro? ¿Cuáles son mis niveles de ferritina? He escuchado que idealmente deben estar por encima de 50 ng/mL.
- ¿Tengo resistencia a la insulina? ¿Podría realizarme una prueba de "insulina en ayunas" o una "prueba de tolerancia a la glucosa con insulina"?
- ¿Tengo fibromas? ¿Ellos contribuyen a mi sangrado? He oído que la mayoría de los fibromas no causan sangrado abundante.
- ¿Puedo tener endometriosis? ¿Debería consultar a una ginecóloga para discutir esta posibilidad?
- ¿Puedo tener adenomiosis? ¿Debería consultar a una ginecóloga para discutir esta posibilidad?
- ¿Puede considerar prescribir Prometrium®? Entiendo que funciona tan bien como Primolut® para reducir el sangrado abundante, pero sin los efectos secundarios.

Dolor pélvico

- Mi dolor es tan fuerte que tomo _____ analgésicos por mes.
- Mi dolor es tan fuerte que debo faltar a la escuela o al trabajo.
- Tengo dolor entre periodos menstruales.
- Experimento un dolor profundo y punzante durante el sexo.

- ¿Puedo tener endometriosis? ¿Debería consultar a una ginecóloga para discutir esta posibilidad?
- ¿Puedo tener adenomiosis? ¿Debería consultar a una ginecóloga para discutir esta posibilidad?
- ¿Cree que sería útil una ecografía pélvica?
- Una ecografía normal no significa que no tenga endometriosis, ¿correcto? ¿Debería consultar a una ginecóloga para discutir la posibilidad de una endometriosis?

Vas a someterte a una cirugía por endometriosis

- ¿Qué tipo de método quirúrgico se va a utilizar?
- He escuchado que hay un resultado mejor a largo plazo con algo que se llama "cirugía de escisión".
- ¿Se van a eliminar todas las lesiones?
- ¿Se enviará el tejido a patología para su identificación?
- ¿Tiene experiencia en extirpar la endometriosis de la vejiga o el intestino?

Síntomas del estado de ánimo perimenopáusico

- Empeoran mis síntomas premenstruales. Entiendo que es porque estoy en la perimenopausia y no produzco tanta progesterona como antes.
- ¿Puede considerar prescribir Prometrium®? Según una endocrinóloga canadiense, puede aliviar los síntomas. Y luego le muestras el documento de la Dra. Prior "Progesterone Therapy for Symptomatic Perimenopause" (Terapia de progesterona para la perimenopausia sintomática) que se encuentra en la sección "Recursos".
- ¿Ha examinado mi tiroides?
- ¿Cuáles son mis niveles de TSH? He escuchado que deben ser inferiores a 3.

Te está presionando para hacerte una histerectomía

- ¿El DIU Mirena® es una opción para mí?
- ¿La ablación endometrial es una opción para mí?
- ¿La embolización de la arteria uterina es una opción que

me conviene?

- ¿Recomendaría este procedimiento para usted misma, su esposa o su hija?
- Entiendo que los fibromas y el sangrado a menudo se resuelven con la menopausia. ¿Puedo intentar aguantar hasta entonces?
- ¿Ha examinado mi FSH? ¿Si es elevada, sugiere que podría entrar en la menopausia pronto? ¿Puedo intentar aguantar hasta entonces?
- Mi madre pasó por la menopausia a los 45 (por ejemplo). ¿Eso sugiere que podría entrar en la menopausia pronto? ¿Puedo intentar aguantar hasta entonces?
- ¿Puede considerar prescribir Prometrium®? Entiendo que funciona tan bien como Primolut® para reducir el sangrado abundante, pero sin los efectos secundarios.

Te hicieron previamente una histerectomía y quieres saber si has llegado a la menopausia

- ¿He llegado a la menopausia? ¿Puede por favor, analizar mi FSH así podemos averiguarlo?

¿Cuánto tiempo se tarda en ver resultados?

¡Espero que estés entusiasmada con todos los nuevos tratamientos que puedes probar! Si eres como mis pacientes, entonces tu siguiente pregunta es; "¿En cuanto tiempo veré los resultados?"

Es una buena pregunta y la respuesta depende de qué síntomas estás tratando. Echemos un vistazo.

Días o semanas

El **SPM** puede mejorar en tan solo unas horas tan pronto como aumente el GABA con magnesio y vitamina B6. Luego debe mejorar gradualmente durante unos pocos meses a medida que evitas los alimentos inflamatorios y aumenta la progesterona.

El **dolor menstrual normal** debe mejorar dentro del primer mes de tratamiento tan pronto como retires los lácteos y tomes zinc. Se debería resolver completamente después de algunos meses.

Hay dos partes en la mejora de ambos SPM y dolor menstrual. La primera parte es reducir el estrógeno y la inflamación. Eso sucede rápidamente en días o semanas. La siguiente parte es mejorar la progesterona, que lleva 100 días para que tus folículos ováricos completen su viaje a la ovulación.

Uno o dos meses

La **endometriosis** también puede comenzar a mejorar con bastante rapidez. Puedes esperar algunos resultados a medida que la inflamación desciende durante el primer o segundo mes. Después de eso, la mejora debe ser lenta pero constante durante seis meses o más.

Si eres adolescente, tus **periodos abundantes** deben mejorar desde el segundo mes después de eliminar los lácteos y tomar hierro.

Si estás en la perimenopausia, tus **periodos intensos** también pueden mejorar razonablemente rápido con una dieta libre de lácteos, hierro, cúrcuma y cápsulas de progesterona a menos que haya un problema con la tiroides o resistencia a la insulina. De ser así, tu mejora llevará más tiempo (ver más abajo).

Los **fibromas** deberían dejar de crecer dentro de los dos primeros meses. Deberás mantener el tratamiento hasta que los fibromas se encojan con la menopausia. Los fibromas generalmente no se encogen con un tratamiento natural.

De tres a seis meses

Si tus **periodos abundantes durante la perimenopausia** se deben a un problema con la tiroides o con la resistencia a la insulina (o ambos), entonces necesitarás al menos tres meses para tratar las condiciones subyacentes antes de ver mejoras en tu regla.

Los **periodos irregulares** (debido al SOP o amenorrea hipotalámica) toman un mínimo de tres meses en mejorar porque ese es el tiempo que tardan tus folículos ováricos en viajar hasta la ovulación. De todas las condiciones discutidas en el capítulo 7, el SOP con causas ocultas es el más rápido de mejorar. Una vez que obtienes el tratamiento adecuado, puedes esperar a que llegue la regla en un plazo de tres meses. El SOP resistente a la insulina lleva más tiempo porque primero debes corregir la resistencia a la insulina y esto puede tardar unos meses. Solamente *a partir de ese momento* tus folículos pueden comenzar su viaje de 100 días hacia la ovulación.

El **acné** mejorará un poco en el primer o segundo mes a medida que reduces la inflamación. Después de eso, tendrás que esperar al menos seis meses porque ese es el tiempo que se tarda en expulsar los tapones de sebo que están bloqueando los poros. El acné pospíldora generalmente llega a su punto máximo cerca de seis meses después de haber dejado la píldora. Puedes esperar una mejora completa unos seis meses después de dejarla.

De seis meses a un año (o más)

La **pérdida de cabello** es un proceso lento de cambiar. Como mínimo, tendrás que esperar tres meses porque ese es el tiempo que tu cabello pasa por su fase de reposo o telógeno, lo cual se da una vez que todo está bien. Si tienes problemas hormonales de base, necesitarás unos meses para arreglar eso y luego todavía hay que esperar tres meses para ver mejoría en tu cabello.

El **hirsutismo** es el síntoma más lento de cambiar. El ciclo de vida de los folículos de vello facial es aún más largo que los folículos pilosos del cuero cabelludo, por lo que no se puede esperar que el hirsutismo mejore durante al menos doce meses. Mientras tanto, puedes utilizar métodos de eliminación del vello como la depilación con pinzas, cera, láser o la electrolisis.

Un mensaje final: confía en tu cuerpo

Tu cuerpo quiere estar sano. Quiere tener una menstruación saludable.

Trata la causa y sé paciente.

Quédate con tu tratamiento. Confía en tu cuerpo.

Apéndice A

Recursos

El blog de la autora

- Lara Briden—Revolucionaria de los ciclos
  https://es.larabriden.com/

Apps del ciclo

- Clue: http://www.helloclue.com/
- Daysy: https://mydaysy.es/
- Ovagraph: http://www.ovagraph.com/

Productos menstruales

- La Divacup: https://divacup.com/es/

Recursos para anticonceptivos

El método de observación de la fertilidad (MOF):

- Daysy fertility monitor: https://daysy.me/
- Daysy España: https://mydaysy.es/

- Lady Comp Columbia: https://www.tecnofem.com/
- Lady Comp Mexico: https://www.lady-comp.com.mx/
- Sympto.org: https://sympto.org/3/es/
- *Taking Charge of Your Fertility* by Toni Weschler
- NaProTECHNOLOGY: http://www.naprotechnology.com/
- FACTS: http://www.factsaboutfertility.org/
- Natural Womanhood: https://naturalwomanhood.org/

Otros métodos anticonceptivos

- Caya diafragma: https://www.caya.eu/select-a-distributor-espana
- *myONE Perfect Fit* preservativos masculinos: https://myonecondoms.com/

Recursos general y activismo menstrual

- Vulva sapiens: http://www.vulvasapiens.net/
- Qué buena salud: https://quebuenasalud.com/
- Ginecosofía: https://ginecologianatural.wordpress.com/
- Cindy Luquin: https://cindyluquin.com/
- Biblioteca de Ginecología Autogestiva del colectivo Vulva Sapiens https://we.riseup.net/ginediy
- El camino rubí: https://www.elcaminorubi.com/
- I love cyclo: https://ilovecyclo.com/
- Soy tu menstruacion: @soytumenstruacion
- Son tus reglas: @sontusreglas
- *Mujeres, salud y poder* de Carme Valls-Llobet
- Health coach Yaz: https://www.healthcoachyaz.com/

Recursos para SOP

- Paleo SOP: https://paleosop.com/
- *8 Steps to Reverse Your PCOS* by Dr. Fiona McCulloch
- PCOS Diva: http://pcosdiva.com/

Recursos para endometriosis

- El Instituto de Endometriosis y Dolor Pélvico: http://endometriosismonterrey.com/
- *Endo-what* film: https://endowhat.com/
- *Citizen Endo* research project and app: http://citizenendo.org/
- Nancy's Nook Endometriosis Education and Discussion Group: https://www.facebook.com/groups/418136991574617/

Ayuda para trastornos alimenticios

- Departamento de Salud y Servicios Humanos de EE. UU. https://espanol.womenshealth.gov/mental-health/mental-health-conditions/eating-disorders

Información sobre alteradores endocrinos

- Environmental Working Group (EWG): http://www.ewg.org/

Apéndice B

Glosario

ácido gamma-aminobutírico (GABA)

El GABA es un neurotransmisor que promueve la relajación y mejora el sueño.

adaptógeno

En la medicina herbal, un adaptógeno es un extracto vegetal que ayuda al cuerpo a adaptarse al estrés. El término no está reconocido por la comunidad científica.

adenomiosis

La adenomiosis es una enfermedad ginecológica en la cual el revestimiento uterino crece dentro del músculo de la pared uterina. Puede causar dolor y periodos intensos.

adherencias

Las adherencias son bandas de tejido conectivo o tejido cicatricial que unen estructuras pélvicas y causan dolor. Son el resultado tanto del proceso de la enfermedad de la endometriosis como de la cirugía para tratarla.

alergia alimentaria

La alergia alimentaria es una reacción inmediata a los alimentos. Está mediada por una parte del sistema inmune llamada anticuerpos IgE y causa síntomas como urticaria o inflamación de las vías respiratorias.

alopecia androgenética

La alopecia androgénica también se conoce como alopecia androgénica o pérdida de cabello de patrón femenino. Es causada por exceso de andrógenos o sensibilidad a los andrógenos.

alopecia.

Alopecia significa simplemente caída del cabello.

alopregnanolona (ALLO)

Alopregnanolona es un neuroesteroide calmante que actúa como el GABA en el cerebro.

amenorrea

Amenorrea significa simplemente no menstruar o no tener el periodo menstrual.

andrógenos

Un andrógeno es una hormona masculina que provoca la aparición de caracteres masculinos.

antiandrógenos

Los antiandrógenos (también conocidos como antagonistas del andrógeno, bloqueadores de los andrógenos o bloqueadores de testosterona) son drogas o suplementos que reducen los andrógenos o bloquean sus efectos.

anticonceptivos hormonales

Anticonceptivo hormonal es el término general para todos los comprimidos, parches e inyecciones de esteroides que inhiben la función ovárica. La píldora combinada (estrógeno más progestina) es el método más conocido.

bebida estándar

En Estados Unidos, una bebida estándar contiene 18 mL (0,6 onzas) de alcohol, que equivale a un vaso de cerveza de 350 mL (12 onzas) o a un vaso de vino de 150 mL (5 onzas).

ciclo anovulatorio

Un ciclo anovulatorio es un ciclo menstrual en el que la ovulación no ocurre y tampoco se produce progesterona.

cistitis intersticial

La cistitis intersticial también se llama síndrome de vejiga dolorosa. Es la sensación constante de presión o dolor en la vejiga y la pelvis.

citocinas

Las citocinas inflamatorias son mensajeros químicos que tu cuerpo utiliza para combatir las infecciones. Son parte de la respuesta inflamatoria del cuerpo.

crecimiento bacteriano excesivo en el intestino delgado (SIBO)

El crecimiento bacteriano excesivo en el intestino delgado (SIBO) es el crecimiento excesivo de las bacterias intestinales normales de este órgano.

cuerpo lúteo

El cuerpo lúteo es una glándula endocrina temporal que se forma con el folículo ovárico vacío después de la ovulación.

DHEAS

El DHEAS (sulfato de dehidroepiandrosterona) es una hormona esteroide producida por las glándulas suprarrenales. A menudo está a un nivel alto en casos de SOP y bajo en la disfunción del eje HHA. DHEAS disminuye naturalmente con la edad.

disfunción del eje HHA

La disfunción del eje HHA es un patrón de estrés crónico y regulación anormal del cortisol. Es el término médico correcto para lo que algunas médicas solían llamar "fatiga adrenal" o "agotamiento suprarrenal".

dismenorrea

Dismenorrea es el término médico para la menstruación dolorosa.

ecografía

Una ecografía pélvica es un estudio de proyección de imágenes que sirve para observar tus ovarios y útero. Utiliza ondas acústicas (no radiación) y es seguro, no invasivo y sin dolor.

fase lútea

La fase lútea de un ciclo menstrual comprende los 10 a 16 días que hay entre la ovulación y el sangrado y está determinada por la vida útil del cuerpo lúteo.

fase telógena

En la fase telógena, el cabello está inactivo o descansando antes de caerse. La fase telógena tiene una duración fija de uno a cuatro meses. En cambio, el cabello en la fase anágena crece activamente. La fase anágena tiene una duración variable de años.

ferritina

La ferritina sérica es la prueba de sangre para el hierro almacenado.

FODMAP

FODMAP es la sigla en inglés para oligosacáridos, disacáridos, monosacáridos y polioles fermentables. Son carbohidratos de cadena corta que son mal absorbidos en el intestino delgado. El término FODMAP es un acrónimo inventado por los investigadores en la Universidad de Monash en Australia.

folículo

Un folículo ovárico es una especie de bolsa que contiene un óvulo inmaduro (ovocito). Es la parte del ovario que produce estrógeno, progesterona y testosterona.

FSH

FSH u hormona folículoestimulante es una hormona pituitaria que estimula los folículos ováricos para que crezcan.

glándula pituitaria

La glándula pituitaria es una glándula endocrina pequeña adherida a la base del cerebro.

hemoglobina

La hemoglobina es la proteína que contiene hierro en glóbulos rojos.

hiperplasia suprarrenal congénita.

La hiperplasia suprarrenal congénita es un trastorno genético que hace que las glándulas suprarrenales produzcan demasiados andrógenos.

hipotálamo

El hipotálamo es la parte del cerebro que está justo por encima de la glándula pituitaria. Envía mensajes a través de la glándula pituitaria a todas las otras glándulas endocrinas, incluyendo los ovarios, la tiroides y las glándulas suprarrenales.

hirsutismo

El hirsutismo es el crecimiento excesivo de vello en rostro y cuerpo. Algo de vello en el labio superior es normal y no se considera hirsutismo. El verdadero hirsutismo refleja un exceso de vello en la barbilla, las mejillas, el vientre y alrededor de los pezones.

histerctomía

Histerectomía es la extirpación quirúrgica del útero. La extirpación quirúrgica del útero y el cuello del útero y posiblemente los ovarios se llama *histerectomía total*. La extirpación quirúrgica del útero, pero no del cuello uterino o los ovarios, se llama *histerectomía parcial*.

HL (hormona luteinizante)

La hormona luteinizante es la hormona pituitaria que da la orden al ovario de liberar un óvulo.

hormona bioidéntica

Una hormona bioidéntica o "idéntica al cuerpo" es una hormona estructuralmente idéntica a la hormona humana.

índice de fallo del método anticonceptivo

El índice de fallo del método anticonceptivo representa el porcentaje de parejas que experimentan embarazos accidentales en un año de utilización. Se expresa mediante el *uso perfecto* y el *uso típico*.

índice de masa corporal (IMC)

Tu IMC es tu peso en kilogramos dividido por el cuadrado de tu altura en metros. Un IMC normal está entre 18,5 y 24,9.

insulina

La insulina es una hormona creada por el páncreas. Estimula al hígado y a los músculos a tomar azúcar de la sangre y convertirla en energía.

intolerancia a la histamina

La intolerancia a la histamina es el estado temporal de tener exceso de histamina, que es la parte del sistema inmune que causa alergias e inflamación. Además de su papel en la función inmune, la histamina también regula el ácido del estómago, estimula el cerebro, aumenta la libido y desempeña un papel clave en la ovulación y la reproducción femenina.

menopausia

La menopausia es el cese de la menstruación. Es la fase de la vida que comienza un año después de tu último periodo.[5]

microbioma

Es el material genético de los microorganismos en un entorno particular como el cuerpo o parte del cuerpo.

MTHFR

La MTHFR (metilentetrahidrofolato reductasa) es una enzima que transforma el folato (ácido fólico) en su forma activa. Aproximadamente una de cada tres personas tiene una variante del gen que produce la enzima. La mutación del gen MTHFR puede evaluarse con un simple análisis de sangre. Si tienes la variante del gen, puedes necesitar una dosis mayor de vitamina B.

perimenopausia

Perimenopausia significa "alrededor de la menopausia" y se refiere a los cambios hormonales (como aumento de estrógeno y disminución de progesterona) que se producen durante los dos a los doce años anteriores a la menopausia. A la etapa final de la perimenopausia se la conoce como la transición hacia la menopausia.

plaquetas

Las plaquetas son células sanguíneas cuya función es detener el sangrado.

pólipos uterinos

Pólipos uterinos o pólipos endometriales son crecimientos adheridos al revestimiento uterino (endometrio). Generalmente son benignos o no cancerosos.

productos químicos alteradores del sistema endocrino

Los disruptores endocrinos (EDCs) son sustancias que causan efectos adversos a la salud mediante la alteración de la función del sistema endocrino u hormonal. Incluyen pesticidas, metales, contaminantes industriales, solventes, aditivos alimentarios y productos de cuidado personal.

progesterona

La progesterona es un tipo de hormona esteroide producida por el ovario. Es esencial para el embarazo pero tiene muchas otras funciones beneficiosas.

progesterona micronizada

La progesterona micronizada es una forma de reemplazo de hormona. Es progesterona bioidéntica o natural en lugar de una progestina sintética. Puede utilizarse como una crema tópica o una cápsula como la marca Prometrium®.

progestina

Progestina es un término general para referirse a los fármacos que son similares a la progesterona. Las drogas de las progestinas son el levonorgestrel y la drospirenona, que tienen algunos de los mismos efectos que la progesterona y también muchos efectos contrarios. Los términos progestina y progesterona no pueden usarse indistintamente.

prolactina

La prolactina es una hormona pituitaria que estimula el desarrollo de las mamas y la leche materna. Suprime el ciclo normal y la ovulación.

prostaglandina

Las prostaglandinas son compuestos similares a las hormonas que tienen una variedad de efectos fisiológicos tales como la constricción y dilatación de los vasos sanguíneos.

receptor hormonal

Un receptor hormonal es como una base de conexión para hormonas tales como el estrógeno o la progesterona. Existen en cada tipo de célula y transmiten mensajes hormonales al interior de esta.

recuento sanguíneo

El recuento sanguíneo o hemograma es un análisis de sangre que determina el número de células de la sangre y hemoglobina.

resistencia a la insulina

La resistencia a la insulina es una condición de insulina alta, en la cual las células del hígado y de los músculos no pueden responder correctamente a la insulina. Es la precursora a la diabetes tipo 2. Y si tienes diabetes tipo 2, tienes resistencia a la insulina.

sensibilidad alimentaria

La sensibilidad alimentaria es una categoría amplia de reacciones adversas a un alimento. Es, a menudo, una reacción tardía que implica la estimulación de citocinas inflamatorias. La sensibilidad alimentaria no es lo mismo que una alergia alimentaria.

síndrome del ovario poliquístico (SOP)

Afección hormonal común caracterizada por un exceso de hormonas masculinas en las mujeres y que veremos en el capítulo 7.

TDPM

El trastorno disfórico premenstrual es una condición de depresión premenstrual, irritabilidad o ansiedad graves. Afecta a aproximadamente una de cada veinte mujeres.

TSH

TSH (hormona estimulante de la tiroides) es la hormona pituitaria que estimula la glándula tiroides. Es la prueba estándar para la disfunción de la tiroides y debe estar entre 0,5 y 4 mUI/L.

vaginosis bacteriana

La vaginosis es una proliferación excesiva de una o más especies de bacterias vaginales normales.

REFERENCIAS

1: . ACOG Committee Opinion No. 651: Menstruation in Girls and Adolescents: Using the Menstrual Cycle as a Vital Sign. Obstet Gynecol. 2015 Dec;126(6):e143-6. PubMed PMID: 26595586

2: https://www.psoriasis.org/advance/do-gluten-free-diets-improve-psoriasis

3: Pellicano R, Astegiano M, Bruno M, Fagoonee S, Rizzetto M. Women and celiac disease: association with unexplained infertility. Minerva Med. 2007 Jun;98(3):217-9. PubMed PMID: 17592443

4: Vollman RF. The menstrual cycle. In: Friedman EA, editor. Major Problems in Obstetrics and Gynecology, Vol 7. 1 ed. Toronto: W.B. Saunders Company; 1977 11-193

5: Personal communication with Dr Jerilynn Prior

6: https://www.ncbi.nlm.nih.gov/pmc/articles/PMC3520685/

7: Henderson VW, St John JA, Hodis HN, McCleary CA, Stanczyk FZ, Karim R, et al. Cognition, mood, and physiological concentrations of sex hormones in the early and late postmenopause. Proc Natl Acad Sci U S A. 2013 Dec 10;110(50):20290-5. PubMed PMID: 24277815

8: Skovlund CW, Mørch LS, Kessing LV, Lidegaard Ø. Association of Hormonal Contraception With Depression. JAMA Psychiatry. 2016 Nov 1;73(11):1154-1162. PubMed PMID: 27680324

9: Birch Petersen K, Hvidman HW, Forman JL, Pinborg A, Larsen EC, Macklon KT, et al. Ovarian reserve assessment in users of oral contraception seeking fertility advice on their reproductive lifespan. Hum Reprod. 2015 Oct;30(10):2364-75. PubMed PMID: 26311148

10: Cole JA, Norman H, Doherty M, Walker AM. Venous thromboembolism, myocardial infarction, and stroke among transdermal contraceptive system users. Obstet Gynecol. 2007 Feb;109(2 Pt 1):339-46. PubMed PMID: 17267834

11: Pattman, Richard; Sankar, Nathan K.; Elewad, Babiker; Práctico, Paulina; Precio, David Ashley, eds. (November 19, 2010). Chapter 33. Contraception including contraception in HIV infection and infection reduction". Oxford Handbook of Genitourinary Medicine, HIV, and Sexual Health (2nd ed.). Oxford: Oxford University Press. p. 360.

12: GARCIA CR, PINCUS G, ROCK J. Effects of certain 19-nor steroids on the normal human menstrual cycle. Science. 1956 Nov 2;124(3227):891-3. PubMed PMID: 13380401

13: Lange HL, Belury MA, Secic M, Thomas A, Bonny AE. Dietary Intake and Weight Gain Among Adolescents on Depot Medroxyprogesterone Acetate. J Pediatr Adolesc Gynecol. 2015 Jun;28(3):139-43. PubMed PMID: 26046602

14: http://www.cemcor.ubc.ca/resources/depo-provera-use-and-bone-health

15: Li CI, Beaber EF, Tang MT, Porter PL, Daling JR, Malone KE. Effect of depo-medroxyprogesterone acetate on breast cancer risk among women 20 to 44 years of age. Cancer Res. 2012 Apr 15;72(8):2028-35. PubMed PMID: 22369929

16: Kailasam C, Cahill D. Review of the safety, efficacy and patient acceptability of the levonorgestrel-releasing intrauterine system. Patient Prefer Adherence. 2008 Feb 2;2:293-302. PubMed PMID: 19920976

17: Skovlund CW, Mørch LS, Kessing LV, Lidegaard Ø. Association of Hormonal Contraception With Depression. JAMA Psychiatry. 2016 Nov 1;73(11):1154-1162. PubMed PMID: 27680324

18: Aleknaviciute J, Tulen JHM, De Rijke YB, Bouwkamp CG, van der Kroeg M, Timmermans M, et al. The levonorgestrel-releasing intrauterine device potentiates stress reactivity. Psychoneuroendocrinology. 2017 Jun;80:39-45. PubMed PMID: 28315609

19: Mørch LS, Skovlund CW, Hannaford PC, Iversen L, Fielding S, Lidegaard Ø. Contemporary Hormonal Contraception and the Risk of Breast Cancer. N Engl J Med. 2017 Dec 7;377(23):2228-2239. PubMed PMID: 29211679

20: Seaman, Barbara. 1995. The Doctor's Case Against the Pill. Hunter House (CA); 25 Anv. Edition (July 1995). ISBN: 978-0-89793-181-6

21: Lidegaard O, Nielsen LH, Skovlund CW, Løkkegaard E. Venous thrombosis in users of non-oral hormonal contraception: follow-up study, Denmark 2001-10. BMJ. 2012 May 10;344:e2990. PubMed PMID: 22577198

22: Skovlund CW, Mørch LS, Kessing LV, Lidegaard Ø. Association of Hormonal Contraception With Depression. JAMA Psychiatry. 2016 Nov 1;73(11):1154-1162. PubMed PMID: 27680324

23: http://www.reuters.com/article/us-health-depression-hormones-idUSKCN11Z33J

24: Skovlund CW, Mørch LS, Kessing LV, Lange T, Lidegaard Ø. Association of Hormonal Contraception With Suicide Attempts and Suicides. Am J Psychiatry. 2018 Apr 1;175(4):336-342. PubMed PMID: 29145752

25: Aleknaviciute J, Tulen JHM, De Rijke YB, Bouwkamp CG, van der Kroeg M, Timmermans M, et al. The levonorgestrel-releasing intrauterine device potentiates stress reactivity. Psychoneuroendocrinology. 2017 Jun;80:39-45. PubMed PMID: 28315609

26: Macut D, Božić Antić I, Nestorov J, Topalović V, Bjekić Macut J, Panidis D, et al. The influence of combined oral contraceptives containing drospirenone on hypothalamic-pituitary-adrenocortical axis activity and glucocorticoid receptor expression and function in women with polycystic ovary syndrome. Hormones (Athens). 2015 Jan-Mar;14(1):109-17. PubMed PMID: 25402380

27: Petersen N, Touroutoglou A, Andreano JM, Cahill L. Oral contraceptive pill use is associated with localized decreases in cortical thickness. Hum Brain Mapp. 2015 Jul;36(7):2644-54. PubMed PMID: 25832993

28: https://www.marieclaire.com.au/article/news/yasmin-side-effects

29: https://kinseyconfidential.org/hormonal-birth-control-sexual-functioningwhats-deal/

30: Panzer C, Wise S, Fantini G, Kang D, Munarriz R, Guay A, et al. Impact of oral contraceptives on sex hormone-binding globulin and androgen levels: a retrospective study in women with sexual dysfunction. J Sex Med. 2006 Jan;3(1):104-13. PubMed PMID: 16409223

31: http://www.americanhairloss.org/women_hair_loss/oral_contraceptives.asp

32: http://www.sciencedaily.com/releases/2009/04/090417084014.htm

33: Scholes D, Ichikawa L, LaCroix AZ, Spangler L, Beasley JM, Reed S, et al. Oral contraceptive use and bone density in adolescent and young adult women. Contraception. 2010 Jan;81(1):35-40. PubMed PMID: 20004271

34: Scholes D, Hubbard RA, Ichikawa LE, LaCroix AZ, Spangler L, Beasley JM, et al. Oral contraceptive use and bone density change in adolescent and young adult women: a prospective study of age, hormone dose, and discontinuation. J Clin Endocrinol Metab. 2011 Sep;96(9):E1380-7. PubMed PMID: 21752879

35: Stewart ME, Greenwood R, Cunliffe WJ, Strauss JS, Downing DT. Effect of cyproterone acetate-ethinyl estradiol treatment on the proportions of linoleic and sebaleic acids in various skin surface lipid classes. Arch Dermatol Res. 1986;278(6):481-5. PubMed PMID: 2947544

36: Turner JV. Fertility-awareness practice and education in general practice. Aust J Prim Health. 2016 Sep 27;. PubMed PMID: 27671339

37: http://www.acog.org/Patients/FAQs/Fertility-Awareness-Based-Methods-of-Family-Planning

38: Frank-Herrmann P, Heil J, Gnoth C, Toledo E, Baur S, Pyper C, et al. The effectiveness of a fertility awareness based method to avoid pregnancy in relation to a couple's sexual behaviour during the fertile time: a prospective longitudinal study. Hum Reprod. 2007 May;22(5):1310-9. PubMed PMID: 17314078

39: Frank-Herrmann P, Heil J, Gnoth C, Toledo E, Baur S, Pyper C, et al. The effectiveness of a fertility awareness based method to avoid pregnancy in relation to a couple's sexual behaviour during the fertile time: a prospective longitudinal study. Hum Reprod. 2007 May;22(5):1310-9. PubMed PMID: 17314078

40: https://www.cdc.gov/reproductivehealth/contraception/index.htm

41: https://daysy.me/accuracy/

42: Personal communication with Dr Jerilynn Prior

43: https://www.cdc.gov/reproductivehealth/contraception/index.htm

44: https://www.cdc.gov/reproductivehealth/contraception/index.htm

45: https://www.cdc.gov/reproductivehealth/contraception/index.htm

46: https://en.wikipedia.org/wiki/FemCap

47: http://www.independent.co.uk/life-style/health-and-families/features/the-best-contraception-is-an-iud-why-i-love-having-a-coil-9578198.html

48: Hurd, TM. 2007. Clinical reproductive medicine and surgery. Philadelphia: Mosby. p. 409. ISBN 978-0-32303-309-1

49: Mohllajee AP, Curtis KM, Peterson HB. Does insertion and use of an intrauterine device increase the risk of pelvic inflammatory disease among women with sexually transmitted infection? A systematic review. Contraception. 2006 Feb;73(2):145-53. PubMed PMID: 16413845

50: https://www.bustle.com/articles/100406-more-sexually-active-women-are-satisfied-with-iuds-than-with-birth-control-pills-new-research-shows

51: Hubacher D, Chen PL, Park S. Side effects from the copper IUD: do they decrease over time?. Contraception. 2009 May;79(5):356-62. PubMed PMID: 19341847

52: Andrade AT, Pizarro E, Shaw ST Jr, Souza JP, Belsey EM, Rowe PJ. Consequences of uterine blood loss caused by various intrauterine contraceptive devices in South American women. World Health Organization Special Programme of Research, Development and Research Training in Human Reproduction. Contraception. 1988 Jul;38(1):1-18. PubMed PMID: 3048870

53: Wu S, Hu J, Wildemeersch D. Performance of the frameless GyneFix and the TCu380A IUDs in a 3-year multicenter, randomized, comparative trial in parous women. Contraception. 2000 Feb;61(2):91-8. PubMed PMID: 10802273

54: Mohllajee AP, Curtis KM, Peterson HB. Does insertion and use of an intrauterine device increase the risk of pelvic inflammatory disease among women with sexually transmitted infection? A systematic review. Contraception. 2006 Feb;73(2):145-53. PubMed PMID: 16413845

55: Achilles SL, Austin MN, Meyn LA, Mhlanga F, Chirenje ZM, Hillier SL. Impact of contraceptive initiation on vaginal microbiota. Am J Obstet Gynecol. 2018 Jun;218(6):622.e1-622.e10. PubMed PMID: 29505773

56: De la Cruz D, Cruz A, Arteaga M, Castillo L, Tovalin H. Blood copper levels in Mexican users of the T380A IUD. Contraception. 2005 Aug;72(2):122-5. PubMed PMID: 16022851

57: Elizabeth G. Raymond, Pai Lien Chen, Joanne Luoto, for the Spermicide Trial Group. "Contraceptive Effectiveness and Safety of Five Nonoxynol-9 Spermicides: A Randomized Trial" Obstetrics & Gynecology. 2004; 103:430-439

58: Falconer H, Yin L, Grönberg H, Altman D. Ovarian cancer risk after salpingectomy: a nationwide population-based study. J Natl Cancer Inst. 2015 Feb;107(2). PubMed PMID: 25628372

59: Sadatmahalleh SJ, Ziaei S, Kazemnejad A, Mohamadi E. Menstrual Pattern following Tubal Ligation: A Historical Cohort Study. Int J Fertil Steril. 2016 Jan-Mar;9(4):477-82. PubMed PMID: 26985334

60: Morley C, Rogers A, Zaslau S. Post-vasectomy pain syndrome: clinical features and treatment options. Can J Urol. 2012 Apr;19(2):6160-4. PubMed PMID: 22512957

61: http://www.parsemusfoundation.org/vasalgel-faqs/

62: Mauvais-Jarvis F, Clegg DJ, Hevener AL. The role of estrogens in control of energy balance and glucose homeostasis. Endocr Rev. 2013 Jun;34(3):309-38. PubMed PMID: 23460719

63: http://www.abc.net.au/science/articles/2013/07/09/3798293.htm

64: Care AS, Diener KR, Jasper MJ, Brown HM, Ingman WV, Robertson SA. Macrophages regulate corpus luteum development during embryo implantation in mice. J Clin Invest. 2013 Aug;123(8):3472-87. PubMed PMID: 23867505

65: Mohammed H, Russell IA, Stark R, Rueda OM, Hickey TE, Tarulli GA, et al. Progesterone receptor modulates ERα action in breast cancer. Nature. 2015 Jul 16;523(7560):313-7. PubMed PMID: 26153859

66: Sathi P, Kalyan S, Hitchcock CL, Pudek M, Prior JC. Progesterone therapy increases free thyroxine levels--data from a randomized placebo-controlled 12-week hot flush trial. Clin Endocrinol (Oxf). 2013 Aug;79(2):282-7. PubMed PMID: 23252963

67: Melcangi RC, Giatti S, Calabrese D, Pesaresi M, Cermenati G, Mitro N, et al. Levels and actions of progesterone and its metabolites in the nervous system during physiological and pathological conditions. Prog Neurobiol. 2014 Feb;113:56-69. PubMed PMID: 23958466

68: Smith GI, Yoshino J, Reeds DN, Bradley D, Burrows RE, Heisey HD, et al. Testosterone and progesterone, but not estradiol, stimulate muscle protein synthesis in postmenopausal women. J Clin Endocrinol Metab. 2014 Jan;99(1):256-65. PubMed PMID: 24203065

69: Schüssler P, Kluge M, Yassouridis A, Dresler M, Held K, Zihl J, et al. Progesterone reduces wakefulness in sleep EEG and has no effect on cognition in healthy postmenopausal women. Psychoneuroendocrinology. 2008 Sep;33(8):1124-31. PubMed PMID: 18676087

70: Mong JA, Baker FC, Mahoney MM, Paul KN, Schwartz MD, Semba K, et al. Sleep, rhythms, and the endocrine brain: influence of sex and gonadal hormones. J Neurosci. 2011 Nov 9;31(45):16107-16. PubMed PMID: 22072663

71: Prior JC (2014) Progesterone within ovulatory menstrual cycles needed for cardiovascularprotection- an evidence-based hypothesis. Journal of Restorative Medicine 3: 85-103.

72: Gordon JL, Girdler SS, Meltzer-Brody SE, Stika CS, Thurston RC, Clark CT, et al. Ovarian hormone fluctuation, neurosteroids, and HPA axis dysregulation in perimenopausal depression: a novel heuristic model. Am J Psychiatry. 2015 Mar 1;172(3):227-36. PubMed PMID: 25585035

73: Petersen N, Touroutoglou A, Andreano JM, Cahill L. Oral contraceptive pill use is associated with localized decreases in cortical thickness. Hum Brain Mapp. 2015 Jul;36(7):2644-54. PubMed PMID: 25832993

74: Prior JC, Naess M, Langhammer A, Forsmo S. Ovulation Prevalence in Women with Spontaneous Normal-Length Menstrual Cycles - A Population-Based Cohort from HUNT3, Norway. PLoS One. 2015;10(8):e0134473. PubMed PMID: 26291617

75: Prior JC, Naess M, Langhammer A, Forsmo S. Ovulation Prevalence in Women with Spontaneous Normal-Length Menstrual Cycles - A Population-Based Cohort from HUNT3, Norway. PLoS One. 2015;10(8):e0134473. PubMed PMID: 26291617

76: Mountjoy M, Sundgot-Borgen J, Burke L, Carter S, Constantini N, Lebrun C, et al. The IOC consensus statement: beyond the Female Athlete Triad--Relative Energy Deficiency in Sport (RED-S). Br J Sports Med. 2014 Apr;48(7):491-7. PubMed PMID: 24620037

77: Loucks AB, Thuma JR. Luteinizing hormone pulsatility is disrupted at a threshold of energy availability in regularly menstruating women. J Clin Endocrinol Metab. 2003 Jan;88(1):297-311. PubMed PMID: 12519869

78: http://www.pcosfoundation.org/what-is-pcos

79: Personal communication with Dr Jerilynn Prior

80: Shepard MK, Senturia YD. Comparison of serum progesterone and endometrial biopsy for confirmation of ovulation and evaluation of luteal function. Fertil Steril. 1977 May;28(5):541-8. PubMed PMID: 856637

81: Stoddard FR 2nd, Brooks AD, Eskin BA, Johannes GJ. Iodine alters gene expression in the MCF7 breast cancer cell line: evidence for an anti-estrogen effect of iodine. Int J Med Sci. 2008 Jul 8;5(4):189-96. PubMed PMID: 18645607

82: Eldering J, Nay M, Hoberg L, Longcope C, McCracken J. Hormonalregulation of prostaglandin production by rhesus monkey endometrium. J Clin Endocrinol Metab 1990; 71(3):596-604.

83: García-Velasco JA, Menabrito M, Catalán IB. What fertility specialists should know about the vaginal microbiome: a review. Reprod Biomed Online. 2017 Jul;35(1):103-112. PubMed PMID: 28479120

84: Whirledge S, Cidlowski JA. Glucocorticoids, stress, and fertility. Minerva Endocrinol. 2010 Jun;35(2):109-25. PubMed PMID: 20595939

85: Aleknaviciute J, Tulen JHM, De Rijke YB, Bouwkamp CG, van der Kroeg M, Timmermans M, et al. The levonorgestrel-releasing intrauterine device potentiates stress reactivity. Psychoneuroendocrinology. 2017 Jun;80:39-45. PubMed PMID: 28315609

86: Cadegiani FA, Kater CE. Adrenal fatigue does not exist: a systematic review. BMC Endocr Disord. 2016 Aug 24;16(1):48. PubMed PMID: 27557747

87: Sjörs A, Ljung T, Jonsdottir IH. Long-term follow-up of cortisol awakening response in patients treated for stress-related exhaustion. BMJ Open. 2012;2(4). PubMed PMID: 22786949

88: Schumacher S, Kirschbaum C, Fydrich T, Ströhle A. Is salivary alpha-amylase an indicator of autonomic nervous system dysregulations in mental disorders?--a review of preliminary findings and the interactions with cortisol. Psychoneuroendocrinology. 2013 Jun;38(6):729-43. PubMed PMID: 23481259

89: Swardfager W, Herrmann N, McIntyre RS, Mazereeuw G, Goldberger K, Cha DS, et al. Potential roles of zinc in the pathophysiology and treatment of major depressive disorder. Neurosci Biobehav Rev. 2013 Jun;37(5):911-29. PubMed PMID: 23567517

90: Long SJ, Benton D. Effects of vitamin and mineral supplementation on stress, mild psychiatric symptoms, and mood in nonclinical samples: a meta-analysis. Psychosom Med. 2013 Feb;75(2):144-53. PubMed PMID: 23362497

91: Mikkelsen K, Stojanovska L, Prakash M, Apostolopoulos V. The effects of vitamin B on the immune/cytokine network and their involvement in depression. Maturitas. 2017 Feb;96:58-71. PubMed PMID: 28041597

92: Hung SK, Perry R, Ernst E. The effectiveness and efficacy of Rhodiola rosea L.: a systematic review of randomized clinical trials. Phytomedicine. 2011 Feb 15;18(4):235-44. PubMed PMID: 21036578

93: Olsson EM, von Schéele B, Panossian AG. A randomised, double-blind, placebo-controlled, parallel-group study of the standardised extract shr-5 of the roots of Rhodiola rosea in the treatment of subjects with stress-related fatigue. Planta Med. 2009 Feb;75(2):105-12. PubMed PMID: 19016404

94: Darbinyan V, Aslanyan G, Amroyan E, Gabrielyan E, Malmström C, Panossian A. Clinical trial of Rhodiola rosea L. extract SHR-5 in the treatment of mild to moderate depression. Nord J Psychiatry. 2007;61(5):343-8. PubMed PMID: 17990195

95: Jiang JG, Huang XJ, Chen J, Lin QS. Comparison of the sedative and hypnotic effects of flavonoids, saponins, and polysaccharides extracted from Semen Ziziphus jujube. Nat Prod Res. 2007 Apr;21(4):310-20. PubMed PMID: 17479419

96: Koetter U, Barrett M, Lacher S, Abdelrahman A, Dolnick D. Interactions of Magnolia and Ziziphus extracts with selected central nervous system receptors. J Ethnopharmacol. 2009 Jul 30;124(3):421-5. PubMed PMID: 19505549

97: Pedersen BK. Anti-inflammatory effects of exercise: role in diabetes and cardiovascular disease. Eur J Clin Invest. 2017 Aug;47(8):600-611. PubMed PMID: 28722106

98: Mountjoy M, Sundgot-Borgen J, Burke L, Carter S, Constantini N, Lebrun C, et al. The IOC consensus statement: beyond the Female Athlete Triad--Relative Energy Deficiency in Sport (RED-S). Br J Sports Med. 2014 Apr;48(7):491-7. PubMed PMID: 24620037

99: Zhang DM, Jiao RQ, Kong LD. High Dietary Fructose: Direct or Indirect Dangerous Factors Disturbing Tissue and Organ Functions. Nutrients. 2017 Mar 29;9(4). PubMed PMID: 28353649

100: Stanhope KL, Schwarz JM, Keim NL, Griffen SC, Bremer AA, Graham JL, et al. Consuming fructose-sweetened, not glucose-sweetened, beverages increases visceral adiposity and lipids and decreases insulin sensitivity in overweight/obese humans. J Clin Invest. 2009 May;119(5):1322-34. PubMed PMID: 19381015

101: Page KA, Chan O, Arora J, Belfort-Deaguiar R, Dzuira J, Roehmholdt B, et al. Effects of fructose vs glucose on regional cerebral blood flow in brain regions involved with appetite and reward pathways. JAMA. 2013 Jan 2;309(1):63-70. PubMed PMID: 23280226

102: Sugiyama M, Tang AC, Wakaki Y, Koyama W. Glycemic index of single and mixed meal foods among common Japanese foods with white rice as a reference food. Eur J Clin Nutr. 2003 Jun;57(6):743-52. PubMed PMID: 12792658

103: http://www.sciencedaily.com/releases/2007/12/071212201311.htm

104: http://www.bmj.com/content/357/bmj.j2353

105: Topiwala A, Allan CL, Valkanova V, Zsoldos E, Filippini N, Sexton C, et al. Moderate alcohol consumption as risk factor for adverse brain outcomes and cognitive decline: longitudinal cohort study. BMJ. 2017 Jun 6;357:j2353. PubMed PMID: 28588063

106: Zhang SM, Lee IM, Manson JE, Cook NR, Willett WC, Buring JE. Alcohol consumption and breast cancer risk in the Women's Health Study. Am J Epidemiol. 2007 Mar 15;165(6):667-76. PubMed PMID: 17204515

107: Sun K, Ren M, Liu D, Wang C, Yang C, Yan L. Alcohol consumption and risk of metabolic syndrome: a meta-analysis of prospective studies. Clin Nutr. 2014 Aug;33(4):596-602. PubMed PMID: 24315622

108: Lowe PP, Gyongyosi B, Satishchandran A, Iracheta-Vellve A, Ambade A, Kodys K, et al. Alcohol-related changes in the intestinal microbiome influence neutrophil infiltration, inflammation and steatosis in early alcoholic hepatitis in mice. PLoS One. 2017;12(3):e0174544. PubMed PMID: 28350851

109: Fasano A. Zonulin and its regulation of intestinal barrier function: the biological door to inflammation, autoimmunity, and cancer. Physiol Rev. 2011 Jan;91(1):151-75. PubMed PMID: 21248165

110: Aziz I, Hadjivassiliou M, Sanders DS. The spectrum of noncoeliac gluten sensitivity. Nat Rev Gastroenterol Hepatol. 2015 Sep;12(9):516-26. PubMed PMID:

26122473

111: Elli L, Roncoroni L, Bardella MT. Non-celiac gluten sensitivity: Time for sifting the grain. World J Gastroenterol. 2015 Jul 21;21(27):8221-6. PubMed PMID: 26217073

112: Vazquez-Roque M, Oxentenko AS. Nonceliac Gluten Sensitivity. Mayo Clin Proc. 2015 Sep;90(9):1272-7. PubMed PMID: 26355401

113: Peters SL, Biesiekierski JR, Yelland GW, Muir JG, Gibson PR. Randomised clinical trial: gluten may cause depression in subjects with non-coeliac gluten sensitivity - an exploratory clinical study. Aliment Pharmacol Ther. 2014 May;39(10):1104-12. PubMed PMID: 24689456

114: Peters SL, Biesiekierski JR, Yelland GW, Muir JG, Gibson PR. Randomised clinical trial: gluten may cause depression in subjects with non-coeliac gluten sensitivity - an exploratory clinical study. Aliment Pharmacol Ther. 2014 May;39(10):1104-12. PubMed PMID: 24689456

115: Woodford, Keith. 2009. Devil in the Milk: Illness, Health and the Politics of A1 and A2 Milk.Illness, Health and the Politics of A1 and A2 Milk. Chelsea Green Publishing. ISBN: 978-1603581028

116: Ul Haq MR, Kapila R, Sharma R, Saliganti V, Kapila S. Comparative evaluation of cow β-casein variants (A1/A2) consumption on Th2-mediated inflammatory response in mouse gut. Eur J Nutr. 2014 Jun;53(4):1039-49. PubMed PMID: 24166511

117: Deth R, Clarke A, Ni J, Trivedi M. Clinical evaluation of glutathione concentrations after consumption of milk containing different subtypes of β-casein: results from a randomized, cross-over clinical trial. Nutr J. 2016 Sep 29;15(1):82. PubMed PMID: 27680716

118: Zierau O, Zenclussen AC, Jensen F. Role of female sex hormones, estradiol and progesterone, in mast cell behavior. Front Immunol. 2012;3:169. PubMed PMID: 22723800

119: Fogel WA. Diamine oxidase (DAO) and female sex hormones. Agents Actions. 1986 Apr;18(1-2):44-5. PubMed PMID: 3088928

120: Bódis J, Tinneberg HR, Schwarz H, Papenfuss F, Török A, Hanf V. The effect of histamine on progesterone and estradiol secretion of human granulosa cells in serum-free culture. Gynecol Endocrinol. 1993 Dec;7(4):235-9. PubMed PMID: 8147232

121: Martner-Hewes PM, Hunt IF, Murphy NJ, Swendseid ME, Settlage RH. Vitamin B-6 nutriture and plasma diamine oxidase activity in pregnant Hispanic teenagers. Am J Clin Nutr. 1986 Dec;44(6):907-13. PubMed PMID: 3098085

122: Ludwig DS, Willett WC. Three daily servings of reduced-fat milk: an evidence-based recommendation?. JAMA Pediatr. 2013 Sep;167(9):788-9. PubMed PMID: 23818041

123: Silvio Buscemi et al. Coffee and metabolic impairment: An updated review of epidemiological studies. NFS Journal, Volume 3, August 2016, Pages 1-7

124: Ding M, Bhupathiraju SN, Chen M, van Dam RM, Hu FB. Caffeinated and decaffeinated coffee consumption and risk of type 2 diabetes: a systematic review and a dose-response meta-analysis. Diabetes Care. 2014 Feb;37(2):569-86. PubMed PMID: 24459154

125: Schliep KC, Schisterman EF, Mumford SL, Pollack AZ, Zhang C, Ye A, et al. Caffeinated beverage intake and reproductive hormones among premenopausal women in the BioCycle Study. Am J Clin Nutr. 2012 Feb;95(2):488-97. PubMed PMID: 22237060

126: Ganmaa D, Willett WC, Li TY, Feskanich D, van Dam RM, Lopez-Garcia E, et al. Coffee, tea, caffeine and risk of breast cancer: a 22-year follow-up. Int J Cancer. 2008 May 1;122(9):2071-6. PubMed PMID: 18183588

127: Hahn KA, Wise LA, Riis AH, Mikkelsen EM, Rothman KJ, Banholzer K, et al. Correlates of menstrual cycle characteristics among nulliparous Danish women. Clin Epidemiol. 2013;5:311-9. PubMed PMID: 23983490

128: Patwardhan RV, Desmond PV, Johnson RF, Schenker S. Impaired elimination of caffeine by oral contraceptive steroids. J Lab Clin Med. 1980 Apr;95(4):603-8. PubMed PMID: 7359014

129: Patisaul HB, Jefferson W. The pros and cons of phytoestrogens. Front Neuroendocrinol. 2010 Oct;31(4):400-19. PubMed PMID: 20347861

130: Patisaul HB, Jefferson W. The pros and cons of phytoestrogens. Front Neuroendocrinol. 2010 Oct;31(4):400-19. PubMed PMID: 20347861

131: Hampl R, Ostatnikova D, Celec P, Putz Z, Lapcík O, Matucha P. Short-term effect of soy consumption on thyroid hormone levels and correlation with phytoestrogen level in healthy subjects. Endocr Regul. 2008 Jun;42(2-3):53-61. PubMed PMID: 18624607

132: Feinman RD, Pogozelski WK, Astrup A, Bernstein RK, Fine EJ, Westman EC, et al. Dietary carbohydrate restriction as the first approach in diabetes management: critical review and evidence base. Nutrition. 2015 Jan;31(1):1-13. PubMed PMID: 25287761

133: Spaulding SW, Chopra IJ, Sherwin RS, Lyall SS. Effect of caloric restriction and dietary composition of serum T3 and reverse T3 in man. J Clin Endocrinol Metab. 1976 Jan;42(1):197-200. PubMed PMID: 1249190

134: Loucks AB, Thuma JR. Luteinizing hormone pulsatility is disrupted at a threshold of energy availability in regularly menstruating women. J Clin Endocrinol Metab. 2003 Jan;88(1):297-311. PubMed PMID: 12519869

135: Sparta M, Alexandrova AN. How metal substitution affects the enzymatic activity of catechol-o-methyltransferase. PLoS One. 2012;7(10):e47172. PubMed PMID: 23056605

136: Wong CP, Rinaldi NA, Ho E. Zinc deficiency enhanced inflammatory response by increasing immune cell activation and inducing IL6 promoter demethylation. Mol Nutr Food Res. 2015 May;59(5):991-9. PubMed PMID: 25656040

137: Swardfager W, Herrmann N, McIntyre RS, Mazereeuw G, Goldberger K, Cha DS, et al. Potential roles of zinc in the pathophysiology and treatment of major depressive disorder. Neurosci Biobehav Rev. 2013 Jun;37(5):911-29. PubMed PMID: 23567517

138: Jamilian M, Foroozanfard F, Bahmani F, Talaee R, Monavari M, Asemi Z. Effects of Zinc Supplementation on Endocrine Outcomes in Women with Polycystic Ovary Syndrome: a Randomized, Double-Blind, Placebo-Controlled Trial. Biol Trace Elem Res. 2016 Apr;170(2):271-8. PubMed PMID: 26315303

139: Stoddard FR 2nd, Brooks AD, Eskin BA, Johannes GJ. Iodine alters gene expression in the MCF7 breast cancer cell line: evidence for an anti-estrogen effect of iodine. Int J Med Sci. 2008 Jul 8;5(4):189-96. PubMed PMID: 18645607

140: Slebodziński AB. Ovarian iodide uptake and triiodothyronine generation in follicular fluid. The enigma of the thyroid ovary interaction. Domest Anim Endocrinol. 2005 Jul;29(1):97-103. PubMed PMID: 15927769

141: Medici M, Ghassabian A, Visser W, de Muinck Keizer-Schrama SM, Jaddoe VW, Visser WE, et al. Women with high early pregnancy urinary iodine levels have an increased risk of hyperthyroid newborns: the population-based Generation R Study. Clin Endocrinol (Oxf). 2014 Apr;80(4):598-606. PubMed PMID: 23992400

142: Luo Y, Kawashima A, Ishido Y, Yoshihara A, Oda K, Hiroi N, et al. Iodine excess as an environmental risk factor for autoimmune thyroid disease. Int J Mol Sci. 2014 Jul 21;15(7):12895-912. PubMed PMID: 25050783

143: Kessler JH. The effect of supraphysiologic levels of iodine on patients with cyclic mastalgia. Breast J. 2004 Jul-Aug;10(4):328-36. PubMed PMID: 15239792

144: Faris MA, Kacimi S, Al-Kurd RA, Fararjeh MA, Bustanji YK, Mohammad MK, et al. Intermittent fasting during Ramadan attenuates proinflammatory cytokines and immune cells in healthy subjects. Nutr Res. 2012 Dec;32(12):947-55. PubMed PMID: 23244540

145: Arnason TG, Bowen MW, Mansell KD. Effects of intermittent fasting on health markers in those with type 2 diabetes: A pilot study. World J Diabetes. 2017 Apr 15;8(4):154-164. PubMed PMID: 28465792

146: Marinac CR, Nelson SH, Breen CI, Hartman SJ, Natarajan L, Pierce JP, et al. Prolonged Nightly Fasting and Breast Cancer Prognosis. JAMA Oncol. 2016 Aug 1;2(8):1049-55. PubMed PMID: 27032109

147: . ACOG Committee Opinion No. 651: Menstruation in Girls and Adolescents: Using the Menstrual Cycle as a Vital Sign. Obstet Gynecol. 2015 Dec;126(6):e143-6. PubMed PMID: 26595586

148: http://www.cemcor.ubc.ca/resources/contraceptive-choices_effective-convenient-safe

149: Lundsgaard AM, Kiens B. Gender differences in skeletal muscle substrate metabolism - molecular mechanisms and insulin sensitivity. Front Endocrinol (Lausanne). 2014;5:195. PubMed PMID: 25431568

150: Scholes D, Hubbard RA, Ichikawa LE, LaCroix AZ, Spangler L, Beasley JM, et al. Oral contraceptive use and bone density change in adolescent and young adult women: a prospective study of age, hormone dose, and discontinuation. J Clin Endocrinol Metab. 2011 Sep;96(9):E1380-7. PubMed PMID: 21752879

151: Prior JC, Naess M, Langhammer A, Forsmo S. Ovulation Prevalence in Women with Spontaneous Normal-Length Menstrual Cycles - A Population-Based Cohort from HUNT3, Norway. PLoS One. 2015;10(8):e0134473. PubMed PMID: 26291617

152: Polson DW, Adams J, Wadsworth J, Franks S. Polycystic ovaries--a common finding in normal women. Lancet. 1988 Apr 16;1(8590):870-2. PubMed PMID: 2895373

153: Dewailly D, Lujan ME, Carmina E, Cedars MI, Laven J, Norman RJ, et al. Definition and significance of polycystic ovarian morphology: a task force report from the Androgen Excess and Polycystic Ovary Syndrome Society. Hum Reprod Update. 2014 May-Jun;20(3):334-52. PubMed PMID: 24345633

154: Teede H, Deeks A, Moran L. Polycystic ovary syndrome: a complex condition with psychological, reproductive and metabolic manifestations that impacts on health across the lifespan. BMC Med. 2010 Jun 30;8:41. PubMed PMID: 20591140

155: Copp T, Jansen J, Doust J, Mol BW, Dokras A, McCaffery K. Are expanding disease definitions unnecessarily labelling women with polycystic ovary syndrome?. BMJ. 2017 Aug 16;358:j3694. PubMed PMID: 28814559

156: Dewailly D, Lujan ME, Carmina E, Cedars MI, Laven J, Norman RJ, et al. Definition and significance of polycystic ovarian morphology: a task force report from the Androgen Excess and Polycystic Ovary Syndrome Society. Hum Reprod Update. 2014 May-Jun;20(3):334-52. PubMed PMID: 24345633

157: Granger DA, Shirtcliff EA, Booth A, Kivlighan KT, Schwartz EB. The "trouble" with salivary testosterone. Psychoneuroendocrinology. 2004 Nov;29(10):1229-40. PubMed PMID: 15288702

158: Rosenfield RL. The Diagnosis of Polycystic Ovary Syndrome in Adolescents. Pediatrics. 2015 Dec;136(6):1154-65. PubMed PMID: 26598450

159: Witchel SF. Nonclassic congenital adrenal hyperplasia. Curr Opin Endocrinol Diabetes Obes. 2012 Jun;19(3):151-8. PubMed PMID: 22499220

160: Hudecova M, Holte J, Olovsson M, Sundström Poromaa I. Long-term follow-up of patients with polycystic ovary syndrome: reproductive outcome and ovarian reserve. Hum Reprod. 2009 May;24(5):1176-83. PubMed PMID: 19168874

161: Palioura E, Diamanti-Kandarakis E. Industrial endocrine disruptors and polycystic ovary syndrome. J Endocrinol Invest. 2013 Dec;36(11):1105-11. PubMed PMID: 24445124

162: Zhang DM, Jiao RQ, Kong LD. High Dietary Fructose: Direct or Indirect Dangerous Factors Disturbing Tissue and Organ Functions. Nutrients. 2017 Mar 29;9(4). PubMed PMID: 28353649

163: Pande AR, Guleria AK, Singh SD, Shukla M, Dabadghao P. β cell function and insulin resistance in lean cases with polycystic ovary syndrome. Gynecol Endocrinol. 2017 Jul 13;:1-5. PubMed PMID: 28704124

164: Arnason TG, Bowen MW, Mansell KD. Effects of intermittent fasting on health markers in those with type 2 diabetes: A pilot study. World J Diabetes. 2017 Apr 15;8(4):154-164. PubMed PMID: 28465792

165: Van Der Heijden GJ, Wang ZJ, Chu Z, Toffolo G, Manesso E, Sauer PJ, et al. Strength exercise improves muscle mass and hepatic insulin sensitivity in obese youth. Med Sci Sports Exerc. 2010 Nov;42(11):1973-80. PubMed PMID: 20351587

166: Diamanti-Kandarakis E, Baillargeon JP, Iuorno MJ, Jakubowicz DJ, Nestler JE. A modern medical quandary: polycystic ovary syndrome, insulin resistance, and oral contraceptive pills. J Clin Endocrinol Metab. 2003 May;88(5):1927-32. PubMed PMID: 12727935

167: http://www.sciencedaily.com/releases/2009/04/090417084014.htm

168: Adeniji AA, Essah PA, Nestler JE, Cheang KI. Metabolic Effects of a Commonly Used Combined Hormonal Oral Contraceptive in Women With and Without Polycystic Ovary Syndrome. J Womens Health (Larchmt). 2016 Jun;25(6):638-45. PubMed PMID: 26871978

169: Hruby A, Meigs JB, O'Donnell CJ, Jacques PF, McKeown NM. Higher magnesium intake reduces risk of impaired glucose and insulin metabolism and progression from prediabetes to diabetes in middle-aged americans. Diabetes Care. 2014 Feb;37(2):419-27. PubMed PMID: 24089547

170: Hata A, Doi Y, Ninomiya T, Mukai N, Hirakawa Y, Hata J, et al. Magnesium intake decreases Type 2 diabetes risk through the improvement of insulin resistance and inflammation: the Hisayama Study. Diabet Med. 2013 Dec;30(12):1487-94. PubMed PMID: 23758216

171: Guerrero-Romero F, Tamez-Perez HE, González-González G, Salinas-Martínez AM, Montes-Villarreal J, Treviño-Ortiz JH, et al. Oral magnesium supplementation improves insulin sensitivity in non-diabetic subjects with insulin resistance. A double-blind placebo-controlled randomized trial. Diabetes Metab. 2004 Jun;30(3):253-8. PubMed PMID: 15223977

172: McCarty MF, DiNicolantonio JJ. The cardiometabolic benefits of glycine: Is glycine an 'antidote' to dietary fructose?. Open Heart. 2014;1(1):e000103. PubMed PMID: 25332814

173: Masharani U, Gjerde C, Evans JL, Youngren JF, Goldfine ID. Effects of controlled-release alpha lipoic acid in lean, nondiabetic patients with polycystic ovary syndrome. J Diabetes Sci Technol. 2010 Mar 1;4(2):359-64. PubMed PMID: 20307398

174: De Cicco S, Immediata V, Romualdi D, Policola C, Tropea A, Di Florio C, et al. Myoinositol combined with alpha-lipoic acid may improve the clinical and endocrine features of polycystic ovary syndrome through an insulin-independent action. Gynecol Endocrinol. 2017 Apr 23;:1-4. PubMed PMID: 28434274

175: De Cicco S, Immediata V, Romualdi D, Policola C, Tropea A, Di Florio C, et al. Myoinositol combined with alpha-lipoic acid may improve the clinical and endocrine features of polycystic ovary syndrome through an insulin-independent action. Gynecol Endocrinol. 2017 Apr 23;:1-4. PubMed PMID: 28434274

176: Monastra G, Unfer V, Harrath AH, Bizzarri M. Combining treatment with myo-inositol and D-chiro-inositol (40:1) is effective in restoring ovary function and metabolic balance in PCOS patients. Gynecol Endocrinol. 2017 Jan;33(1):1-9. PubMed PMID: 27898267

177: La Marca A, Grisendi V, Dondi G, Sighinolfi G, Cianci A. The menstrual cycle regularization following D-chiro-inositol treatment in PCOS women: a retrospective study. Gynecol Endocrinol. 2015 Jan;31(1):52-6. PubMed PMID: 25268566

178: Brzozowska M, Karowicz-Bilińska A. [The role of vitamin D deficiency in the etiology of polycystic ovary syndrome disorders]. Ginekol Pol. 2013 Jun;84(6):456-60. PubMed PMID: 24032264

179: Wei W, Zhao H, Wang A, Sui M, Liang K, Deng H, et al. A clinical study on the short-term effect of berberine in comparison to metformin on the metabolic characteristics of women with polycystic ovary syndrome. Eur J Endocrinol. 2012 Jan;166(1):99-105. PubMed PMID: 22019891

180: An Y, Sun Z, Zhang Y, Liu B, Guan Y, Lu M. The use of berberine for women with polycystic ovary syndrome undergoing IVF treatment. Clin Endocrinol (Oxf). 2014 Mar;80(3):425-31. PubMed PMID: 23869585

181: Peng WH, Wu CR, Chen CS, Chen CF, Leu ZC, Hsieh MT. Anxiolytic effect of berberine on exploratory activity of the mouse in two experimental anxiety models: interaction with drugs acting at 5-HT receptors. Life Sci. 2004 Oct 1;75(20):2451-62. PubMed PMID: 15350820

182: Zhang X, Zhao Y, Xu J, Xue Z, Zhang M, Pang X, et al. Modulation of gut microbiota by berberine and metformin during the treatment of high-fat diet-induced obesity in rats. Sci Rep. 2015 Sep 23;5:14405. PubMed PMID: 26396057

183: Han J, Lin H, Huang W. Modulating gut microbiota as an anti-diabetic mechanism of berberine. Med Sci Monit. 2011 Jul;17(7):RA164-7. PubMed PMID: 21709646

184: Li L, Li C, Pan P, Chen X, Wu X, Ng EH, et al. A Single Arm Pilot Study of Effects of Berberine on the Menstrual Pattern, Ovulation Rate, Hormonal and Metabolic Profiles in Anovulatory Chinese Women with Polycystic Ovary Syndrome. PLoS One. 2015;10(12):e0144072. PubMed PMID: 26645811

185: Zhao L, Li W, Han F, Hou L, Baillargeon JP, Kuang H, et al. Berberine reduces insulin resistance induced by dexamethasone in theca cells in vitro. Fertil Steril. 2011 Jan;95(1):461-3. PubMed PMID: 20840879

186: Gu L, Li N, Gong J, Li Q, Zhu W, Li J. Berberine ameliorates intestinal epithelial tight-junction damage and down-regulates myosin light chain kinase pathways in a mouse model of endotoxinemia. J Infect Dis. 2011 Jun 1;203(11):1602-12. PubMed PMID: 21592990

187: Guler I, Himmetoglu O, Turp A, Erdem A, Erdem M, Onan MA, et al. Zinc and homocysteine levels in polycystic ovarian syndrome patients with insulin resistance.

Biol Trace Elem Res. 2014 Jun;158(3):297-304. PubMed PMID: 24664271

188: Jamilian M, Foroozanfard F, Bahmani F, Talaee R, Monavari M, Asemi Z. Effects of Zinc Supplementation on Endocrine Outcomes in Women with Polycystic Ovary Syndrome: a Randomized, Double-Blind, Placebo-Controlled Trial. Biol Trace Elem Res. 2016 Apr;170(2):271-8. PubMed PMID: 26315303

189: Takahashi K, Kitao M. Effect of TJ-68 (shakuyaku-kanzo-to) on polycystic ovarian disease. Int J Fertil Menopausal Stud. 1994 Mar-Apr;39(2):69-76. PubMed PMID: 8012442

190: Arentz S, Smith CA, Abbott J, Fahey P, Cheema BS, Bensoussan A. Combined Lifestyle and Herbal Medicine in Overweight Women with Polycystic Ovary Syndrome (PCOS): A Randomized Controlled Trial. Phytother Res. 2017 Sep;31(9):1330-1340. PubMed PMID: 28685911

191: Takeuchi T, Nishii O, Okamura T, Yaginuma T. Effect of paeoniflorin, glycyrrhizin and glycyrrhetic acid on ovarian androgen production. Am J Chin Med. 1991;19(1):73-8. PubMed PMID: 1897494

192: Armanini D, Mattarello MJ, Fiore C, Bonanni G, Scaroni C, Sartorato P, et al. Licorice reduces serum testosterone in healthy women. Steroids. 2004 Oct-Nov;69(11-12):763-6. PubMed PMID: 15579328

193: Somjen D, Knoll E, Vaya J, Stern N, Tamir S. Estrogen-like activity of licorice root constituents: glabridin and glabrene, in vascular tissues in vitro and in vivo. J Steroid Biochem Mol Biol. 2004 Jul;91(3):147-55. PubMed PMID: 15276622

194: Takahashi K, Kitao M. Effect of TJ-68 (shakuyaku-kanzo-to) on polycystic ovarian disease. Int J Fertil Menopausal Stud. 1994 Mar-Apr;39(2):69-76. PubMed PMID: 8012442

195: http://www.cemcor.ca/resources/topics/cyclic-progesterone-therapy

196: Diamanti-Kandarakis E, Baillargeon JP, Iuorno MJ, Jakubowicz DJ, Nestler JE. A modern medical quandary: polycystic ovary syndrome, insulin resistance, and oral contraceptive pills. J Clin Endocrinol Metab. 2003 May;88(5):1927-32. PubMed PMID: 12727935

197: Adeniji AA, Essah PA, Nestler JE, Cheang KI. Metabolic Effects of a Commonly Used Combined Hormonal Oral Contraceptive in Women With and Without Polycystic Ovary Syndrome. J Womens Health (Larchmt). 2016 Jun;25(6):638-45. PubMed PMID: 26871978

198: Wang JG, Lobo RA. The complex relationship between hypothalamic amenorrhea and polycystic ovary syndrome. J Clin Endocrinol Metab. 2008 Apr;93(4):1394-7. PubMed PMID: 18230664

199: Loucks AB, Thuma JR. Luteinizing hormone pulsatility is disrupted at a threshold of energy availability in regularly menstruating women. J Clin Endocrinol Metab. 2003 Jan;88(1):297-311. PubMed PMID: 12519869

200: Takahashi K, Kitao M. Effect of TJ-68 (shakuyaku-kanzo-to) on polycystic ovarian disease. Int J Fertil Menopausal Stud. 1994 Mar-Apr;39(2):69-76. PubMed

PMID: 8012442

201: Long X, Li R, Yang Y, Qiao J. Overexpression of IL-18 in the Proliferative Phase Endometrium of Patients With Polycystic Ovary Syndrome. Reprod Sci. 2017 Feb;24(2):252-257. PubMed PMID: 27313119

202: González F. Inflammation in Polycystic Ovary Syndrome: underpinning of insulin resistance and ovarian dysfunction. Steroids. 2012 Mar 10;77(4):300-5. PubMed PMID: 22178787

203: Bisanz JE, Enos MK, Mwanga JR, Changalucha J, Burton JP, Gloor GB, et al. Randomized open-label pilot study of the influence of probiotics and the gut microbiome on toxic metal levels in Tanzanian pregnant women and school children. MBio. 2014 Oct 7;5(5):e01580-14. PubMed PMID: 25293764

204: Thakker D, Raval A, Patel I, Walia R. N-acetylcysteine for polycystic ovary syndrome: a systematic review and meta-analysis of randomized controlled clinical trials. Obstet Gynecol Int. 2015;2015:817849. PubMed PMID: 25653680

205: Tagliaferri V, Romualdi D, Scarinci E, Cicco S, Florio CD, Immediata V, et al. Melatonin Treatment May Be Able to Restore Menstrual Cyclicity in Women With PCOS: A Pilot Study. Reprod Sci. 2017 Jan 1;:1933719117711262. PubMed PMID: 28558523

206: Gourgari E, Lodish M, Keil M, Sinaii N, Turkbey E, Lyssikatos C, et al. Bilateral Adrenal Hyperplasia as a Possible Mechanism for Hyperandrogenism in Women With Polycystic Ovary Syndrome. J Clin Endocrinol Metab. 2016 Sep;101(9):3353-60. PubMed PMID: 27336356

207: Azziz R, Carmina E, Dewailly D, Diamanti-Kandarakis E, Escobar-Morreale HF, Futterweit W, et al. The Androgen Excess and PCOS Society criteria for the polycystic ovary syndrome: the complete task force report. Fertil Steril. 2009 Feb;91(2):456-88. PubMed PMID: 18950759

208: Barrett ES, Sobolewski M. Polycystic ovary syndrome: do endocrine-disrupting chemicals play a role?. Semin Reprod Med. 2014 May;32(3):166-76. PubMed PMID: 24715511

209: Rasmusson AM, Vasek J, Lipschitz DS, Vojvoda D, Mustone ME, Shi Q, et al. An increased capacity for adrenal DHEA release is associated with decreased avoidance and negative mood symptoms in women with PTSD. Neuropsychopharmacology. 2004 Aug;29(8):1546-57. PubMed PMID: 15199367

210: Lobo RA, Granger LR, Paul WL, Goebelsmann U, Mishell DR Jr. Psychological stress and increases in urinary norepinephrine metabolites, platelet serotonin, and adrenal androgens in women with polycystic ovary syndrome. Am J Obstet Gynecol. 1983 Feb 15;145(4):496-503. PubMed PMID: 6824043

211: JONES GE, HOWARD JE, LANGFORD H. The use of cortisone in follicular phase disturbances. Fertil Steril. 1953 Jan-Feb;4(1):49-62. PubMed PMID: 13021206

212: Lu YH, Xia ZL, Ma YY, Chen HJ, Yan LP, Xu HF. Subclinical hypothyroidism is associated with metabolic syndrome and clomiphene citrate resistance in women with polycystic ovary syndrome. Gynecol Endocrinol. 2016 Oct;32(10):852-855. PubMed

PMID: 27172176

213: Kontaxakis VP, Skourides D, Ferentinos P, Havaki-Kontaxaki BJ, Papadimitriou GN. Isotretinoin and psychopathology: a review. Ann Gen Psychiatry. 2009 Jan 20;8:2. PubMed PMID: 19154613

214: Leachman SA, Insogna KL, Katz L, Ellison A, Milstone LM. Bone densities in patients receiving isotretinoin for cystic acne. Arch Dermatol. 1999 Aug;135(8):961-5. PubMed PMID: 10456346

215: Melnik BC. Diet in acne: further evidence for the role of nutrient signalling in acne pathogenesis. Acta Derm Venereol. 2012 May;92(3):228-31. PubMed PMID: 22419445

216: Adebamowo CA, Spiegelman D, Danby FW, Frazier AL, Willett WC, Holmes MD. High school dietary dairy intake and teenage acne. J Am Acad Dermatol. 2005 Feb;52(2):207-14. PubMed PMID: 15692464

217: Gupta M, Mahajan VK, Mehta KS, Chauhan PS. Zinc therapy in dermatology: a review. Dermatol Res Pract. 2014;2014:709152. PubMed PMID: 25120566

218: Fouladi RF. Aqueous extract of dried fruit of Berberis vulgaris L. in acne vulgaris, a clinical trial. J Diet Suppl. 2012 Dec;9(4):253-61. PubMed PMID: 23038982

219: Murata K, Noguchi K, Kondo M, Onishi M, Watanabe N, Okamura K, et al. Promotion of hair growth by Rosmarinus officinalis leaf extract. Phytother Res. 2013 Feb;27(2):212-7. PubMed PMID: 22517595

220: TW Fischer RM Trueb, Hanggi G, et al. Topical melatonin for treatment of androgenetic alopecia. Int J Trichology. 2012;4(4):236-245

221: Jamilian M, Foroozanfard F, Bahmani F, Talaee R, Monavari M, Asemi Z. Effects of Zinc Supplementation on Endocrine Outcomes in Women with Polycystic Ovary Syndrome: a Randomized, Double-Blind, Placebo-Controlled Trial. Biol Trace Elem Res. 2016 Apr;170(2):271-8. PubMed PMID: 26315303

222: Hwang C, Sethi S, Heilbrun LK, Gupta NS, Chitale DA, Sakr WA, et al. Anti-androgenic activity of absorption-enhanced 3, 3'-diindolylmethane in prostatectomy patients. Am J Transl Res. 2016;8(1):166-76. PubMed PMID: 27069550

223: Fujita R, Liu J, Shimizu K, Konishi F, Noda K, Kumamoto S, et al. Anti-androgenic activities of Ganoderma lucidum. J Ethnopharmacol. 2005 Oct 31;102(1):107-12. PubMed PMID: 16029938

224: Nichols AJ, Hughes OB, Canazza A, Zaiac MN. An Open-Label Evaluator Blinded Study of the Efficacy and Safety of a New Nutritional Supplement in Androgenetic Alopecia: A Pilot Study. J Clin Aesthet Dermatol. 2017 Feb;10(2):52-56. PubMed PMID. 28367262

225: Cassidy A, Bingham S, Setchell KD. Biological effects of a diet of soy protein rich in isoflavones on the menstrual cycle of premenopausal women. Am J Clin Nutr. 1994 Sep;60(3):333-40. PubMed PMID: 8074062

226: Loucks AB, Thuma JR. Luteinizing hormone pulsatility is disrupted at a threshold of energy availability in regularly menstruating women. J Clin Endocrinol Metab. 2003 Jan;88(1):297-311. PubMed PMID: 12519869

227: Wiksten-Almströmer M, Hirschberg AL, Hagenfeldt K. Menstrual disorders and associated factors among adolescent girls visiting a youth clinic. Acta Obstet Gynecol Scand. 2007;86(1):65-72. PubMed PMID: 17230292

228: Vescovi JD, Jamal SA, De Souza MJ. Strategies to reverse bone loss in women with functional hypothalamic amenorrhea: a systematic review of the literature. Osteoporos Int. 2008 Apr;19(4):465-78. PubMed PMID: 18180975

229: Falsetti L, Gambera A, Barbetti L, Specchia C. Long-term follow-up of functional hypothalamic amenorrhea and prognostic factors. J Clin Endocrinol Metab. 2002 Feb;87(2):500-5. PubMed PMID: 11836275

230: Webster DE, Lu J, Chen SN, Farnsworth NR, Wang ZJ. Activation of the mu-opiate receptor by Vitex agnus-castus methanol extracts: implication for its use in PMS. J Ethnopharmacol. 2006 Jun 30;106(2):216-21. PubMed PMID: 16439081

231: Higuchi K, Nawata H, Maki T, Higashizima M, Kato K, Ibayashi H. Prolactin has a direct effect on adrenal androgen secretion. J Clin Endocrinol Metab. 1984 Oct;59(4):714-8. PubMed PMID: 6090494

232: Takeyama M, Nagareda T, Takatsuka D, Namiki M, Koizumi K, Aono T, et al. Stimulatory effect of prolactin on luteinizing hormone-induced testicular 5 alpha-reductase activity in hypophysectomized adult rats. Endocrinology. 1986 Jun;118(6):2268-75. PubMed PMID: 3486119

233: Hantsoo L, Epperson CN. Premenstrual Dysphoric Disorder: Epidemiology and Treatment. Curr Psychiatry Rep. 2015 Nov;17(11):87. PubMed PMID: 26377947

234: Timby E, Bäckström T, Nyberg S, Stenlund H, Wihlbäck AC, Bixo M. Women with premenstrual dysphoric disorder have altered sensitivity to allopregnanolone over the menstrual cycle compared to controls-a pilot study. Psychopharmacology (Berl). 2016 Jun;233(11):2109-17. PubMed PMID: 26960697

235: Epperson CN, Hantsoo LV. Making Strides to Simplify Diagnosis of Premenstrual Dysphoric Disorder. Am J Psychiatry. 2017 Jan 1;174(1):6-7. PubMed PMID: 28041003

236: Dubey N, Hoffman JF, Schuebel K, et al. The ESC/E(Z) complex, an effector of response to ovarian steroids, manifests an intrinsicdifference in cells from women with premenstrual dysphoric disorder. Molecular Psychiatry. Published online January 3 2017

237: Bertone-Johnson ER, Ronnenberg AG, Houghton SC, Nobles C, Zagarins SE, Takashima-Uebelhoer BB, et al. Association of inflammation markers with menstrual symptom severity and premenstrual syndrome in young women. Hum Reprod. 2014 Sep;29(9):1987-94. PubMed PMID: 25035435

238: Melcangi RC, Giatti S, Calabrese D, Pesaresi M, Cermenati G, Mitro N, et al. Levels and actions of progesterone and its metabolites in the nervous system during physiological and pathological conditions. Prog Neurobiol. 2014 Feb;113:56-69. PubMed PMID: 23958466

239: Hantsoo L, Epperson CN. Premenstrual Dysphoric Disorder: Epidemiology and Treatment. Curr Psychiatry Rep. 2015 Nov;17(11):87. PubMed PMID: 26377947

240: Zimatkin SM, Anichtchik OV. Alcohol-histamine interactions. Alcohol Alcohol. 1999 Mar-Apr;34(2):141-7. PubMed PMID: 10344773

241: Fogel WA. Diamine oxidase (DAO) and female sex hormones. Agents Actions. 1986 Apr;18(1-2):44-5. PubMed PMID: 3088928

242: Nyberg S, Andersson A, Zingmark E, Wahlström G, Bäckström T, Sundström-Poromaa I. The effect of a low dose of alcohol on allopregnanolone serum concentrations across the menstrual cycle in women with severe premenstrual syndrome and controls. Psychoneuroendocrinology. 2005 Oct;30(9):892-901. PubMed PMID: 15979810

243: Gollenberg AL, Hediger ML, Mumford SL, Whitcomb BW, Hovey KM, Wactawski-Wende J, et al. Perceived stress and severity of perimenstrual symptoms: the BioCycle Study. J Womens Health (Larchmt). 2010 May;19(5):959-67. PubMed PMID: 20384452

244: Gordon JL, Girdler SS, Meltzer-Brody SE, Stika CS, Thurston RC, Clark CT, et al. Ovarian hormone fluctuation, neurosteroids, and HPA axis dysregulation in perimenopausal depression: a novel heuristic model. Am J Psychiatry. 2015 Mar 1;172(3):227-36. PubMed PMID: 25585035

245: Prior JC, Vigna Y, Sciarretta D, Alojado N, Schulzer M. Conditioning exercise decreases premenstrual symptoms: a prospective, controlled 6-month trial. Fertil Steril. 1987 Mar;47(3):402-8. PubMed PMID: 3549364

246: Walker AF, De Souza MC, Vickers MF, Abeyasekera S, Collins ML, Trinca LA. Magnesium supplementation alleviates premenstrual symptoms of fluid retention. J Womens Health. 1998 Nov;7(9):1157-65. PubMed PMID: 9861593

247: Abraham GE, Lubran MM. Serum and red cell magnesium levels in patients with premenstrual tension. Am J Clin Nutr. 1981 Nov;34(11):2364-6. PubMed PMID: 7197877

248: M. Wyatt, PW Dimmock, MS O'Brien. Efficacy of vitamin B-6 in the treatment of premenstrual syndrome: systematic review. BMJ, 318 (1999), pp. 1375-1381.

249: Cerqueira RO, Frey BN, Leclerc E, Brietzke E. Vitex agnus castus for premenstrual syndrome and premenstrual dysphoric disorder: a systematic review. Arch Womens Ment Health. 2017 Dec;20(6):713-719. PubMed PMID: 29063202

250: Webster DE, Lu J, Chen SN, Farnsworth NR, Wang ZJ. Activation of the mu-opiate receptor by Vitex agnus-castus methanol extracts: implication for its use in PMS. J Ethnopharmacol. 2006 Jun 30;106(2):216-21. PubMed PMID: 16439081

251: Reichman ME, Judd JT, Longcope C, Schatzkin A, Clevidence BA, Nair PP, et al. Effects of alcohol consumption on plasma and urinary hormone concentrations in premenopausal women. J Natl Cancer Inst. 1993 May 5;85(9):722-7. PubMed PMID: 8478958

252: Morimoto Y, Conroy SM, Pagano IS, Isaki M, Franke AA, Nordt FJ, et al.

Urinary estrogen metabolites during a randomized soy trial. Nutr Cancer. 2012;64(2):307-14. PubMed PMID: 22293063

253: Calcium-d-glucarate monograph. Altern Med Rev 2002;7(4):336-339

254: Siahbazi S, Behboudi-Gandevani S, Moghaddam-Banaem L, Montazeri A. Effect of zinc sulfate supplementation on premenstrual syndrome and health-related quality of life: Clinical randomized controlled trial. J Obstet Gynaecol Res. 2017 Feb 11;. PubMed PMID: 28188965

255: Posaci C, Erten O, Uren A, Acar B. Plasma copper, zinc and magnesium levels in patients with premenstrual tension syndrome. Acta Obstet Gynecol Scand. 1994 Jul;73(6):452-5. PubMed PMID: 8042455

256: Atmaca M, Kumru S, Tezcan E. Fluoxetine versus Vitex agnus castus extract in the treatment of premenstrual dysphoric disorder. Hum Psychopharmacol. 2003 Apr;18(3):191-5. PubMed PMID: 12672170

257: Canning S, Waterman M, Orsi N, Ayres J, Simpson N, Dye L. The efficacy of Hypericum perforatum (St John's wort) for the treatment of premenstrual syndrome: a randomized, double-blind, placebo-controlled trial. CNS Drugs. 2010 Mar;24(3):207-25. PubMed PMID: 20155996

258: Hall SD, Wang Z, Huang SM, Hamman MA, Vasavada N, Adigun AQ, et al. The interaction between St John's wort and an oral contraceptive. Clin Pharmacol Ther. 2003 Dec;74(6):525-35. PubMed PMID: 14663455

259: Kessler JH. The effect of supraphysiologic levels of iodine on patients with cyclic mastalgia. Breast J. 2004 Jul-Aug;10(4):328-36. PubMed PMID: 15239792

260: Aceves C, Anguiano B, Delgado G. Is iodine a gatekeeper of the integrity of the mammary gland?. J Mammary Gland Biol Neoplasia. 2005 Apr;10(2):189-96. PubMed PMID: 16025225

261: Kessler JH. The effect of supraphysiologic levels of iodine on patients with cyclic mastalgia. Breast J. 2004 Jul-Aug;10(4):328-36. PubMed PMID: 15239792

262: Carmichael AR. Can Vitex Agnus Castus be Used for the Treatment of Mastalgia? What is the Current Evidence?. Evid Based Complement Alternat Med. 2008 Sep;5(3):247-50. PubMed PMID: 18830450

263: Pavlović JM, Allshouse AA, Santoro NF, Crawford SL, Thurston RC, Neal-Perry GS, et al. Sex hormones in women with and without migraine: Evidence of migraine-specific hormone profiles. Neurology. 2016 Jul 5;87(1):49-56. PubMed PMID: 27251885

264: Peres MF. Melatonin, the pineal gland and their implications for headache disorders. Cephalalgia. 2005 Jun;25(6):403-11. PubMed PMID: 15910564

265: Champaloux SW, Tepper NK, Monsour M, Curtis KM, Whiteman MK, Marchbanks PA, et al. Use of combined hormonal contraceptives among women with migraines and risk of ischemic stroke. Am J Obstet Gynecol. 2017 May;216(5):489.e1-489.e7. PubMed PMID: 28034652

266: Egger J, Carter CM, Wilson J, Turner MW, Soothill JF. Is migraine food allergy? A double-blind controlled trial of oligoantigenic diet treatment. Lancet. 1983 Oct 15;2(8355):865-9. PubMed PMID: 6137694

267: Mauskop A, Varughese J. Why all migraine patients should be treated with magnesium. J Neural Transm (Vienna). 2012 May;119(5):575-9. PubMed PMID: 22426836

268: Chiu HY, Yeh TH, Huang YC, Chen PY. Effects of Intravenous and Oral Magnesium on Reducing Migraine: A Meta-analysis of Randomized Controlled Trials. Pain Physician. 2016 Jan;19(1):E97-112. PubMed PMID: 26752497

269: Gonçalves AL, Martini Ferreira A, Ribeiro RT, Zukerman E, Cipolla-Neto J, Peres MF. Randomised clinical trial comparing melatonin 3 mg, amitriptyline 25 mg and placebo for migraine prevention. J Neurol Neurosurg Psychiatry. 2016 Oct;87(10):1127-32. PubMed PMID: 27165014

270: Boehnke C, Reuter U, Flach U, Schuh-Hofer S, Einhäupl KM, Arnold G. High-dose riboflavin treatment is efficacious in migraine prophylaxis: an open study in a tertiary care centre. Eur J Neurol. 2004 Jul;11(7):475-7. PubMed PMID: 15257686

271: Calhoun AH, Gill N. Presenting a New, Non-Hormonally Mediated Cyclic Headache in Women: End-Menstrual Migraine. Headache. 2017 Jan;57(1):17-20. PubMed PMID: 27704538

272: Mong JA, Baker FC, Mahoney MM, Paul KN, Schwartz MD, Semba K, et al. Sleep, rhythms, and the endocrine brain: influence of sex and gonadal hormones. J Neurosci. 2011 Nov 9;31(45):16107-16. PubMed PMID: 22072663

273: Baker FC, Kahan TL, Trinder J, Colrain IM. Sleep quality and the sleep electroencephalogram in women with severe premenstrual syndrome. Sleep. 2007 Oct;30(10):1283-91. PubMed PMID: 17969462

274: Baker FC, Driver HS. Circadian rhythms, sleep, and the menstrual cycle. Sleep Med. 2007 Sep;8(6):613-22. PubMed PMID: 17383933

275: Canning S, Waterman M, Orsi N, Ayres J, Simpson N, Dye L. The efficacy of Hypericum perforatum (St John's wort) for the treatment of premenstrual syndrome: a randomized, double-blind, placebo-controlled trial. CNS Drugs. 2010 Mar;24(3):207-25. PubMed PMID: 20155996

276: Chocano-Bedoya PO, Manson JE, Hankinson SE, Johnson SR, Chasan-Taber L, Ronnenberg AG, et al. Intake of selected minerals and risk of premenstrual syndrome. Am J Epidemiol. 2013 May 15;177(10):1118-27. PubMed PMID: 23444100

277: James AH. Women and bleeding disorders. Haemophilia. 2010 Jul;16 Suppl 5:160-7. PubMed PMID: 20590876

278: Weeks AD. Menorrhagia and hypothyroidism. Evidence supports association between hypothyroidism and menorrhagia. BMJ. 2000 Mar 4;320(7235):649. PubMed PMID: 10698899

279: Poppe K, Velkeniers B, Glinoer D. Thyroid disease and female reproduction. Clin Endocrinol (Oxf). 2007 Mar;66(3):309-21. PubMed PMID: 17302862

280: Lethaby A, Duckitt K, Farquhar C. Non-steroidal anti-inflammatory drugs for heavy menstrual bleeding. Cochrane Database Syst Rev. 2013 Jan 31;(1):CD000400. PubMed PMID: 23440779

281: Kim K, Wactawski-Wende J, Michels KA, Plowden TC, Chaljub EN, Sjaarda LA, et al. Dairy Food Intake Is Associated with Reproductive Hormones and Sporadic Anovulation among Healthy Premenopausal Women. J Nutr. 2017 Feb;147(2):218-226. PubMed PMID: 27881593

282: TAYMOR ML, STURGIS SH, YAHIA C. THE ETIOLOGICAL ROLE OF CHRONIC IRON DEFICIENCY IN PRODUCTION OF MENORRHAGIA. JAMA. 1964 Feb 1;187:323-7. PubMed PMID: 14085026

283: Seltzer VL, Benjamin F, Deutsch S. Perimenopausal bleeding patterns and pathologic findings. J Am Med Womens Assoc (1972). 1990 Jul-Aug;45(4):132-4. PubMed PMID: 2398224

284: Marshall LM, Spiegelman D, Goldman MB, Manson JE, Colditz GA, Barbieri RL, et al. A prospective study of reproductive factors and oral contraceptive use in relation to the risk of uterine leiomyomata. Fertil Steril. 1998 Sep;70(3):432-9. PubMed PMID: 9757871

285: Hunt PA, Sathyanarayana S, Fowler PA, Trasande L. Female Reproductive Disorders, Diseases, and Costs of Exposure to Endocrine Disrupting Chemicals in the European Union. J Clin Endocrinol Metab. 2016 Apr;101(4):1562-70. PubMed PMID: 27003299

286: Medikare V, Kandukuri LR, Ananthapur V, Deenadayal M, Nallari P. The genetic bases of uterine fibroids; a review. J Reprod Infertil. 2011 Jul;12(3):181-91. PubMed PMID: 23926501

287: Templeman C, Marshall SF, Clarke CA, Henderson KD, Largent J, Neuhausen S, et al. Risk factors for surgically removed fibroids in a large cohort of teachers. Fertil Steril. 2009 Oct;92(4):1436-46. PubMed PMID: 19019355

288: Calcium-d-glucarate monograph. Altern Med Rev 2002;7(4):336-339

289: Sakamoto S, Yoshino H, Shirahata Y, Shimodairo K, Okamoto R. Pharmacotherapeutic effects of kuei-chih-fu-ling-wan (keishi-bukuryo-gan) on human uterine myomas. Am J Chin Med. 1992;20(3-4):313-7. PubMed PMID: 1471615

290: http://www.medscape.com/viewarticle/459772

291: Struble J, Reid S, Bedaiwy MA. Adenomyosis: A Clinical Review of a Challenging Gynecologic Condition. J Minim Invasive Gynecol. 2016 Feb 1;23(2):164-85. PubMed PMID: 26427702

292: Nozaki C, Vergnano AM, Filliol D, Ouagazzal AM, Le Goff A, Carvalho S, et al. Zinc alleviates pain through high-affinity binding to the NMDA receptor NR2A subunit. Nat Neurosci. 2011 Jul 3;14(8):1017-22. PubMed PMID: 21725314

293: Janssen EB, Rijkers AC, Hoppenbrouwers K, Meuleman C, D'Hooghe TM. Prevalence of endometriosis diagnosed by laparoscopy in adolescents with dysmenorrhea or chronic pelvic pain: a systematic review. Hum Reprod Update. 2013

Sep-Oct;19(5):570-82. PubMed PMID: 23727940

294: Králíčková M, Vetvicka V. Immunological aspects of endometriosis: a review. Ann Transl Med. 2015 Jul;3(11):153. PubMed PMID: 26244140

295: Kaur, K. and Allahbadia, G. (2016) An Update on Pathophysiology and MedicalManagement of Endometriosis. Advances in Reproductive Sciences, 4, 53-73

296: Matalliotakis IM, Arici A, Cakmak H, Goumenou AG, Koumantakis G, Mahutte NG. Familial aggregation of endometriosis in the Yale Series. Arch Gynecol Obstet. 2008 Dec;278(6):507-11. PubMed PMID: 18449556

297: Bruner-Tran KL, Gnecco J, Ding T, Glore DR, Pensabene V, Osteen KG. Exposure to the environmental endocrine disruptor TCDD and human reproductive dysfunction: Translating lessons from murine models. Reprod Toxicol. 2017 Mar;68:59-71. PubMed PMID: 27423904

298: Hunt PA, Sathyanarayana S, Fowler PA, Trasande L. Female Reproductive Disorders, Diseases, and Costs of Exposure to Endocrine Disrupting Chemicals in the European Union. J Clin Endocrinol Metab. 2016 Apr;101(4):1562-70. PubMed PMID: 27003299

299: Maroun P, Cooper MJ, Reid GD, Keirse MJ. Relevance of gastrointestinal symptoms in endometriosis. Aust N Z J Obstet Gynaecol. 2009 Aug;49(4):411-4. PubMed PMID: 19694698

300: Feehley T, Belda-Ferre P, Nagler CR. What's LPS Got to Do with It? A Role for Gut LPS Variants in Driving Autoimmune and Allergic Disease. Cell Host Microbe. 2016 May 11;19(5):572-4. PubMed PMID: 27173923

301: Iba Y, Harada T, Horie S, Deura I, Iwabe T, Terakawa N. Lipopolysaccharide-promoted proliferation of endometriotic stromal cells via induction of tumor necrosis factor alpha and interleukin-8 expression. Fertil Steril. 2004 Oct;82 Suppl 3:1036-42. PubMed PMID: 15474070

302: Khan KN, Kitajima M, Inoue T, Fujishita A, Nakashima M, Masuzaki H. 17β-estradiol and lipopolysaccharide additively promote pelvic inflammation and growth of endometriosis. Reprod Sci. 2015 May;22(5):585-94. PubMed PMID: 25355803

303: Khan KN, Fujishita A, Hiraki K, Kitajima M, Nakashima M, Fushiki S, et al. Bacterial contamination hypothesis: a new concept in endometriosis. Reprod Med Biol. 2018 Apr;17(2):125-133. PubMed PMID: 29692669

304: https://www.endometriosisaustralia.org/single-post/2016/09/03/Can-you-diagnose-Endometriosis-via-Ultrasound

305: Ahn SH, Singh V, Tayade C. Biomarkers in endometriosis: challenges and opportunities. Fertil Steril. 2017 Mar;107(3):523-532. PubMed PMID: 28189296

306: http://www.abc.net.au/triplej/programs/hack/blood-test-could-diagnose-endometriosis-within-a-day/8318016

307: Cosar E, Mamillapalli R, Ersoy GS, Cho S, Seifer B, Taylor HS. Serum microRNAs as diagnostic markers of endometriosis: a comprehensive array-based analysis. Fertil Steril. 2016 Aug;106(2):402-9. PubMed PMID: 27179784

308: Pundir J, Omanwa K, Kovoor E, Pundir V, Lancaster G, Barton-Smith P. Laparoscopic Excision Versus Ablation for Endometriosis-associated Pain: An Updated Systematic Review and Meta-analysis. J Minim Invasive Gynecol. 2017 Apr 26;. PubMed PMID: 28456617

309: http://endowhat.com/

310: Guo SW. Recurrence of endometriosis and its control. Hum Reprod Update. 2009 Jul-Aug;15(4):441-61. PubMed PMID: 19279046

311: Kaur, K. and Allahbadia, G. (2016) An Update on Pathophysiology and MedicalManagement of Endometriosis. Advances in Reproductive Sciences, 4, 53-73

312: Marziali M, Venza M, Lazzaro S, Lazzaro A, Micossi C, Stolfi VM. Gluten-free diet: a new strategy for management of painful endometriosis related symptoms?. Minerva Chir. 2012 Dec;67(6):499-504. PubMed PMID: 23334113

313: Moore JS, Gibson PR, Perry RE, Burgell RE. Endometriosis in patients with irritable bowel syndrome: Specific symptomatic and demographic profile, and response to the low FODMAP diet. Aust N Z J Obstet Gynaecol. 2017 Apr;57(2):201-205. PubMed PMID: 28303579

314: Jana S, Paul S, Swarnakar S. Curcumin as anti-endometriotic agent: implication of MMP-3 and intrinsic apoptotic pathway. Biochem Pharmacol. 2012 Mar 15;83(6):797-804. PubMed PMID: 22227273

315: Jana S, Paul S, Swarnakar S. Curcumin as anti-endometriotic agent: implication of MMP-3 and intrinsic apoptotic pathway. Biochem Pharmacol. 2012 Mar 15;83(6):797-804. PubMed PMID: 22227273

316: Zhang Y, Cao H, Yu Z, Peng HY, Zhang CJ. Curcumin inhibits endometriosis endometrial cells by reducing estradiol production. Iran J Reprod Med. 2013 May;11(5):415-22. PubMed PMID: 24639774

317: Kuttan G, Kumar KB, Guruvayoorappan C, Kuttan R. Antitumor, anti-invasion, and antimetastatic effects of curcumin. Adv Exp Med Biol. 2007;595:173-84. PubMed PMID: 17569210

318: Messalli EM, Schettino MT, Mainini G, Ercolano S, Fuschillo G, Falcone F, et al. The possible role of zinc in the etiopathogenesis of endometriosis. Clin Exp Obstet Gynecol. 2014;41(5):541-6. PubMed PMID: 25864256

319: Finamore A, Massimi M, Conti Devirgiliis L, Mengheri E. Zinc deficiency induces membrane barrier damage and increases neutrophil transmigration in Caco-2 cells. J Nutr. 2008 Sep;138(9):1664-70. PubMed PMID: 18716167

320: Wong CP, Rinaldi NA, Ho E. Zinc deficiency enhanced inflammatory response by increasing immune cell activation and inducing IL6 promoter demethylation. Mol Nutr Food Res. 2015 May;59(5):991-9. PubMed PMID: 25656040

321: Nozaki C, Vergnano AM, Filliol D, Ouagazzal AM, Le Goff A, Carvalho S, et al. Zinc alleviates pain through high-affinity binding to the NMDA receptor NR2A subunit. Nat Neurosci. 2011 Jul 3;14(8):1017-22. PubMed PMID: 21725314

322: Li H, Li XL, Zhang M, Xu H, Wang CC, Wang S, et al. Berberine ameliorates experimental autoimmune neuritis by suppressing both cellular and humoral immunity. Scand J Immunol. 2014 Jan;79(1):12-9. PubMed PMID: 24354407

323: Chu M, Ding R, Chu ZY, Zhang MB, Liu XY, Xie SH, et al. Role of berberine in anti-bacterial as a high-affinity LPS antagonist binding to TLR4/MD-2 receptor. BMC Complement Altern Med. 2014 Mar 6;14:89. PubMed PMID: 24602493

324: Gu L, Li N, Gong J, Li Q, Zhu W, Li J. Berberine ameliorates intestinal epithelial tight-junction damage and down-regulates myosin light chain kinase pathways in a mouse model of endotoxinemia. J Infect Dis. 2011 Jun 1;203(11):1602-12. PubMed PMID: 21592990

325: Jeong HW, Hsu KC, Lee JW, Ham M, Huh JY, Shin HJ, et al. Berberine suppresses proinflammatory responses through AMPK activation in macrophages. Am J Physiol Endocrinol Metab. 2009 Apr;296(4):E955-64. PubMed PMID: 19208854

326: Kaur, K. and Allahbadia, G. (2016) An Update on Pathophysiology and MedicalManagement of Endometriosis. Advances in Reproductive Sciences, 4, 53-73

327: Kolahdouz Mohammadi R, Arablou T. Resveratrol and endometriosis: In vitro and animal studies and underlying mechanisms (Review). Biomed Pharmacother. 2017 Apr 27;91:220-228. PubMed PMID: 28458160

328: Chottanapund S, Van Duursen MB, Navasumrit P, Hunsonti P, Timtavorn S, Ruchirawat M, et al. Anti-aromatase effect of resveratrol and melatonin on hormonal positive breast cancer cells co-cultured with breast adipose fibroblasts. Toxicol In Vitro. 2014 Oct;28(7):1215-21. PubMed PMID: 24929094

329: Porpora MG, Brunelli R, Costa G, Imperiale L, Krasnowska EK, Lundeberg T, et al. A promise in the treatment of endometriosis: an observational cohort study on ovarian endometrioma reduction by N-acetylcysteine. Evid Based Complement Alternat Med. 2013;2013:240702. PubMed PMID: 23737821

330: Hernández Guerrero CA, Bujalil Montenegro L, de la Jara Díaz J, Mier Cabrera J, Bouchán Valencia P. [Endometriosis and deficient intake of antioxidants molecules related to peripheral and peritoneal oxidative stress]. Ginecol Obstet Mex. 2006 Jan;74(1):20-8. PubMed PMID: 16634350

331: Li Y, Adur MK, Kannan A, Davila J, Zhao Y, Nowak RA, et al. Progesterone Alleviates Endometriosis via Inhibition of Uterine Cell Proliferation, Inflammation and Angiogenesis in an Immunocompetent Mouse Model. PLoS One. 2016;11(10):e0165347. PubMed PMID: 27776183

332: Seifert B, Wagler P, Dartsch S, Schmidt U, Nieder J. [Magnesium--a new therapeutic alternative in primary dysmenorrhea]. Zentralbl Gynakol. 1989;111(11):755-60. PubMed PMID: 2675496

333: Eby GA. Zinc treatment prevents dysmenorrhea. Med Hypotheses. 2007;69(2):297-301. PubMed PMID: 17289285

334: Zekavat OR, Karimi MY, Amanat A, Alipour F. A randomised controlled trial of oral zinc sulphate for primary dysmenorrhoea in adolescent females. Aust N Z J Obstet Gynaecol. 2015 Aug;55(4):369-73. PubMed PMID: 26132140

335: Harel Z, Biro FM, Kottenhahn RK, Rosenthal SL. Supplementation with omega-3 polyunsaturated fatty acids in the management of dysmenorrhea in adolescents. Am J Obstet Gynecol. 1996 Apr;174(4):1335-8. PubMed PMID: 8623866

336: Shu J, Xing L, Zhang L, Fang S, Huang H. Ignored adult primary hypothyroidism presenting chiefly with persistent ovarian cysts: a need for increased awareness. Reprod Biol Endocrinol. 2011 Aug 23;9:119. PubMed PMID: 21861901

337: http://www.aafp.org/afp/1998/0601/p2843.html

338: http://www.cochrane.org/CD006134/FERTILREG_oral-contraceptives-to-treat-cysts-of-the-ovary

339: Bahamondes L, Hidalgo M, Petta CA, Diaz J, Espejo-Arce X, Monteiro-Dantas C. Enlarged ovarian follicles in users of a levonorgestrel-releasing intrauterine system and contraceptive implant. J Reprod Med. 2003 Aug;48(8):637-40. PubMed PMID: 12971147

340: Szelag A, Merwid-Lad A, Trocha M. [Histamine receptors in the female reproductive system. Part I. Role of the mast cells and histamine in female reproductive system]. Ginekol Pol. 2002 Jul;73(7):627-35. PubMed PMID: 12369286

341: Personal communication with Dr. Jerilynn Prior

342: Prior JC. Progesterone for Symptomatic Perimenopause Treatment - Progesterone politics, physiology and potential for perimenopause. Facts Views Vis Obgyn. 2011;3(2):109-20. PubMed PMID: 24753856

343: http://www.cemcor.ubc.ca/resources/estrogen%E2%80%99s-storm-season

344: http://www.cemcor.ubc.ca/resources/perimenopause-time-%E2%80%9Cendogenous-ovarian-hyperstimulation%E2%80%9D

345: Santoro N, Crawford SL, Lasley WL, Luborsky JL, Matthews KA, McConnell D, et al. Factors related to declining luteal function in women during the menopausal transition. J Clin Endocrinol Metab. 2008 May;93(5):1711-21. PubMed PMID: 18285413

346: White YA, Woods DC, Takai Y, Ishihara O, Seki H, Tilly JL. Oocyte formation by mitotically active germ cells purified from ovaries of reproductive-age women. Nat Med. 2012 Feb 26;18(3):413-21. PubMed PMID: 22366948

347: HTTP://http://news.nationalgeographic.com/news/2012/02/120229-women-health-ovaries-eggs-reproduction-science/

348: Carla Aimé, Jean-Baptiste André, Michel Raymond. Grandmothering and cognitive resources are required for the emergence of menopause andextensive post-reproductive lifespan. PLOS Computational Biology, 2017; 13 (7): e1005631

349: https://www.theatlantic.com/science/archive/2017/01/why-do-killer-whales-go-through-menopause/512783/

350: Gordon JL, Girdler SS, Meltzer-Brody SE, Stika CS, Thurston RC, Clark CT, et al. Ovarian hormone fluctuation, neurosteroids, and HPA axis dysregulation in perimenopausal depression: a novel heuristic model. Am J Psychiatry. 2015 Mar 1;172(3):227-36. PubMed PMID: 25585035

351: Gordon JL, Girdler SS, Meltzer-Brody SE, Stika CS, Thurston RC, Clark CT, et al. Ovarian hormone fluctuation, neurosteroids, and HPA axis dysregulation in perimenopausal depression: a novel heuristic model. Am J Psychiatry. 2015 Mar 1;172(3):227-36. PubMed PMID: 25585035

352: Campbell KE, Dennerstein L, Finch S, Szoeke CE. Impact of menopausal status on negative mood and depressive symptoms in a longitudinal sample spanning 20 years. Menopause. 2017 May;24(5):490-496. PubMed PMID: 27922940

353: JC Prior. Perimenopause lost - Reframing the end of menstruation. November 2006. Journal of Reproductive and Infant Psychology. Pages 323-335

354: Campbell KE, Dennerstein L, Tacey M, Szoeke CE. The trajectory of negative mood and depressive symptoms over two decades. Maturitas. 2017 Jan;95:36-41. PubMed PMID: 27889051

355: https://www.futurity.org/women-aging-mood-1525342-2/

356: Zierau O, Zenclussen AC, Jensen F. Role of female sex hormones, estradiol and progesterone, in mast cell behavior. Front Immunol. 2012;3:169. PubMed PMID: 22723800

357: Prior JC. Progesterone for Symptomatic Perimenopause Treatment - Progesterone politics, physiology and potential for perimenopause. Facts Views Vis Obgyn. 2011;3(2):109-20. PubMed PMID: 24753856

358: Gill J. The effects of moderate alcohol consumption on female hormone levels and reproductive function. Alcohol Alcohol. 2000 Sep-Oct;35(5):417-23. PubMed PMID: 11022013

359: Nyberg S, Andersson A, Zingmark E, Wahlström G, Bäckström T, Sundström-Poromaa I. The effect of a low dose of alcohol on allopregnanolone serum concentrations across the menstrual cycle in women with severe premenstrual syndrome and controls. Psychoneuroendocrinology. 2005 Oct;30(9):892-901. PubMed PMID: 15979810

360: Ritz MF, Schmidt P, Mendelowitsch A. 17beta-estradiol effect on the extracellular concentration of amino acids in the glutamate excitotoxicity model in the rat. Neurochem Res. 2002 Dec;27(12):1677-83. PubMed PMID: 12515322

361: Jiang JG, Huang XJ, Chen J, Lin QS. Comparison of the sedative and hypnotic effects of flavonoids, saponins, and polysaccharides extracted from Semen Ziziphus jujube. Nat Prod Res. 2007 Apr;21(4):310-20. PubMed PMID: 17479419

362: Koetter U, Barrett M, Lacher S, Abdelrahman A, Dolnick D. Interactions of Magnolia and Ziziphus extracts with selected central nervous system receptors. J Ethnopharmacol. 2009 Jul 30;124(3):421-5. PubMed PMID: 19505549

363: Personal communication with Dr Jerilynn Prior

364: Friess E, Tagaya H, Trachsel L, Holsboer F, Rupprecht R. Progesterone-induced changes in sleep in male subjects. Am J Physiol. 1997 May;272(5 Pt 1):E885-91. PubMed PMID: 9176190

365: Schüssler P, Kluge M, Yassouridis A, Dresler M, Held K, Zihl J, et al. Progesterone reduces wakefulness in sleep EEG and has no effect on cognition in healthy postmenopausal women. Psychoneuroendocrinology. 2008 Sep;33(8):1124-31. PubMed PMID: 18676087

366: Prior JC. Progesterone for Symptomatic Perimenopause Treatment - Progesterone politics, physiology and potential for perimenopause. Facts Views Vis Obgyn. 2011;3(2):109-20. PubMed PMID: 24753856

367: Massoudi MS, Meilahn EN, Orchard TJ, Foley TP Jr, Kuller LH, Costantino JP, et al. Prevalence of thyroid antibodies among healthy middle-aged women. Findings from the thyroid study in healthy women. Ann Epidemiol. 1995 May;5(3):229-33. PubMed PMID: 7606312

368: Sathi P, Kalyan S, Hitchcock CL, Pudek M, Prior JC. Progesterone therapy increases free thyroxine levels--data from a randomized placebo-controlled 12-week hot flush trial. Clin Endocrinol (Oxf). 2013 Aug;79(2):282-7. PubMed PMID: 23252963

369: http://www.cemcor.ubc.ca/resources/healthcare-providers-managing-menorrhagia-without-surgery

370: Longinotti MK, Jacobson GF, Hung YY, Learman LA. Probability of hysterectomy after endometrial ablation. Obstet Gynecol. 2008 Dec;112(6):1214-20. PubMed PMID: 19037028

371: McCausland AM, McCausland VM. Frequency of symptomatic cornual hematometra and postablation tubal sterilization syndrome after total rollerball endometrial ablation: a 10-year follow-up. Am J Obstet Gynecol. 2002 Jun;186(6):1274-80; discussion 1280-3. PubMed PMID: 12066109

372: Altman D, Falconer C, Cnattingius S, Granath F. Pelvic organ prolapse surgery following hysterectomy on benign indications. Am J Obstet Gynecol. 2008 May;198(5):572.e1-6. PubMed PMID: 18355787

373: Calcium-d-glucarate monograph. Altern Med Rev 2002;7(4):336-339

374: Prior JC. Progesterone for Symptomatic Perimenopause Treatment - Progesterone politics, physiology and potential for perimenopause. Facts Views Vis Obgyn. 2011;3(2):109-20. PubMed PMID: 24753856

375: Labrie F. All sex steroids are made intracellularly in peripheral tissues by the mechanisms of intracrinology after menopause. J Steroid Biochem Mol Biol. 2015 Jan;145:133-8. PubMed PMID: 24923731

376: Beck-Peccoz P, Persani L. Premature ovarian failure. Orphanet J Rare Dis. 2006 Apr 6;1:9. PubMed PMID: 16722528

377: Komorowska B. Autoimmune premature ovarian failure. Prz Menopauzalny. 2016 Dec;15(4):210-214. PubMed PMID: 28250725

378: Rivera CM, Grossardt BR, Rhodes DJ, Brown RD Jr, Roger VL, Melton LJ 3rd, et al. Increased cardiovascular mortality after early bilateral oophorectomy. Menopause. 2009 Jan-Feb;16(1):15-23. PubMed PMID: 19034050

379: Rocca WA, Bower JH, Maraganore DM, Ahlskog JE, Grossardt BR, de Andrade M, et al. Increased risk of cognitive impairment or dementia in women who underwent oophorectomy before menopause. Neurology. 2007 Sep 11;69(11):1074-83. PubMed PMID: 17761551

380: Hreshchyshyn MM, Hopkins A, Zylstra S, Anbar M. Effects of natural menopause, hysterectomy, and oophorectomy on lumbar spine and femoral neck bone densities. Obstet Gynecol. 1988 Oct;72(4):631-8. PubMed PMID: 3419740

381: Segelman J, Lindström L, Frisell J, Lu Y. Population-based analysis of colorectal cancer risk after oophorectomy. Br J Surg. 2016 Jun;103(7):908-15. PubMed PMID: 27115862

382: Castelo-Branco C, Palacios S, Combalia J, Ferrer M, Traveria G. Risk of hypoactive sexual desire disorder and associated factors in a cohort of oophorectomized women. Climacteric. 2009 Dec;12(6):525-32. PubMed PMID: 19905904

383: Shuster LT, Gostout BS, Grossardt BR, Rocca WA. Prophylactic oophorectomy in premenopausal women and long-term health. Menopause Int. 2008 Sep;14(3):111-6. PubMed PMID: 18714076

384: Avis NE, Crawford SL, Greendale G, Bromberger JT, Everson-Rose SA, Gold EB, et al. Duration of menopausal vasomotor symptoms over the menopause transition. JAMA Intern Med. 2015 Apr;175(4):531-9. PubMed PMID: 25686030

385: Hitchcock CL, Prior JC. Oral micronized progesterone for vasomotor symptoms-- a placebo-controlled randomized trial in healthy postmenopausal women. Menopause. 2012 Aug;19(8):886-93. PubMed PMID: 22453200

386: Labrie F, Archer D, Bouchard C, Fortier M, Cusan L, Gomez JL, et al. Intravaginal dehydroepiandrosterone (Prasterone), a physiological and highly efficient treatment of vaginal atrophy. Menopause. 2009 Sep-Oct;16(5):907-22. PubMed PMID: 19436225

387: Larmo PS, Yang B, Hyssälä J, Kallio HP, Erkkola R. Effects of sea buckthorn oil intake on vaginal atrophy in postmenopausal women: a randomized, double-blind, placebo-controlled study. Maturitas. 2014 Nov;79(3):316-21. PubMed PMID: 25104582

388: Gupte AA, Pownall HJ, Hamilton DJ. Estrogen: an emerging regulator of insulin action and mitochondrial function. J Diabetes Res. 2015;2015:916585. PubMed PMID: 25883987

389: Finkelstein JS, Brockwell SE, Mehta V, Greendale GA, Sowers MR, Ettinger B, et al. Bone mineral density changes during the menopause transition in a multiethnic cohort of women. J Clin Endocrinol Metab. 2008 Mar;93(3):861-8. PubMed PMID: 18160467

390: Rizzoli R, Cooper C, Reginster JY, Abrahamsen B, Adachi JD, Brandi ML, et al.

Antidepressant medications and osteoporosis. Bone. 2012 Sep;51(3):606-13. PubMed PMID: 22659406

391: http://www.npr.org/2009/12/21/121609815/how-a-bone-disease-grew-to-fit-the-prescription

392: Järvinen TL, Michaëlsson K, Jokihaara J, Collins GS, Perry TL, Mintzes B, et al. Overdiagnosis of bone fragility in the quest to prevent hip fracture. BMJ. 2015 May 26;350:h2088. PubMed PMID: 26013536

393: Seifert-Klauss, V., Prior, J.C. Progesterone and bone: actions promoting bone health inwomen. J Osteoporos. 2010;2010:845180

394: Mohammed H, Russell IA, Stark R, Rueda OM, Hickey TE, Tarulli GA, et al. Progesterone receptor modulates ERα action in breast cancer. Nature. 2015 Jul 16;523(7560):313-7. PubMed PMID: 26153859

395: Thomas P, Pang Y. Protective actions of progesterone in the cardiovascular system: potential role of membrane progesterone receptors (mPRs) in mediating rapid effects. Steroids. 2013 Jun;78(6):583-8. PubMed PMID: 23357432

396: Campbell KE, Dennerstein L, Finch S, Szoeke CE. Impact of menopausal status on negative mood and depressive symptoms in a longitudinal sample spanning 20 years. Menopause. 2017 May;24(5):490-496. PubMed PMID: 27922940

397: http://www.ewg.org/research/dirty-dozen-list-endocrine-disruptors

398: Bruner-Tran KL, Gnecco J, Ding T, Glore DR, Pensabene V, Osteen KG. Exposure to the environmental endocrine disruptor TCDD and human reproductive dysfunction: Translating lessons from murine models. Reprod Toxicol. 2017 Mar;68:59-71. PubMed PMID: 27423904

399: Morgenstern R, Whyatt RM, Insel BJ, Calafat AM, Liu X, Rauh VA, et al. Phthalates and thyroid function in preschool age children: Sex specific associations. Environ Int. 2017 May 26;106:11-18. PubMed PMID: 28554096

400: https://www.ncbi.nlm.nih.gov/pmc/articles/PMC3988285/

401: Takeuchi T, Tsutsumi O, Ikezuki Y, Takai Y, Taketani Y. Positive relationship between androgen and the endocrine disruptor, bisphenol A, in normal women and women with ovarian dysfunction. Endocr J. 2004 Apr;51(2):165-9. PubMed PMID: 15118266

402: Palioura E, Diamanti-Kandarakis E. Polycystic ovary syndrome (PCOS) and endocrine disrupting chemicals (EDCs). Rev Endocr Metab Disord. 2015 Dec;16(4):365-71. PubMed PMID: 26825073

403: Grindler NM, Allsworth JE, Macones GA, Kannan K, Roehl KA, Cooper AR. Persistent organic pollutants and early menopause in U.S. women. PLoS One. 2015;10(1):e0116057. PubMed PMID: 25629726

404: http://www.acog.org/About-ACOG/ACOG-Departments/Health-Care-for-Underserved-Women/Toxic-Environmental-Agents

405: Gore AC, Chappell VA, Fenton SE, Flaws JA, Nadal A, Prins GS, et al. Executive

Summary to EDC-2: The Endocrine Society's Second Scientific Statement on Endocrine-Disrupting Chemicals. Endocr Rev. 2015 Dec;36(6):593-602. PubMed PMID: 26414233

406: Sinha R, Sinha I, Calcagnotto A, Trushin N, Haley JS, Schell TD, et al. Oral supplementation with liposomal glutathione elevates body stores of glutathione and markers of immune function. Eur J Clin Nutr. 2018 Jan;72(1):105-111. PubMed PMID: 28853742

407: El-Ashmawy IM, Ashry KM, El-Nahas AF, Salama OM. Protection by turmeric and myrrh against liver oxidative damage and genotoxicity induced by lead acetate in mice. Basic Clin Pharmacol Toxicol. 2006 Jan;98(1):32-7. PubMed PMID: 16433888

408: Berggren A, Lazou Ahrén I, Larsson N, Önning G. Randomised, double-blind and placebo-controlled study using new probiotic lactobacilli for strengthening the body immune defence against viral infections. Eur J Nutr. 2011 Apr;50(3):203-10. PubMed PMID: 20803023

409: Finamore A, Massimi M, Conti Devirgiliis L, Mengheri E. Zinc deficiency induces membrane barrier damage and increases neutrophil transmigration in Caco-2 cells. J Nutr. 2008 Sep;138(9):1664-70. PubMed PMID: 18716167

410: Orlando A, Linsalata M, Notarnicola M, Tutino V, Russo F. Lactobacillus GG restoration of the gliadin induced epithelial barrier disruption: the role of cellular polyamines. BMC Microbiol. 2014 Jan 31;14:19. PubMed PMID: 24483336

411: Patil AD. Link between hypothyroidism and small intestinal bacterial overgrowth. Indian J Endocrinol Metab. 2014 May;18(3):307-9. PubMed PMID: 24944923

412: Chedid V, Dhalla S, Clarke JO, Roland BC, Dunbar KB, Koh J, et al. Herbal therapy is equivalent to rifaximin for the treatment of small intestinal bacterial overgrowth. Glob Adv Health Med. 2014 May;3(3):16-24. PubMed PMID: 24891990

413: Gu L, Li N, Gong J, Li Q, Zhu W, Li J. Berberine ameliorates intestinal epithelial tight-junction damage and down-regulates myosin light chain kinase pathways in a mouse model of endotoxinemia. J Infect Dis. 2011 Jun 1;203(11):1602-12. PubMed PMID: 21592990

414: Anukam K, Osazuwa E, Ahonkhai I, Ngwu M, Osemene G, Bruce AW, et al. Augmentation of antimicrobial metronidazole therapy of bacterial vaginosis with oral probiotic Lactobacillus rhamnosus GR-1 and Lactobacillus reuteri RC-14: randomized, double-blind, placebo controlled trial. Microbes Infect. 2006 May;8(6):1450-4. PubMed PMID: 16697231

415: Achilles SL, Austin MN, Meyn LA, Mhlanga F, Chirenje ZM, Hillier SL. Impact of contraceptive initiation on vaginal microbiota. Am J Obstet Gynecol. 2018 Jun;218(6):622.e1-622.e10. PubMed PMID: 29505773

416: AACE Medical Guidelines for Clinical Practice for the Evaluation andTreatment of Hyperthyroidism and Hypothyroidism, Endocrine Practice, Vol. 8, No. 6, Nov/Dec 2002.

417: Chen S, Zhou X, Zhu H, Yang H, Gong F, Wang L, et al. Preconception TSH and pregnancy outcomes: a population-based cohort study in 184 611 women. Clin

Endocrinol (Oxf). 2017 Jun;86(6):816-824. PubMed PMID: 28295470

418: Wiersinga WM. Paradigm shifts in thyroid hormone replacement therapies for hypothyroidism. Nat Rev Endocrinol. 2014 Mar;10(3):164-74. PubMed PMID: 24419358

419: Wartofsky L. Combination L-T3 and L-T4 therapy for hypothyroidism. Curr Opin Endocrinol Diabetes Obes. 2013 Oct;20(5):460-6. PubMed PMID: 23974776

420: Hoang TD, Olsen CH, Mai VQ, Clyde PW, Shakir MK. Desiccated thyroid extract compared with levothyroxine in the treatment of hypothyroidism: a randomized, double-blind, crossover study. J Clin Endocrinol Metab. 2013 May;98(5):1982-90. PubMed PMID: 23539727

421: Sategna-Guidetti C, Volta U, Ciacci C, Usai P, Carlino A, De Franceschi L, et al. Prevalence of thyroid disorders in untreated adult celiac disease patients and effect of gluten withdrawal: an Italian multicenter study. Am J Gastroenterol. 2001 Mar;96(3):751-7. PubMed PMID: 11280546

422: Janegova A, Janega P, Rychly B, Kuracinova K, Babal P. The role of Epstein-Barr virus infection in the development of autoimmune thyroid diseases. Endokrynol Pol. 2015;66(2):132-6. PubMed PMID: 25931043

423: Gannon JM, Forrest PE, Roy Chengappa KN. Subtle changes in thyroid indices during a placebo-controlled study of an extract of Withania somnifera in persons with bipolar disorder. J Ayurveda Integr Med. 2014 Oct-Dec;5(4):241-5. PubMed PMID: 25624699

424: Mazokopakis EE, Papadakis JA, Papadomanolaki MG, Batistakis AG, Giannakopoulos TG, Protopapadakis EE, et al. Effects of 12 months treatment with L-selenomethionine on serum anti-TPO Levels in Patients with Hashimoto's thyroiditis. Thyroid. 2007 Jul;17(7):609-12. PubMed PMID: 17696828

425: Pirola I, Gandossi E, Agosti B, Delbarba A, Cappelli C. Selenium supplementation could restore euthyroidism in subclinical hypothyroid patients with autoimmune thyroiditis. Endokrynol Pol. 2016;67(6):567-571. PubMed PMID: 28042649

426: http://www.americanhairloss.org/types_of_hair_loss/effluviums.asp

427: Murata K, Noguchi K, Kondo M, Onishi M, Watanabe N, Okamura K, et al. Promotion of hair growth by Rosmarinus officinalis leaf extract. Phytother Res. 2013 Feb;27(2):212-7. PubMed PMID: 22517595

428: Fischer TW, Burmeister G, Schmidt HW, Elsner P. Melatonin increases anagen hair rate in women with androgenetic alopecia or diffuse alopecia: results of a pilot randomized controlled trial. Br J Dermatol. 2004 Feb;150(2):341-5. PubMed PMID: 14996107

429: Personal communication with Dr. Jerilynn Prior.

ÍNDICE

Printed in Great Britain
by Amazon

45357801R00245